#시험대비
#핵심정복

7일 끝
중간고사
기말고사

Chunjae
Makes
Chunjae

▼

[7일 끝] 중학 수학 2-2

저자	최용준, 해법수학연구회
제작	황성진, 조규영

발행일	2021년 6월 15일 초판 2021년 6월 15일 1쇄
발행인	(주)천재교육
주소	서울시 금천구 가산로9길 54
신고번호	제2001-000018호
고객센터	1577-0902
교재 내용문의	(02)3282-8852

7일 끝으로 끝내자!

중학 수학 2-2

BOOK 1
중 간 고 사 대 비

구성과 활용

시험 공부 시작

생각 열기

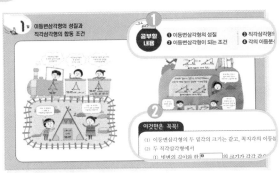

공부할 내용을 만화로 가볍게 살펴보며 학습을 준비해 보세요.

① 공부할 내용을 살피며 핵심 학습 요소를 확인해 보세요.

② 이것만은 꼭꼭!을 통해 실수하기 쉬운 개념을 짚어 보세요.

본격 공부 중

교과서 핵심 정리 + 시험지 속 개념 문제

꼭 알아야 할 교과서 핵심 내용을 익히고 시험지 속 개념 문제를 풀며 제대로 이해했는지 확인해 보세요.

① 빈칸을 채우며 교과서 핵심 내용을 다시 한 번 확인해 보세요.

② 교과서 핵심과 관련된 시험지 속 개념 문제를 풀며 공부한 내용을 확인해 보세요.

교과서 기출 베스트 1회, 2회

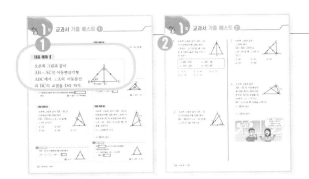

다양한 유형의 문제를 풀어 보며 공부한 내용을 점검해 보세요.

① 교과서 기출 베스트 1회에서는 대표 예제 문제를 풀며 시험에 자주 나오는 문제를 확인해 보세요.

② 교과서 기출 베스트 1회와 쌍둥이 문제로 구성된 교과서 기출 베스트 2회를 한 번 더 풀면서 실력을 다져 보세요.

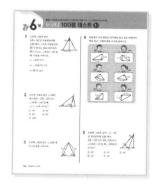

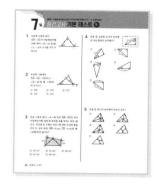

누구나 100점 테스트
1회, 2회
앞에서 공부한 개념을 이해했는지 문제를 풀어 점검해 보세요.

서술형·사고력 테스트
서술형·사고력 문제를 집중적으로 풀며 서술형·사고력 문제에 대한 적응력을 높여 보세요.

창의·융합·코딩 테스트
앞에서 공부한 개념이 어떻게 이용되는지 알고 문제 해결력을 키워 보세요.

중간고사 기본 테스트
1회, 2회
시험 문제에 가까운 예상 문제를 풀며 실전에 대비해 보세요.

틈틈이·짬짬이 공부하기

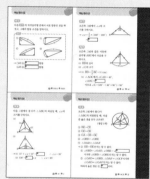

핵심 정리 총집합 카드를 휴대하며 이동하는 중이나 시험 직전에 활용해 보세요.

7일 끝 중학 수학 2-2 중간

차례

1일 이등변삼각형의 성질과 직각삼각형의 합동 조건   6

2일 삼각형의 외심과 내심   16

3일 평행사변형   26

4일 여러 가지 사각형   36

5일 도형의 닮음   46

누구나 **100점 테스트** 1회　　　　　56

누구나 **100점 테스트** 2회　　　　　58

서술형 · 사고력 **테스트**　　　　　60

창의 · 융합 · 코딩 **테스트**　　　　　62

중간고사 **기본 테스트** 1회　　　　　64

중간고사 **기본 테스트** 2회　　　　　68

1일 이등변삼각형의 성질과 직각삼각형의 합동 조건

이것만은 꼭꼭!

(1) 이등변삼각형의 두 밑각의 크기는 같고, 꼭지각의 이등분선은 밑변을 ❶ ⬚ 한다.

(2) 두 직각삼각형에서

① 빗변의 길이와 한 ❷ ⬚ 의 크기가 각각 같으면 두 직각삼각형은 서로 합동이다. (RHA 합동)

② 빗변의 길이와 다른 한 변의 길이가 각각 같으면 두 직각삼각형은 서로 합동이다. (❸ ⬚ 합동)

답 ❶ 수직이등분 ❷ 예각 ❸ RHS

핵심 1 이등변삼각형의 성질

(1) **이등변삼각형** : 두 변의 길이가 같은 삼각형 ➡ $\overline{AB}=\overline{AC}$

[참고] 이등변삼각형에서 사용하는 용어

① 꼭지각 : 길이가 같은 두 변이 이루는 각

② 밑변 : 꼭지각의 ❶ [   ]

③ 밑각 : 밑변의 양 끝 각

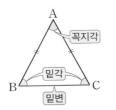

❶ 대변

(2) **이등변삼각형의 성질**

① 이등변삼각형의 두 ❷ [   ]의 크기는 같다.

➡ △ABC에서 $\overline{AB}=\overline{AC}$이면 ∠B=∠C

② 이등변삼각형의 꼭지각의 이등분선은 밑변을 수직이등분한다.

➡ △ABC에서 $\overline{AB}=\overline{AC}$, ∠BAD=∠CAD이면 $\overline{AD}\perp\overline{BC}$, $\overline{BD}=\overline{CD}$

❷ 밑각

[설명] ① 오른쪽 그림과 같이 ∠A의 이등분선과 $\overline{BC}$의 교점을 D라 하자.

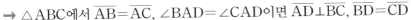
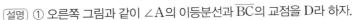

△ABD와 △ACD에서

$\overline{AB}=\overline{AC}$, ∠BAD=∠CAD, $\overline{AD}$는 공통이므로

△ABD≡△ACD (❸ [   ] 합동)

∴ ∠B=∠ ❹ [   ]

❸ SAS

❹ C

② ①의 설명에서 △ABD≡△ACD이므로 $\overline{BD}=\overline{CD}$

또 ∠ADB=∠ADC이고 ∠ADB+∠ADC=180°이므로

∠ADB=∠ADC=90°   ∴ $\overline{AD}$ ❺ [   ] $\overline{BC}$

❺ ⊥

핵심 2 이등변삼각형이 되는 조건

두 내각의 크기가 같은 삼각형은 ❻ [   ] 삼각형이다.

➡ △ABC에서 ∠B=∠C이면 $\overline{AB}=\overline{AC}$

❻ 이등변

[설명] 오른쪽 그림과 같이 ∠A의 이등분선과 $\overline{BC}$의 교점을 D라 하자.

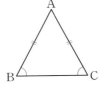

△ABD와 △ACD에서

∠BAD=∠CAD

∠ADB=180°−(∠BAD+∠B)=180°−(∠CAD+∠C)=∠ADC

또 $\overline{AD}$는 공통이므로 △ABD≡△ACD (❼ [   ] 합동)

∴ $\overline{AB}=$ ❽ [   ]

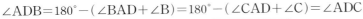

❼ ASA

❽ $\overline{AC}$

시험지 속 개념 문제

1 다음은 '이등변삼각형의 두 밑각의 크기는 같다.'를 설명하는 과정이다. ☐ 안에 알맞은 것을 써넣으시오.

> 오른쪽 그림과 같이 $\overline{AB}=\overline{AC}$ 인 이등변삼각형 ABC에서 ∠A의 이등분선이 $\overline{BC}$와 만나는 점을 D라 하자.
> △ABD와 △ACD에서
> $\overline{AB}=$ ☐ , ∠BAD= ☐ , $\overline{AD}$는 공통
> 이므로 △ABD≡△ACD (☐ 합동)
> ∴ ∠B= ☐
> 즉 이등변삼각형의 두 밑각의 크기는 같다.

2 다음 그림과 같이 $\overline{AB}=\overline{AC}$인 이등변삼각형 ABC에서 ∠$x$의 크기를 구하시오.

(1)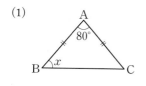

(2)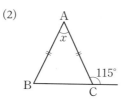

3 오른쪽 그림과 같이 $\overline{AB}=\overline{AC}$인 이등변삼각형 ABC에서 ∠A의 이등분선이 $\overline{BC}$와 만나는 점을 D라 하자. ∠B=70°, $\overline{CD}=3$ cm 일 때, 다음을 구하시오.

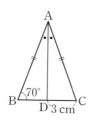

(1) ∠CAD의 크기

(2) $\overline{BC}$의 길이

4 다음은 우빈이가 '두 내각의 크기가 같은 삼각형은 이등변삼각형이다.'를 설명하는 과정이다. ☐ 안에 알맞은 것을 써넣으시오.

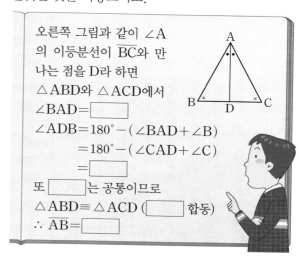

> 오른쪽 그림과 같이 ∠A의 이등분선이 $\overline{BC}$와 만나는 점을 D라 하면
> △ABD와 △ACD에서
> ∠BAD= ☐
> ∠ADB=180°−(∠BAD+∠B)
> =180°−(∠CAD+∠C)
> = ☐
> 또 ☐ 는 공통이므로
> △ABD≡△ACD (☐ 합동)
> ∴ $\overline{AB}=$ ☐

5 다음 그림과 같은 △ABC에서 x의 값을 구하시오.

(1)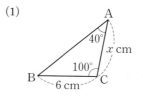

(2)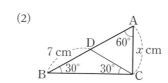

핵심 3 직각삼각형의 합동 조건

→ 직각삼각형에서 직각의 대변

(1) 두 직각삼각형에서 빗변의 길이와 한 예각의 크기가 각각 같으면 두 직각삼각형은 서로 합동이다. (RHA 합동)

    → ∠C=∠F=90°, $\overline{AB}=\overline{DE}$, ∠B=∠E이면

        △ABC **❶**〔　〕△DEF

    [설명] △ABC와 △DEF에서

        $\overline{AB}=\overline{DE}$, ∠B=∠E

        ∠C=∠F=90°이므로 ∠A=90°−∠B=90°−∠E=∠**❷**〔　〕

        ∴ △ABC≡△DEF (**❸**〔　〕 합동)

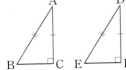

(2) 두 직각삼각형에서 빗변의 길이와 다른 한 **❹**〔　〕의 길이가 각각 같으면 두 직각삼각형은 서로 합동이다.

                         (RHS 합동)

    → ∠C=∠F=90°, $\overline{AB}=\overline{DE}$, $\overline{AC}=\overline{DF}$이면

        △ABC≡△DEF

    [설명] 오른쪽 그림과 같이 $\overline{AC}$와 $\overline{DF}$가 겹치도록 놓으면

        ∠ACB+∠DFE=90°+90°=180°

        즉 세 점 B, C(F), E는 한 직선 위에 있게 된다.

        이때 $\overline{AB}=\overline{DE}$이므로 △ABE는 이등변삼각형이다.

        따라서 ∠B=∠**❺**〔　〕이므로

        △ABC≡△DEF (RHA 합동)

    [참고] 빗변의 길이가 같을 때에만 **❻**〔　〕삼각형의 합동 조건을 이용한다.

핵심 4 각의 이등분선의 성질

(1) 각의 이등분선 위의 한 점에서 그 각의 두 변에 이르는 거리는 같다.

    → ∠AOB에서 ∠AOP=∠BOP 이면 $\overline{PQ}=$**❼**〔　〕

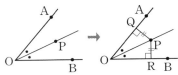

(2) 각을 이루는 두 변에서 같은 거리에 있는 점은 그 각의 이등분선 위에 있다.

    → ∠AOB에서 $\overline{PQ}=\overline{PR}$이면 ∠AOP=∠**❽**〔　〕

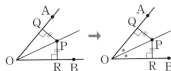

오른쪽 정답:

❶ ≡
❷ D
❸ ASA
❹ 변
❺ E
❻ 직각
❼ $\overline{PR}$
❽ BOP

시험지 속 개념 문제

정답과 풀이 2쪽

6 아래 그림과 같은 두 직각삼각형 ABC와 DEF에 대하여 ∠A＝∠D일 때, 다음을 구하시오.

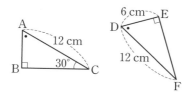

(1) $\overline{AB}$의 길이

(2) ∠D의 크기

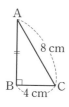

7 아래 그림과 같은 두 직각삼각형 ABC와 DEF에 대하여 $\overline{AB}=\overline{DE}$일 때, 다음을 구하시오.

(1) $\overline{EF}$의 길이

(2) ∠A의 크기

8 다음 중 오른쪽 그림의 직각삼각형과 합동인 삼각형과 그때의 합동 조건을 바르게 짝 지은 것을 고르면?

①
→ RHA 합동

②
→ RHS 합동

③
→ RHS 합동

④
→ RHA 합동

⑤
→ RHA 합동

9 오른쪽 그림과 같이 ∠XOY의 이등분선 위의 점 P에서 $\overrightarrow{OX}$, $\overrightarrow{OY}$에 내린 수선의 발을 각각 A, B라 하자. $\overline{PA}=6$ cm일 때, 다음 물음에 답하시오.

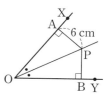

(1) △PAO와 합동인 삼각형을 찾아 기호 ≡를 사용하여 나타내고, 그때의 합동 조건을 말하시오.

(2) $\overline{PB}$의 길이를 구하시오.

대표 예제 **1**

오른쪽 그림과 같이 $\overline{AB}=\overline{AC}$인 이등변삼각형 ABC에서 ∠A의 이등분선과 $\overline{BC}$의 교점을 D라 하자. $\overline{BD}=6$ cm, ∠B=48°일 때, 다음 중 옳지 <u>않은</u> 것은?

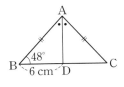

① ∠C=48°
② ∠BAC=42°
③ $\overline{CD}=6$ cm
④ ∠ADC=90°
⑤ △ABD≡△ACD

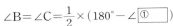

(1) 이등변삼각형의 두 ①⎡ ⎤의 크기는 같다.
(2) 이등변삼각형의 꼭지각의 이등분선은 밑변을 ②⎡ ⎤한다.

답 ① 밑각 ② 수직이등분

대표 예제 **3**

다음 그림에서 $\overline{AB}=\overline{AC}=\overline{CD}$이고 ∠D=80°일 때, ∠$x$+∠$y$의 크기를 구하시오.

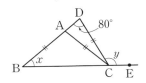

삼각형의 한 ①⎡ ⎤의 크기는 그와 이웃하지 않은 두 내각의 크기의 합과 같다.

→ ∠DAC=∠B+∠②⎡ ⎤

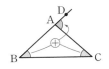

답 ① 외각 ② C

대표 예제 **2**

오른쪽 그림과 같이 $\overline{AB}=\overline{AC}$인 이등변삼각형 ABC에서 $\overline{CB}=\overline{CD}$이고 ∠A=44°일 때, ∠$x$의 크기는?

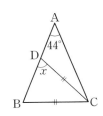

① 56°
② 60°
③ 64°
④ 68°
⑤ 72°

$\overline{AB}=\overline{AC}$인 이등변삼각형 ABC에서

∠B=∠C=$\frac{1}{2}$×(180°−∠①⎡ ⎤)

답 ① A

대표 예제 **4**

오른쪽 그림과 같이 $\overline{AB}=\overline{AC}$인 이등변삼각형 ABC에서 ∠B의 이등분선과 $\overline{AC}$의 교점을 D라 하자. ∠A=36°, $\overline{AD}=8$ cm일 때, 다음을 구하시오.

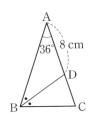

(1) ∠ABD의 크기

(2) $\overline{BD}$의 길이

두 ①⎡ ⎤의 크기가 같은 삼각형은 이등변삼각형이다.

→ △ABC에서 ∠B=∠C이면 $\overline{AB}=$②⎡ ⎤

답 ① 내각 ② $\overline{AC}$

대표 예제 **5**

오른쪽 그림과 같이 직사각형 모양의 종이를 $\overline{AC}$를 접는 선으로 하여 접었다. $\overline{BC}=5$ cm일 때, $\overline{AB}$의 길이를 구하시오.

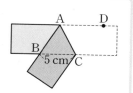

△ABC가 어떤 삼각형인지 확인해 봐!

🧭 개념 가이드

오른쪽 그림에서

∠BAC=① □□□ =∠BCA이므로

△ABC는 ② □□□ 삼각형이다.

접은 각

엇각

🔑 ① ∠DAC ② 이등변

대표 예제 **7**

다음 그림과 같이 직각이등변삼각형 ABC의 두 꼭짓점 A, C에서 직선 l에 내린 수선의 발을 각각 D, E라 하자. $\overline{AD}=6$ cm, $\overline{CE}=8$ cm일 때, $\overline{DE}$의 길이는?

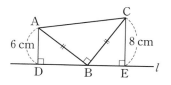

① 10 cm   ② 14 cm   ③ 18 cm

④ 20 cm   ⑤ 24 cm

🧭 개념 가이드

❶ △ADB≡△① □□□ (② □□□ 합동)임을 보인다.

❷ $\overline{DB}$, ③ □□□ 의 길이를 각각 구한다.

❸ $\overline{DE}$의 길이를 구한다.

🔑 ① BEC ② RHA ③ $\overline{BE}$

대표 예제 **6**

다음 중 오른쪽 그림과 같은 두 직각삼각형 ABC, DEF가 합동이 되는 경우가 아닌 것은?

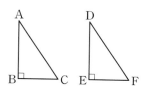

① $\overline{AB}=\overline{DE}$, $\overline{AC}=\overline{DF}$

② $\overline{BC}=\overline{EF}$, $\overline{AC}=\overline{DF}$

③ $\overline{AC}=\overline{DF}$, ∠A=∠D

④ $\overline{AC}=\overline{DF}$, ∠C=∠F

⑤ ∠A=∠D, ∠C=∠F

🧭 개념 가이드

(1) 두 직각삼각형에서 빗변의 길이와 한 예각의 크기가 각각 같을 때 ➡ ① □□□ 합동

(2) 두 직각삼각형에서 빗변의 길이와 다른 한 변의 길이가 각각 같을 때 ➡ ② □□□ 합동

🔑 ① RHA ② RHS

대표 예제 **8**

다음 그림과 같이 ∠C=90°인 직각삼각형 ABC에서 $\overline{AC}=\overline{AE}$이고 $\overline{AB}\perp\overline{DE}$이다. ∠CAD=32°일 때, ∠$x$의 크기를 구하시오.

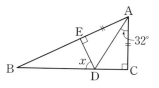

🧭 개념 가이드

❶ △ADC≡△① □□□ (② □□□ 합동)임을 보인다.

❷ ∠ADC와 ∠③ □□□ 의 크기를 구한다.

❸ ∠x의 크기를 구한다.

🔑 ① ADE ② RHS ③ ADE

1 오른쪽 그림과 같이 $\overline{AB}=\overline{AC}$ 인 이등변삼각형 ABC에서 ∠BAD=∠CAD일 때, 다음 중 보기에서 옳은 것을 모두 고른 것은?

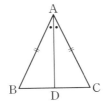

┌ 보기 ┐
ㄱ. $\overline{BD}=\overline{CD}$ ㄴ. $\overline{AD}=\overline{BC}$
ㄷ. $\overline{AB}=\overline{AD}$ ㄹ. $\overline{AD} \perp \overline{BC}$

① ㄱ, ㄴ   ② ㄱ, ㄹ   ③ ㄴ, ㄷ
④ ㄴ, ㄹ   ⑤ ㄷ, ㄹ

2 오른쪽 그림과 같이 $\overline{AB}=\overline{AC}$ 인 이등변삼각형 ABC에서 $\overline{BC}=\overline{BD}$ 이고 ∠C=65°일 때, ∠x의 크기를 구하시오.

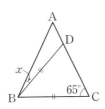

3 오른쪽 그림과 같은 △ABC에서 $\overline{AD}=\overline{BD}=\overline{CD}$ 이고 ∠B=46°일 때, ∠x의 크기는?

① 86°   ② 87°   ③ 88°
④ 89°   ⑤ 90°

4 오른쪽 그림과 같이 $\overline{AB}=\overline{AC}$ 인 이등변삼각형 ABC에서 ∠B의 이등분선과 $\overline{AC}$ 의 교점을 D라 하자. ∠C=72°이고 $\overline{BC}=5$ cm일 때, 다음을 구하시오.

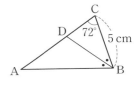

(1) $\overline{BD}$ 의 길이

(2) $\overline{AD}$ 의 길이

$\overline{BD}$ 의 길이를 어떻게 구해?

△ABC가 이등변삼각형임을 이용하여 △BCD가 어떤 삼각형인지 알아봐.

5 오른쪽 그림과 같이 직사각형 모양의 종이를 $\overline{BC}$를 접는 선으로 하여 접었다. $\overline{AC}=6$ cm, $\overline{BC}=5$ cm일 때, $\overline{AB}$의 길이를 구하시오.

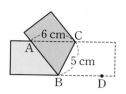

6 다음 그림과 같이 $\angle C = \angle E = 90°$인 두 직각삼각형 ABC와 DEF에서 $\overline{BC}=\overline{DE}$일 때, 두 삼각형이 합동이 되기 위해 필요한 조건을 말한 학생을 모두 찾으시오.

민석 $\angle A = \angle F$

연지 $\overline{AB}=\overline{FD}$

재호 $\angle B = \angle F$

혜미 $\overline{AC}=\overline{FE}$

현수 $\overline{AB}=\overline{EF}$

7 다음 그림과 같이 $\angle B = 90°$이고 $\overline{BA}=\overline{BC}$인 직각이등변삼각형 ABC의 두 꼭짓점 A, C에서 점 B를 지나는 직선 l에 내린 수선의 발을 각각 D, E라 하자. $\overline{AD}=5$ cm, $\overline{DE}=12$ cm일 때, 사다리꼴 ADEC의 넓이는?

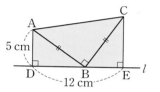

① 36 cm²   ② 48 cm²   ③ 60 cm²

④ 72 cm²   ⑤ 90 cm²

8 다음 그림과 같이 $\angle B = 90°$인 직각삼각형 ABC에서 $\overline{AD}$는 $\angle A$의 이등분선이고 $\overline{DE} \perp \overline{AC}$이다. $\overline{AB}=7$ cm, $\overline{AC}=10$ cm일 때, $\overline{EC}$의 길이는?

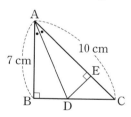

① 2 cm   ② 3 cm   ③ 4 cm

④ 5 cm   ⑤ 6 cm

공부할 내용
1. 삼각형의 외심
2. 삼각형의 외심의 성질
3. 삼각형의 내심
4. 삼각형의 내심의 성질

이것만은 꼭꼭!

(1) 삼각형의 세 변의 수직이등분선은 한 점(❶ ____)에서 만나고, 삼각형의 외심에서 세 꼭짓점에 이르는 거리는 모두 같다.

(2) 삼각형의 세 ❷ ____ 의 이등분선은 한 점(내심)에서 만나고, 삼각형의 내심에서 세 변에 이르는 거리는 모두 같다.

답 ❶ 외심 ❷ 내각

핵심 1 삼각형의 외심

(1) △ABC의 세 꼭짓점이 원 O 위에 있을 때, 원 O는 △ABC에 외접한다고 한다.

(2) **삼각형의 외접원** : 삼각형의 세 꼭짓점을 지나는 원

(3) **삼각형의 외심** : 삼각형의 ❶ [   ]의 중심

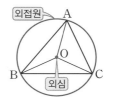

❶ 외접원

핵심 2 삼각형의 외심의 성질

(1) 삼각형의 세 변의 ❷ [   ]은 한 점(외심)에서 만난다.

(2) 삼각형의 외심에서 세 꼭짓점에 이르는 거리는 모두 같다.

→ $\overline{OA}=\overline{OB}=$ ❸ [   ] (외접원의 반지름의 길이)

[참고] △OAD≡△OBD, △OBE≡ ❹ [   ],
△OAF≡△OCF

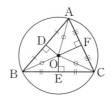

❷ 수직이등분선

❸ $\overline{OC}$

❹ △OCE

(3) **삼각형의 외심의 위치**

예각삼각형	직각삼각형	❺ [ ]삼각형
삼각형의 내부	빗변의 ❻ [ ]	삼각형의 외부

❺ 둔각

[참고] 직각삼각형에서 외심은 빗변의 중점이므로

(외접원의 반지름의 길이)= ❼ [   ] ×(빗변의 길이)

❻ 중점

❼ $\dfrac{1}{2}$

(4) **삼각형의 외심의 활용**

점 O가 △ABC의 외심일 때

① ∠x+∠y+∠z=90°

② ∠BOC= ❽ [   ]∠A

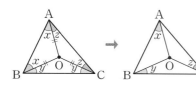

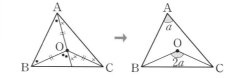

❽ 2

시험지 속 개념 문제

1 다음 그림에서 점 O가 △ABC의 외심일 때, x의 값을 구하시오.

(1)

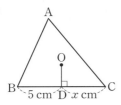

(2)

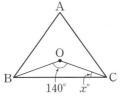

2 오른쪽 그림에서 점 O가 △ABC의 외심일 때, 다음 보기에서 옳은 것을 모두 고르시오.

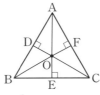

┌ 보기 ┐
ⓐ 삼각형의 외심에서 세 꼭짓점에 이르는 거리는 모두 같으므로 $\overline{OA}=\overline{OB}=\overline{OC}$
ⓑ $\overline{OB}=\overline{OC}$이므로 ∠OBC=∠OCB
ⓒ $\overline{AD}=\overline{AF}$, $\overline{BD}=\overline{BE}$, $\overline{CE}=\overline{CF}$
ⓓ 삼각형의 외심에서 세 변에 이르는 거리는 모두 같으므로 $\overline{OD}=\overline{OE}=\overline{OF}$

3 다음 □ 안에 알맞은 것을 써넣으시오.

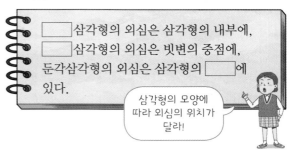

□삼각형의 외심은 삼각형의 내부에, □삼각형의 외심은 빗변의 중점에, 둔각삼각형의 외심은 삼각형의 □에 있다.

삼각형의 모양에 따라 외심의 위치가 달라!

4 다음 그림에서 점 O는 ∠B=90°인 직각삼각형 ABC의 외심이다. ∠AOB=56°일 때, ∠x의 크기를 구하시오.

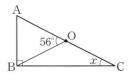

5 다음 그림에서 점 O가 △ABC의 외심일 때, ∠x의 크기를 구하시오.

(1)

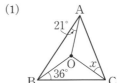

(2)

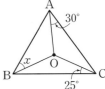

(3)

(4)

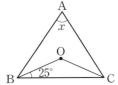

핵심 3 삼각형의 내심

(1) 원 I가 △ABC의 세 변에 모두 접할 때, 원 I는 △ABC에 내접한다고 한다.

(2) **삼각형의 내접원** : 삼각형의 세 변에 접하는 원

(3) **삼각형의 내심** : 삼각형의 ❶ _____ 의 중심

[참고] 원의 접선은 그 접점을 지나는 반지름과 ❷ _____ 이다.

→ $\overline{ID} \perp \overline{AB}$, $\overline{IE} \perp \overline{BC}$, $\overline{IF} \perp \overline{AC}$

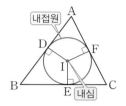

❶ 내접원

❷ 수직

핵심 4 삼각형의 내심의 성질

(1) 삼각형의 세 내각의 이등분선은 한 점(❸ _____)에서 만난다.

(2) 삼각형의 내심에서 세 변에 이르는 거리는 모두 ❹ _____.

→ $\overline{ID} = \overline{IE} = $ ❺ _____ (내접원의 반지름의 길이)

[참고] △IAD ≡ △IAF, △IBD ≡ △IBE, △ICE ≡ ❻ _____

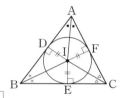

❸ 내심

❹ 같다

❺ $\overline{IF}$

❻ △ICF

(3) **삼각형의 내심의 활용**

점 I가 △ABC의 내심일 때

① $\angle x + \angle y + \angle z = $ ❼ _____ °

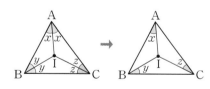

② $\angle BIC = 90° + \dfrac{1}{2} \angle A$

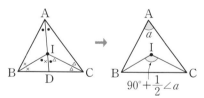

❼ 90

(4) **삼각형의 내접원의 활용**

원 I가 △ABC의 내접원일 때

① $\overline{AD} = \overline{AF}$, $\overline{BD} = \overline{BE}$, $\overline{CE} = \overline{CF}$

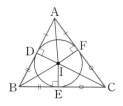

② $\triangle ABC = \dfrac{1}{2}$ ❽ _____ $(a+b+c)$

→ $\triangle ABC = \triangle IBC + \triangle ICA + \triangle IAB$
$= \dfrac{1}{2}ar + \dfrac{1}{2}br + \dfrac{1}{2}cr$
$= \dfrac{1}{2}r(a+b+c)$

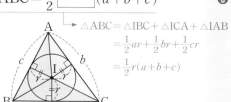

❽ r

6 다음 그림에서 점 I가 △ABC의 내심일 때, x의 값을 구하시오.

(1)

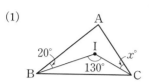

(2)

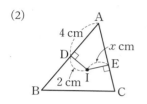

7 다음 그림에서 점 I가 △ABC의 내심일 때, 옳은 말을 한 학생을 모두 찾으시오.

8 다음 그림에서 점 I가 △ABC의 내심일 때, $\angle x$의 크기를 구하시오.

(1)

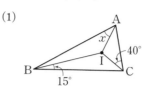

(2)

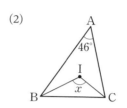

9 오른쪽 그림에서 원 I는 △ABC의 내접원이고 세 점 D, E, F는 접점일 때, x의 값을 구하시오.

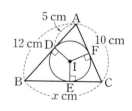

10 오른쪽 그림에서 점 I가 △ABC의 내심이다. $\overline{AB}=6$ cm, $\overline{AC}=8$ cm, $\overline{BC}=10$ cm이고 내접원의 반지름의 길이가 2 cm일 때, △ABC의 넓이를 구하시오.

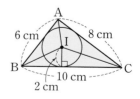

대표 예제 1

오른쪽 그림에서 점 O가 △ABC의 외심일 때, 다음 중 옳은 말을 한 학생을 모두 찾으시오.

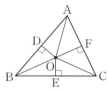

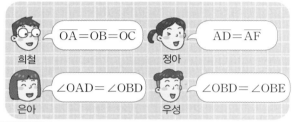

희철 $\overline{OA}=\overline{OB}=\overline{OC}$

정아 $\overline{AD}=\overline{AF}$

은아 ∠OAD=∠OBD

우성 ∠OBD=∠OBE

🧭 **개념 가이드**

(1) 삼각형의 세 변의 수직이등분선은 한 점(①)에서 만난다.

(2) 삼각형의 외심에서 세 ② 에 이르는 거리는 모두 같다.

답 ① 외심 ② 꼭짓점

대표 예제 2

오른쪽 그림에서 점 O는 ∠A=90°인 직각삼각형 ABC의 외심이다. $\overline{AC}=6$ cm, ∠B=30°일 때, $\overline{BC}$의 길이를 구하시오.

🧭 **개념 가이드**

오른쪽 그림과 같이 직각삼각형 ABC의 외심 O는 빗변의 ① 에 있다.

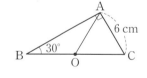

→ $\overline{OA}=\overline{OB}=\overline{OC}=$ ② $\overline{AB}$

답 ① 중점 ② $\dfrac{1}{2}$

대표 예제 3

오른쪽 그림에서 점 O는 △ABC의 외심이다. ∠OBA=34°, ∠OCA=25°일 때, ∠x의 크기를 구하시오.

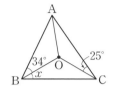

🧭 **개념 가이드**

오른쪽 그림에서 점 O가 △ABC의 외심일 때

● + × + △ = ① °

답 ① 90

대표 예제 4

오른쪽 그림에서 점 O는 △ABC의 외심이다. ∠OAB=20°, ∠OBC=35°일 때, ∠x의 크기를 구하시오.

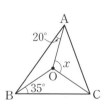

🧭 **개념 가이드**

오른쪽 그림에서 점 O가 △ABC의 외심일 때 ∠BOC= ① ∠A

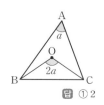

답 ① 2

대표 예제 **5**

오른쪽 그림에서 점 I가 △ABC의 내심일 때, 다음 보기에서 옳은 것을 모두 고르시오.

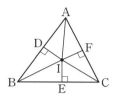

┌ 보기 ├─────────────────────
┃ ㉠ $\overline{AD}=\overline{AF}$ ㉡ $\overline{AD}=\overline{BD}$
┃ ㉢ $\overline{IA}=\overline{IB}=\overline{IC}$ ㉣ $\overline{ID}=\overline{IE}=\overline{IF}$
┃ ㉤ ∠IAD=∠IBD   ㉥ ∠ICE=∠ICF
└────────────────────────────

개념 가이드

(1) 삼각형의 세 내각의 ① [   ]은 한 점(내심)에서 만난다.
(2) 삼각형의 내심에서 세 ② [   ]에 이르는 거리는 모두 같다.

답 ① 이등분선 ② 변

대표 예제 **7**

오른쪽 그림에서 원 I는 △ABC의 내접원이고 세 점 D, E, F는 접점이다. $\overline{AC}=6$ cm, $\overline{BD}=4$ cm, $\overline{CE}=3$ cm일 때, △ABC의 둘레의 길이를 구하시오.

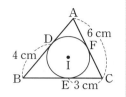

개념 가이드

오른쪽 그림에서 원 I가 △ABC의 내접원일 때
$\overline{AD}=\overline{AF}$, $\overline{BD}=$ ① [   ],
$\overline{CE}=$ ② [   ]

답 ① $\overline{BE}$ ② $\overline{CF}$

대표 예제 **6**

다음 그림에서 점 I가 △ABC의 내심일 때, ∠x의 크기를 구하시오.

(1) 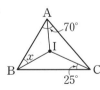   (2)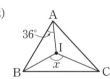

개념 가이드

점 I가 △ABC의 내심일 때

(1) ●+×+△= ① [   ]°

(2) ∠BIC=90°+ ② [   ] ∠A

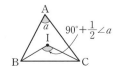

답 ① 90 ② $\dfrac{1}{2}$

대표 예제 **8**

오른쪽 그림에서 원 I는 △ABC의 내접원이고 세 점 D, E, F는 접점이다. △ABC의 넓이가 84 cm² 일 때, 내접원 I의 반지름의 길이를 구하시오.

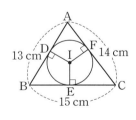

개념 가이드

△ABC의 내접원의 반지름의 길이를 r라 하면
$$\triangle ABC=\frac{1}{2} \boxed{①} (\overline{AB}+\overline{BC}+\overline{CA})$$
└→ △ABC의 둘레의 길이

답 ① r

1 오른쪽 그림에서 점 O는
△ABC의 세 변의 수직이등
분선의 교점이다. 다음 보기
에서 옳은 것은 모두 몇 개인
지 구하시오.

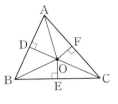

┌ 보기 ┐
㉠ $\overline{OA}=\overline{OB}=\overline{OC}$ ㉡ $\angle OCE=\angle OCF$
㉢ $\angle OAD=\angle OBD$ ㉣ △OBE=△OCE
㉤ $\overline{OD}=\overline{OE}=\overline{OF}$

2 다음 그림과 같이 $\angle B=90°$인 직각삼각형 ABC에
서 점 O는 $\overline{AC}$의 중점이다. $\overline{AB}=5$ cm,
$\overline{AC}=13$ cm, $\overline{BC}=12$ cm일 때, △ABC의 외접
원의 둘레의 길이는?

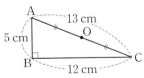

① 10π cm   ② 11π cm   ③ 12π cm
④ 13π cm   ⑤ 14π cm

3 오른쪽 그림에서 점 O는
△ABC의 외심이다.
$\angle OAB=40°$, $\angle OAC=28°$
일 때, $\angle x$의 크기를 구하시
오.

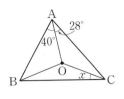

4 오른쪽 그림에서 점 O는
△ABC의 외심이다.
$\angle OAC=37°$, $\angle OBC=28°$
일 때, $\angle AOB$의 크기를 구하
시오.

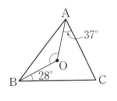

삼각형의 외심
O와 꼭짓점 C를
연결하는 보조선
을 그어 봐.

5 오른쪽 그림에서 점 I가 △ABC의 내심일 때, 다음 중 옳은 것을 모두 고르면?

(정답 2개)

① ∠IAD=∠IBD
② △ICE≡△ICF
③ △IBE≡△ICE
④ $\overline{IA}=\overline{IB}=\overline{IC}$
⑤ $\overline{ID}=\overline{IE}=\overline{IF}$

6 아래 그림의 (가), (나)에서 점 I는 △ABC의 내심이다. 다음 중 (가), (나)의 ∠x의 크기를 바르게 구한 것은?

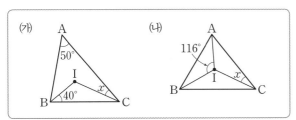

① (가) 25°, (나) 26°
② (가) 25°, (나) 29°
③ (가) 25°, (나) 32°
④ (가) 35°, (나) 26°
⑤ (가) 35°, (나) 29°

7 다음 그림에서 점 I는 △ABC의 내심이고 세 점 D, E, F는 접점이다. $\overline{AB}=5$ cm, $\overline{BC}=7$ cm, $\overline{AC}=6$ cm일 때, $\overline{AF}$의 길이를 구하시오.

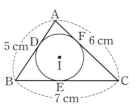

8 다음 그림에서 원 I는 ∠B=90°인 직각삼각형 ABC의 내접원이다. $\overline{AB}=9$ cm, $\overline{BC}=12$ cm, $\overline{CA}=15$ cm일 때, 다음을 구하시오.

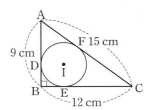

(1) 내접원 I의 반지름의 길이

(2) 내접원 I의 넓이

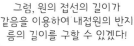

$\overline{ID}$, $\overline{IE}$를 그으면 사각형 DBEI는 한 변의 길이가 내접원의 반지름의 길이와 같은 정사각형이야.

그럼, 원의 접선의 길이가 같음을 이용하여 내접원의 반지름의 길이를 구할 수 있겠다!

3일 평행사변형

이것만은 꼭꼭!

(1) 평행사변형은 두 쌍의 대변이 각각 ❶ [   ] 한 사각형이다.

(2) 평행사변형은 다음 세 가지 성질을 만족한다.

   ① 두 쌍의 ❷ [   ] 의 길이가 각각 같다.

   ② 두 쌍의 대각의 크기가 각각 ❸ [   ] .

   ③ 두 ❹ [   ] 이 서로 다른 것을 이등분한다.

답 ❶ 평행 ❷ 대변 ❸ 같다 ❹ 대각선

핵심 1 평행사변형의 뜻

두 쌍의 대변이 각각 평행한 사각형

→ □ABCD에서 $\overline{AB}$ ∥ $\overline{DC}$, $\overline{AD}$ ∥ **❶**[   ]

사각형에서 마주 보는 변을 대변, 마주 보는 각을 대각이라 해.

❶ $\overline{BC}$

핵심 2 평행사변형의 성질

평행사변형 ABCD에서

(1) 두 쌍의 대변의 길이는 각각 같다.

→ $\overline{AB}$=$\overline{DC}$, $\overline{AD}$=**❷**[   ]

❷ $\overline{BC}$

(2) 두 쌍의 대각의 크기는 각각 같다.

→ ∠A=**❸**[   ], ∠B=∠D

❸ ∠C

(3) 두 대각선이 서로 다른 것을 이등분한다.

→ $\overline{OA}$=$\overline{OC}$, **❹**[   ]=$\overline{OD}$

❹ $\overline{OB}$

[참고] 평행사변형에서 두 쌍의 대변이 각각 평행하므로 이웃하는 두 내각의
크기의 합은 180°이다.

→ 평행사변형 ABCD에서

∠A+∠B=∠B+∠C=∠C+∠D=∠D+∠A=180°

[예] 다음 그림과 같은 평행사변형 ABCD에서 x, y의 값을 각각 구해 보자.

(단, 점 O는 두 대각선의 교점이다.)

(1)

→ $\overline{BC}$=$\overline{AD}$=6 cm이므로 x=**❺**[   ]

∠D=∠B=55°이므로 y=**❻**[   ]

❺ 6
❻ 55

(2)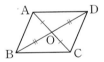

→ $\overline{OC}$=$\overline{OA}$=4 cm이므로 x=**❼**[   ]

$\overline{OB}$=$\overline{OD}$=5 cm이므로 y=**❽**[   ]

❼ 4
❽ 5

시험지 속 개념 문제

정답과 풀이 **8쪽**

1 다음 그림과 같은 평행사변형 ABCD에서 ∠x의 크기를 구하시오. (단, 점 O는 두 대각선의 교점이다.)

(1)

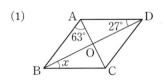

(2)

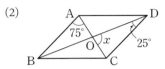

(3)

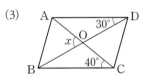

3 다음 그림과 같은 평행사변형 ABCD에서 x, y의 값을 각각 구하시오. (단, 점 O는 두 대각선의 교점이다.)

(1)　　　　　　　　　(2)

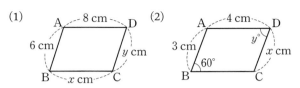

(3)　　　　　　　　　(4)

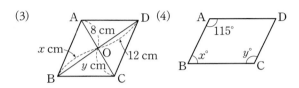

2 다음은 오른쪽 그림의 평행사변형 ABCD를 보고, 학생들이 나눈 대화이다. □ 안에 알맞은 것을 써넣으시오. (단, 점 O는 두 대각선의 교점이다.)

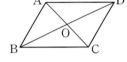

4 다음 그림과 같은 평행사변형 ABCD에서 ∠x의 크기를 구하시오.

(1)

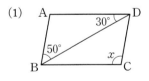

(2)

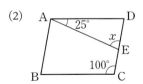

핵심 3 평행사변형이 되는 조건

□ABCD가 다음 중 어느 한 조건을 만족하면 평행사변형이 된다.

(1) 두 쌍의 대변이 각각 평행하다.	(2) 두 쌍의 대변의 길이가 각각 같다.
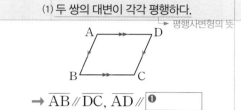 평행사변형의 뜻	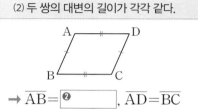
→ $\overline{AB}/\!/\overline{DC}$, $\overline{AD}/\!/$ ❶	→ $\overline{AB}=$ ❷ , $\overline{AD}=\overline{BC}$
(3) 두 쌍의 대각의 크기가 각각 같다.	(4) 두 대각선이 서로 다른 것을 이등분한다.
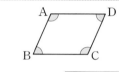	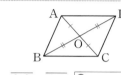
→ $\angle A=\angle C$, ❸ $=\angle D$	→ $\overline{OA}=\overline{OC}$, ❹ $=\overline{OD}$

(5) 한 쌍의 대변이 평행하고, 그 길이가 같다.

→ $\overline{AD}$ ❺ $\overline{BC}$, $\overline{AD}=\overline{BC}$

└→ 또는 $\overline{AB}/\!/\overline{DC}$, $\overline{AB}=\overline{DC}$

❶ $\overline{BC}$
❷ $\overline{DC}$

❸ $\angle B$
❹ $\overline{OB}$

❺ $/\!/$

핵심 4 평행사변형과 넓이

(1) 평행사변형의 넓이는 한 대각선에 의하여 이등분된다.

→ $\triangle ABC=\triangle ACD=\dfrac{1}{2}$ ❻

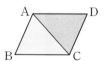

❻ □ABCD

(2) 평행사변형의 넓이는 두 대각선에 의하여 사등분된다.

→ $\triangle OAB=\triangle OBC=\triangle OCD=$ ❼

$\quad =\dfrac{1}{4}$□ABCD

❼ $\triangle ODA$

(3) 평행사변형의 내부의 한 점 P에 대하여

$\triangle PAB+\triangle PCD=\triangle PDA+\triangle PBC=$ ❽ □ABCD

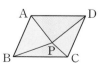

❽ $\dfrac{1}{2}$

시험지 속 개념 문제

5 다음 중 사각형이 평행사변형이 되는 조건으로 옳지 **않은** 것은?

① 한 쌍의 대변이 평행하다.
② 두 쌍의 대변의 길이가 각각 같다.
③ 두 쌍의 대각의 크기가 각각 같다.
④ 두 대각선이 서로 다른 것을 이등분한다.
⑤ 한 쌍의 대변이 평행하고, 그 길이가 같다.

6 다음 보기의 □ABCD가 평행사변형인 이유를 말한 학생을 각각 찾으시오.

(단, 점 O는 두 대각선의 교점이다.)

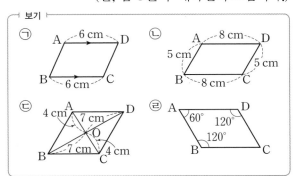

7 오른쪽 그림과 같은 □ABCD에서 $\overline{AD} \,/\!/\, \overline{BC}$, $\overline{AB}=5$ cm, $\overline{AD}=7$ cm일 때, □ABCD가 평행사변형이 되기 위한 $\overline{BC}$의 길이를 구하시오.

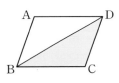

8 오른쪽 그림과 같은 평행사변형 ABCD의 넓이가 12 cm²일 때, △BCD의 넓이를 구하시오.

9 오른쪽 그림과 같은 평행사변형 ABCD에서 두 대각선의 교점을 O라 하자. △OAB의 넓이가 15 cm²일 때, □ABCD의 넓이를 구하시오.

대표 예제 **1**

오른쪽 그림과 같은 평행사변형 ABCD에서 $\angle ABD = 35°$, $\angle ACD = 65°$일 때, $\angle x + \angle y$의 크기를 구하시오.

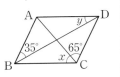

개념 가이드

평행한 두 직선이 다른 한 직선과 만나서 생기는 ① ⬚ 의 크기는 같음을 이용한다.

답 ① 엇각

대표 예제 **2**

오른쪽 그림과 같은 평행사변형 ABCD에서 $x + y$의 값은?

① 2 ② 3
③ 4 ④ 5
⑤ 6

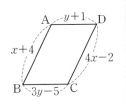

개념 가이드

평행사변형에서 두 쌍의 ① ⬚ 의 길이는 각각 같다.

답 ① 대변

대표 예제 **3**

다음 물음에 답하시오.

오른쪽 그림의 평행사변형 ABCD에서 $\angle A : \angle B = 5 : 4$ 일 때, $\angle C$의 크기를 구하시오.

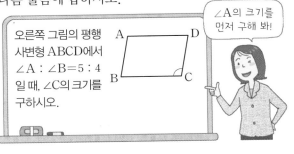

∠A의 크기를 먼저 구해 봐!

개념 가이드

(1) 평행사변형에서 두 쌍의 ① ⬚ 의 크기는 각각 같다.
(2) 평행사변형의 이웃하는 두 내각의 크기의 합은 ② ⬚ °이다.

답 ① 대각 ② 180

대표 예제 **4**

오른쪽 그림과 같은 평행사변형 ABCD에서 $\overline{AB} = 8$ cm, $\overline{AC} = 10$ cm, $\overline{BD} = 12$ cm 일 때, $\triangle OCD$의 둘레의 길이를 구하시오.

(단, 점 O는 두 대각선의 교점이다.)

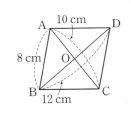

개념 가이드

(1) 평행사변형에서 두 쌍의 ① ⬚ 의 길이는 각각 같다.
(2) 평행사변형의 두 대각선은 서로 다른 것을 ② ⬚ 한다.

답 ① 대변 ② 이등분

대표 예제 **5**

오른쪽 그림과 같은 평행사변형 ABCD에서 ∠A의 이등분선이 $\overline{BC}$와 만나는 점을 E, $\overline{DC}$의 연장선과 만나는 점을 F라 할 때, $x+y$의 값을 구하시오.

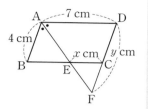

대표 예제 **7**

다음 중 □ABCD가 평행사변형이 <u>아닌</u> 것은?
(단, 점 O는 두 대각선의 교점이다.)

① $\overline{AB}=6$, $\overline{BC}=8$, $\overline{DC}=6$, $\overline{AD}=8$

② $\overline{OA}=3$, $\overline{OB}=5$, $\overline{OC}=3$, $\overline{OD}=5$

③ $\overline{AB}/\!/\overline{DC}$, $\overline{AB}=4$, $\overline{BC}=4$

④ ∠A$=135°$, ∠B$=45°$, ∠C$=135°$

⑤ $\overline{AD}/\!/\overline{BC}$, $\overline{BC}=10$, $\overline{AD}=10$

대표 예제 **6**

오른쪽 그림과 같은 평행사변형 ABCD에서 $\overline{BE}$는 ∠B의 이등분선이고 $\overline{BE}\perp\overline{CF}$이다. ∠D$=80°$일 때, ∠DCF의 크기를 구하시오.

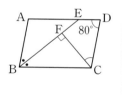

대표 예제 **8**

오른쪽 그림과 같은 평행사변형 ABCD에서 △PDA$=8\,cm^2$, △PBC$=16\,cm^2$, △PCD$=9\,cm^2$일 때, △PAB의 넓이를 구하시오.

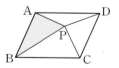

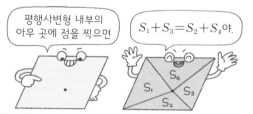

1 다음 그림과 같은 평행사변형 ABCD에서 x, y의 값을 각각 구하면? (단, 점 O는 두 대각선의 교점이다.)

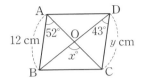

① $x=85, y=8$ ② $x=85, y=10$
③ $x=85, y=12$ ④ $x=95, y=10$
⑤ $x=95, y=12$

2 다음 그림과 같은 평행사변형 ABCD에서 $\overline{DC}$의 길이를 구하시오.

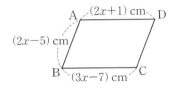

3 다음 그림과 같은 평행사변형 ABCD에서 $\angle B : \angle C = 5 : 7$일 때, $\angle A$의 크기를 구하시오.

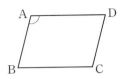

4 오른쪽 그림과 같은 평행사변형 ABCD에서 $\overline{AC}=10$ cm, $\overline{BD}=14$ cm, $\overline{CD}=8$ cm일 때, $\triangle OAB$의 둘레의 길이를 구하시오.
(단, 점 O는 두 대각선의 교점이다.)

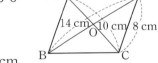

평행사변형의 두 대각선은 서로 다른 것을 이등분하지!

5 다음 그림과 같은 평행사변형 ABCD에서 ∠C의 이
등분선이 $\overline{AD}$와 만나는 점을 E, $\overline{AB}$의 연장선과 만
나는 점을 F라 하자. $\overline{BC}$=10 cm, $\overline{DC}$=6 cm일
때, $\overline{AF}+\overline{AE}$의 길이는?

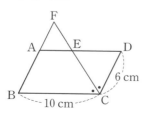

① 4 cm   ② 5 cm   ③ 6 cm

④ 7 cm   ⑤ 8 cm

6 다음 그림과 같은 평행사변형 ABCD에서 $\overline{BE}$, $\overline{CF}$
는 각각 ∠B, ∠C의 이등분선이고 $\overline{BE}$, $\overline{CF}$가 만나
는 점을 G라 하자. ∠EFG=60°일 때, ∠x의 크기는?

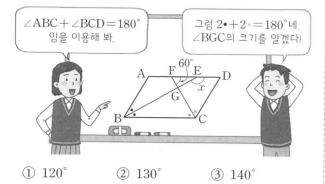

① 120°   ② 130°   ③ 140°

④ 150°   ⑤ 160°

7 다음 중 □ABCD가 평행사변형이 <u>아닌</u> 것을 들고
있는 학생을 찾으시오.

(단, 점 O는 두 대각선의 교점이다.)

8 다음 그림과 같은 평행사변형 ABCD에서 △PAB
와 △PCD의 넓이의 합이 50 cm²일 때, □ABCD
의 넓이는?

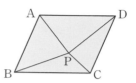

① 50 cm²   ② 75 cm²   ③ 100 cm²

④ 110 cm²   ⑤ 130 cm²

공부할 내용

❶ 직사각형, 마름모
❷ 정사각형, 등변사다리꼴
❸ 여러 가지 사각형 사이의 관계
❹ 평행선과 삼각형의 넓이

여러 가지 사각형 사이의 관계

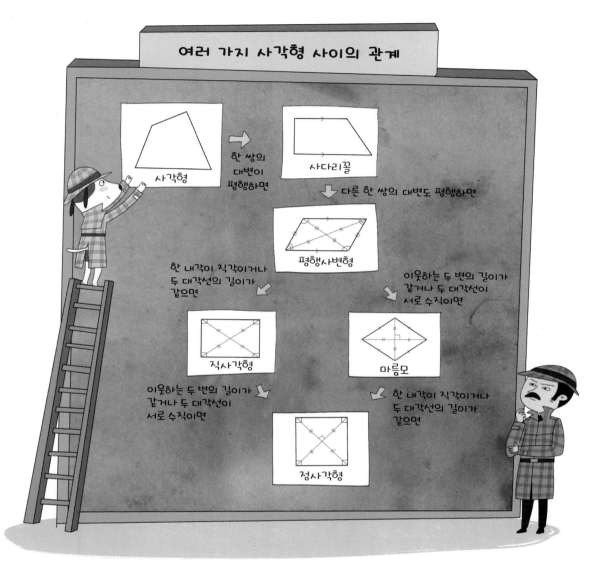

이것만은 꼭꼭!

(1) 직사각형의 두 대각선은 길이가 같고, 서로 다른 것을 ❶ [   ]한다.

(2) 마름모의 두 대각선은 서로 다른 것을 ❷ [   ]이등분한다.

(3) 정사각형의 두 대각선은 길이가 같고, 서로 다른 것을 ❸ [   ]한다.

답 ❶ 이등분 ❷ 수직 ❸ 수직이등분

핵심 ① 직사각형

(1) **직사각형** : 네 내각의 크기가 모두 같은 사각형

→ ∠A = ∠B = ∠C = ∠D = **❶**[   ]°

(2) **직사각형의 성질** : 두 대각선은 길이가 같고, 서로 다른 것을 이등분한다.

→ $\overline{AC}$ = **❷**[   ], $\overline{OA} = \overline{OB} = \overline{OC}$ = **❸**[   ]

(3) **평행사변형이 직사각형이 되는 조건**

한 내각이 **❹**[   ]이거나 두 대각선의 길이가 같다. → ①, ② 중 하나만 만족하면 된다.
　　　　　　① 　　　　　　　　　　　②

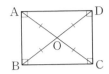

❶ 90

❷ $\overline{BD}$
❸ $\overline{OD}$
❹ 직각

핵심 ② 마름모

(1) **마름모** : 네 변의 길이가 모두 같은 사각형

→ $\overline{AB} = \overline{BC} = \overline{CD} = \overline{DA}$

(2) **마름모의 성질** : 두 대각선은 서로 다른 것을 수직이등분한다.

→ $\overline{AC}$ **❺**[   ] $\overline{BD}$, $\overline{OA} = \overline{OC}$, $\overline{OB} = \overline{OD}$

(3) **평행사변형이 마름모가 되는 조건**

이웃하는 두 변의 길이가 같거나 두 대각선이 서로 **❻**[   ]이다. → ①, ② 중 하나만
　　　　　① 　　　　　　　　　　② 　　　　　　　　　　　만족하면 된다.

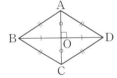

❺ ⊥

❻ 수직

핵심 ③ 정사각형

(1) **정사각형** : 네 내각의 크기가 모두 같고, 네 변의 길이가 모두 같은 사각형

→ ∠A = ∠B = ∠C = ∠D = 90°, $\overline{AB} = \overline{BC} = \overline{CD} = \overline{DA}$

(2) **정사각형의 성질** : 두 대각선은 길이가 같고, 서로 다른 것을 수직이등분한다.

→ $\overline{AC} = \overline{BD}$, $\overline{AC} \perp \overline{BD}$, $\overline{OA} = \overline{OB} = \overline{OC} = \overline{OD}$

(3) **직사각형이 정사각형이 되는 조건**

이웃하는 두 변의 길이가 **❼**[   ]거나 두 대각선이 서로 수직이다.

(4) **마름모가 정사각형이 되는 조건**

한 내각이 직각이거나 두 **❽**[   ]의 길이가 같다.

❼ 같

❽ 대각선

1 다음 그림과 같은 직사각형 ABCD에서 점 O가 두 대각선의 교점일 때, x, y의 값을 각각 구하시오.

(1)
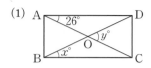

(2)
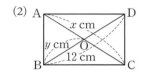

2 다음 그림과 같은 마름모 ABCD에서 점 O가 두 대각선의 교점일 때, x, y의 값을 각각 구하시오.

(1)
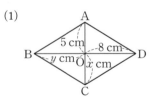

(2)
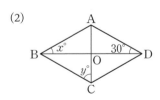

3 다음 그림과 같은 정사각형 ABCD에서 점 O가 두 대각선의 교점일 때, x, y의 값을 각각 구하시오.

(1)
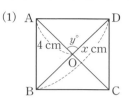

(2)
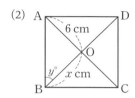

4 다음 사각형에 대한 설명으로 옳은 것을 보기에서 모두 고르시오.

┌ 보기 ┐
ㄱ 두 쌍의 대변이 각각 평행하다.
ㄴ 네 변의 길이가 모두 같다.
ㄷ 두 대각선의 길이가 같다.
ㄹ 두 대각선은 서로 다른 것을 이등분한다.
ㅁ 두 대각선은 서로 수직이다.
ㅂ 네 내각의 크기가 모두 같다.
└─────────────────────────┘

(1) 직사각형

(2) 마름모

(3) 정사각형

직사각형, 마름모, 정사각형은 모두 평행사변형이므로 평행사변형의 성질을 모두 만족해!

교과서 핵심 정리 ❷

핵심 4 등변사다리꼴

(1) **사다리꼴** : 한 쌍의 대변이 [❶   ]한 사각형

❶ 평행

(2) **등변사다리꼴** : 밑변의 양 끝 각의 크기가 같은 사다리꼴
  → $\overline{AD} /\!/ \overline{BC}$, ∠B=[❷   ]

❷ ∠C

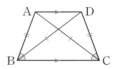

(3) **등변사다리꼴의 성질** : 평행하지 않은 한 쌍의 대변의 길이가
  같고, 두 대각선의 길이가 같다.
  → $\overline{AB}$=[❸   ], $\overline{AC}$=[❹   ]

❸ $\overline{DC}$
❹ $\overline{BD}$

핵심 5 여러 가지 사각형 사이의 관계

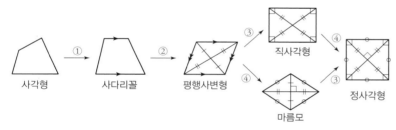

① 한 쌍의 대변이 평행하다.

② 다른 한 쌍의 대변도 평행하다.

③ 한 내각이 [❺   ]이다. (또는 두 대각선의 길이가 같다.)

❺ 직각

④ 이웃하는 두 변의 길이가 같다. (또는 두 대각선이 서로 [❻   ]이다.)

❻ 수직

핵심 6 평행선과 삼각형의 넓이

오른쪽 그림에서 두 직선 l, m이 평행할 때, △ABC와
△DBC는 밑변 BC가 공통이고 높이가 h로 같으므로
두 삼각형의 넓이는 [❼   ].

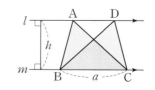

→ △ABC=△DBC=[❽   ]ah

❼ 같다

❽ $\dfrac{1}{2}$

정답과 풀이 **11쪽**

5 다음 그림과 같이 $\overline{AD} /\!/ \overline{BC}$인 등변사다리꼴 ABCD 에서 x, y의 값을 각각 구하시오.

(1)
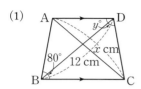

(2)
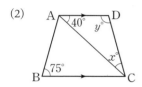

6 다음 그림을 보고 호영이와 다희는 직사각형과 마름 모가 각각 정사각형이 되기 위해 필요한 조건을 아래 와 같이 말하였다. ☐ 안에 알맞은 것을 써넣으시오.

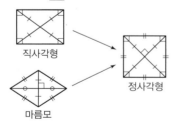

7 다음 그림은 여러 가지 사각형 사이의 관계를 나타낸 것이다. ㈎, ㈏의 조건으로 옳은 것은?

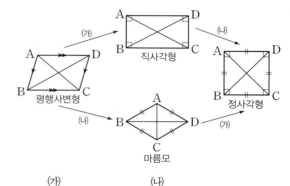

	㈎	㈏
①	$\angle BAD = 90°$	$\overline{AC} = \overline{BD}$
②	$\angle BAD = 90°$	$\overline{AB} = \overline{BC}$
③	$\overline{AC} = \overline{BD}$	$\angle ABC = 90°$
④	$\overline{AB} = \overline{BC}$	$\overline{AC} \perp \overline{BD}$
⑤	$\overline{AC} \perp \overline{BD}$	$\overline{AC} = \overline{BD}$

8 다음 중 옳은 것에는 ◯표, 옳지 않은 것에는 ×표를 하 시오.

(1) 마름모는 직사각형이다. ( )

(2) 한 쌍의 대변이 평행한 사각형은 등변사다리꼴이 다. ( )

(3) 한 내각이 직각인 평행사변형은 직사각형이다.
( )

(4) 두 대각선의 길이가 같은 마름모는 정사각형이 다. ( )

4일 교과서 기출 베스트 1회

대표 예제 1

오른쪽 그림과 같은 직사각형 ABCD에서 두 대각선의 교점을 O라 하자. $\overline{AC}=8$ cm, $\angle ABO=55°$일 때, x, y의 값을 각각 구하시오.

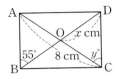

개념 가이드

(1) 직사각형 : 네 ① [　　] 의 크기가 모두 같은 사각형
(2) 직사각형의 성질 : 두 대각선은 길이가 같고, 서로 다른 것을 ② [　　] 한다.

답 ① 내각 ② 이등분

대표 예제 2

오른쪽 그림과 같은 마름모 ABCD에서 두 대각선의 교점을 O라 하자. $\overline{OA}=3$ cm, $\overline{OD}=4$ cm, $\angle CBD=37°$일 때, $x+y$의 값을 구하시오.

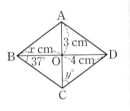

개념 가이드

(1) 마름모 : 네 ① [　　] 의 길이가 모두 같은 사각형
(2) 마름모의 성질 : 두 대각선은 서로 다른 것을 ② [　　] 한다.

답 ① 변 ② 수직이등분

대표 예제 3

오른쪽 그림과 같은 정사각형 ABCD에서 $\overline{AC}$는 대각선이고 $\angle BEC=70°$일 때, 다음을 구하시오.

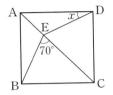

(1) △AED와 합동인 삼각형

(2) ∠ABE의 크기

(3) ∠x의 크기

개념 가이드

(1) 정사각형 : 네 내각의 크기가 모두 같고, 네 ① [　　] 의 길이가 모두 같은 사각형
(2) 정사각형의 성질 : 두 대각선은 길이가 같고, 서로 다른 것을 ② [　　] 이등분한다.

답 ① 변 ② 수직

대표 예제 4

다음 중 오른쪽 그림과 같은 평행사변형 ABCD가 직사각형이 되기 위한 조건을 모두 고르면? (정답 2개)

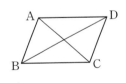

① ∠BAD=90°　　② $\overline{AB}=\overline{BC}$
③ $\overline{AC}=\overline{BD}$　　④ $\overline{AC}\perp\overline{BD}$
⑤ ∠ABD=∠CBD

개념 가이드

평행사변형이 직사각형이 되는 조건 : 한 내각이 ① [　　] 이거나 두 ② [　　] 의 길이가 같다.

답 ① 직각 ② 대각선

대표 예제 **5**

오른쪽 그림과 같이 $\overline{AD} \parallel \overline{BC}$인 등변사다리꼴 ABCD에서 $\overline{AB}=\overline{AD}=\overline{DC}$이고 $\angle DBC=35°$일 때, $\angle BDC$의 크기는?

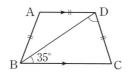

① 60° ② 65° ③ 70°
④ 75° ⑤ 80°

대표 예제 **7**

오른쪽 그림과 같이 $\overline{AD} \parallel \overline{BC}$인 사다리꼴 ABCD에서 점 O는 두 대각선의 교점이다. $\triangle ABC=80 \text{ cm}^2$, $\triangle DOC=30 \text{ cm}^2$일 때, $\triangle OBC$의 넓이를 구하시오.

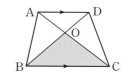

대표 예제 **6**

다음 그림은 여러 가지 사각형 사이의 관계를 나타낸 것이다. ①~⑤에 알맞은 조건이 <u>아닌</u> 것은?

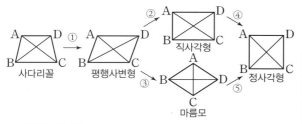

① $\overline{AB} \parallel \overline{DC}$ ② $\angle BAD=90°$
③ $\overline{AC} \perp \overline{BD}$ ④ $\overline{AD}=\overline{BC}$
⑤ $\overline{AC}=\overline{BD}$

대표 예제 **8**

다음 그림을 보고 □ABCD의 넓이를 구하시오.

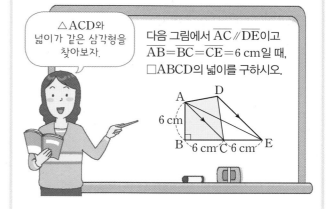

△ACD와 넓이가 같은 삼각형을 찾아보자.

다음 그림에서 $\overline{AC} \parallel \overline{DE}$이고 $\overline{AB}=\overline{BC}=\overline{CE}=6 \text{ cm}$일 때, □ABCD의 넓이를 구하시오.

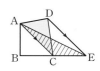

1 다음 그림과 같은 직사각형 ABCD에서
∠OCB=34°일 때, ∠y−∠x의 크기를 구하시오.
(단, 점 O는 두 대각선의 교점이다.)

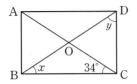

2 다음 그림과 같은 마름모 ABCD에서 두 대각선의
교점을 O라 하자. $\overline{OA}=6\,cm$, $\overline{OB}=8\,cm$일 때,
□ABCD의 넓이를 구하시오.

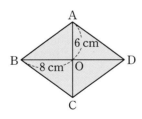

3 다음 그림과 같은 정사각형 ABCD에서 $\overline{BE}=\overline{CF}$
일 때, ∠AGF의 크기는?

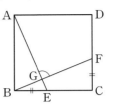

① 90° ② 100° ③ 110°
④ 120° ⑤ 130°

4 다음 대화에서 목격자들의 정보를 모두 만족하는 사
각형은 어떤 사각형인가?

① 정사각형 ② 직사각형
③ 마름모 ④ 사다리꼴
⑤ 등변사다리꼴

5 다음 그림과 같이 $\overline{AD} \,/\!/\, \overline{BC}$인 등변사다리꼴 ABCD에서 점 D를 지나고 $\overline{AB}$와 평행한 직선이 $\overline{BC}$와 만나는 점을 E라 하자. $\overline{AB}=5$ cm, $\overline{AD}=6$ cm이고 $\angle A=120°$일 때, 다음을 구하시오.

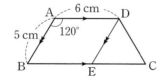

(1) $\overline{BE}$의 길이

(2) $\overline{EC}$의 길이

(3) $\overline{BC}$의 길이

6 다음은 네 명의 학생이 여러 가지 사각형의 대각선의 성질에 대하여 나눈 대화이다. 옳은 말을 한 학생을 모두 고른 것은?

① 승희, 태한
② 승희, 예준
③ 승희, 수연, 예준
④ 승희, 태한, 예준
⑤ 수연, 태한, 예준

7 다음 그림과 같이 $\overline{AD} \,/\!/\, \overline{BC}$인 등변사다리꼴 ABCD에서 두 대각선의 교점을 O라 하자. $\triangle ABC=50$ cm², $\triangle OBC=35$ cm²일 때, $\triangle DOC$의 넓이는?

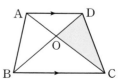

① 5 cm²
② 10 cm²
③ 15 cm²
④ 20 cm²
⑤ 25 cm²

8 다음 그림에서 $\overline{AC} \,/\!/\, \overline{ED}$이고 $\angle B=90°$이다. $\overline{AB}=7$ cm, $\overline{CD}=8$ cm일 때, $\triangle ACE$의 넓이는?

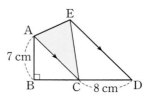

① 14 cm²
② 16 cm²
③ 20 cm²
④ 28 cm²
⑤ 32 cm²

이것만은 꼭꼭!

(1) 한 도형을 일정한 비율로 확대 또는 축소한 것이 다른 도형과 합동이 될 때, 이 두 도형은 서로 ❶[   ]인 관계에 있다고 한다. 또 서로 닮음인 관계에 있는 두 도형을 ❷[   ]이라 한다.

(2) 다음 조건 중 어느 하나를 만족하면 두 삼각형은 서로 닮음이다.

① 세 쌍의 대응하는 변의 길이의 비가 같다. (❸[   ] 닮음)

② 두 쌍의 대응하는 변의 길이의 비가 같고, 그 끼인각의 크기가 같다. (SAS 닮음)

③ 두 쌍의 대응하는 각의 크기가 각각 같다. (❹[   ] 닮음)

답 ❶ 닮음 ❷ 닮은 도형 ❸ SSS ❹ AA

교과서 핵심 정리 ❶

핵심 1 닮은 도형

(1) **닮음** : 한 도형을 일정한 비율로 확대 또는 축소한 것이 다른 도형과 합동이 될 때, 이 두 도형은 서로 닮음인 관계에 있다고 한다.

(2) **닮은 도형** : 서로 ❶ [   ] 인 관계에 있는 두 도형

(3) **닮음의 기호** : △ABC와 △DEF가 닮은 도형일 때, 이것을 기호로 △ABC ❷ [   ] △DEF와 같이 나타낸다.

(4) **항상 닮은 도형** : 크기와 관계없이 모양이 같은 도형

> 기호를 사용하여 나타낼 때에는 반드시 대응하는 점의 순서대로 쓴다.

[예] 모든 원, 변의 개수가 같은 모든 정다각형, 모든 구, 면의 개수가 같은 모든 정다면체, …

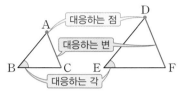

❶ 닮음

❷ ∽

핵심 2 닮은 도형의 성질

(1) **평면도형에서 닮음의 성질** : 닮은 두 평면도형에서

① 대응하는 변의 길이의 비는 ❸ [   ] 하다.

② 대응하는 각의 크기는 각각 같다.

③ 닮음비는 대응하는 ❹ [   ] 의 길이의 비이다.

④ 닮음비가 $m:n$이면 ┌ 둘레의 길이의 비 → $m:n$
                      └ 넓이의 비 → $m^2:n^2$

[예] 오른쪽 그림에서 △ABC∽△A′B′C′일 때

① $a:a'=b:b'=c:$ ❺ [   ]

② ∠A=∠A′, ∠B= ❻ [   ], ∠C=∠C′

❸ 일정

❹ 변

❺ c'

❻ ∠B′

(2) **입체도형에서 닮음의 성질** : 닮은 두 입체도형에서

① 대응하는 모서리의 길이의 비는 일정하다.

② 대응하는 면은 닮은 도형이다.

③ 닮음비는 대응하는 모서리의 길이의 비이다.

④ 닮음비가 $m:n$이면 ┌ 겉넓이의 비 → $m^2:n^2$
                      └ 부피의 비 → $m^3:n^3$

[예] 오른쪽 그림에서 두 직육면체가 닮은 도형이고 면 ABCD에 대응하는 면이 면 A′B′C′D′일 때

① $\overline{AB}:\overline{A'B'}=\overline{BC}:$ ❼ [   ] $=\cdots=\overline{GH}:\overline{G'H'}$

② □ABCD∽□A′B′C′D′, □ABFE∽□A′B′F′E′, …, □EFGH∽ ❽ [   ]

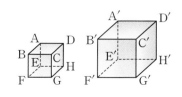

❼ $\overline{B'C'}$

❽ □E′F′G′H′

48 7일 끝 중 2-2 중간

시험지 속 개념 문제

정답과 풀이 13쪽

1 다음 중 항상 닮은 도형인 것은?

① 두 부채꼴   ② 두 원기둥

③ 두 원   ④ 두 직사각형

⑤ 두 이등변삼각형

2 아래 그림에서 □ABCD∽□EFGH일 때, 다음을 구하시오.

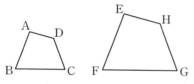

(1) 점 B에 대응하는 점

(2) $\overline{\text{CD}}$에 대응하는 변

(3) ∠H에 대응하는 각

3 아래 그림의 두 평행사변형이 □ABCD∽□EFGH 일 때, 다음을 구하시오.

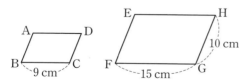

(1) □ABCD와 □EFGH의 닮음비

(2) □ABCD와 □EFGH의 둘레의 길이의 비

(3) □ABCD와 □EFGH의 넓이의 비

4 아래 그림의 두 삼각기둥은 닮은 도형이고 $\overline{\text{AB}}$에 대응하는 모서리가 $\overline{\text{A}'\text{B}'}$일 때, 다음을 구하시오.

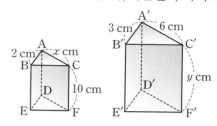

(1) $\overline{\text{DE}}$에 대응하는 모서리

(2) 두 삼각기둥의 닮음비

(3) x, y의 값

5 아래 그림의 두 원뿔 A, B가 닮은 도형일 때, 다음을 구하시오.

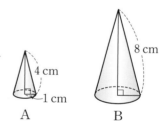

(1) 두 원뿔 A, B의 닮음비

(2) 두 원뿔 A, B의 겉넓이의 비

(3) 두 원뿔 A, B의 부피의 비

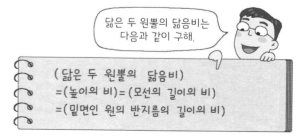

닮은 두 원뿔의 닮음비는 다음과 같이 구해.

(닮은 두 원뿔의 닮음비)
=(높이의 비)=(모선의 길이의 비)
=(밑면인 원의 반지름의 길이의 비)

핵심 3 | 삼각형의 닮음 조건

다음 조건 중 어느 하나를 만족하면 두 삼각형은 서로 닮음이다.

(1) 세 쌍의 대응하는 변의 길이의 비가 같다. (SSS 닮음)

→ $a : a' = b : b' = c :$ ❶ ⬜

❶ c'

(2) 두 쌍의 대응하는 변의 길이의 ❷ ⬜ 가 같고, 그 끼인각의 크기가 같다. (SAS 닮음)

→ $a : a' = c : c'$, $\angle B =$ ❸ ⬜

❷ 비

❸ $\angle B'$

(3) 두 쌍의 대응하는 각의 크기가 각각 같다.

(AA 닮음)

→ $\angle B = \angle B'$, ❹ ⬜ $= \angle C'$

❹ $\angle C$

핵심 4 | 직각삼각형의 닮음

$\angle A = 90°$인 직각삼각형 ABC의 꼭짓점 A에서 빗변 BC에 내린 수선의 발을 H라 하면

$\triangle ABC \backsim \triangle HBA \backsim \triangle HAC$ (❺ ⬜ 닮음)

❺ AA

(1) $\triangle ABC \backsim \triangle HBA$에서 $\overline{AB} : \overline{HB} = \overline{BC} : \overline{BA}$

∴ $\overline{AB}^2 = \overline{BH} \times$ ❻ ⬜

❻ $\overline{BC}$

(2) $\triangle ABC \backsim \triangle HAC$에서 $\overline{BC} : \overline{AC} = \overline{CA} : \overline{CH}$

∴ $\overline{AC}^2 =$ ❼ ⬜ $\times \overline{CB}$

❼ $\overline{CH}$

(3) $\triangle HBA \backsim \triangle HAC$에서 $\overline{BH} : \overline{AH} =$ ❽ ⬜ $: \overline{CH}$

∴ $\overline{AH}^2 = \overline{BH} \times \overline{CH}$

❽ $\overline{AH}$

정답과 풀이 **13**쪽

6 다음 보기에서 서로 닮음인 삼각형끼리 짝 지으시오.

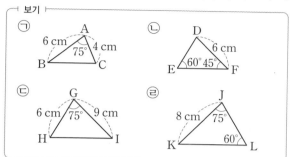

8 다음 그림에서 △ABC와 닮은 삼각형을 찾아 기호를 사용하여 나타내고, 그때의 닮음 조건을 말하시오.

(1) (2)

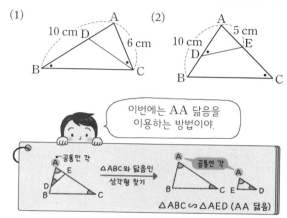

7 다음 그림에서 △ABC와 닮은 삼각형을 찾아 기호를 사용하여 나타내고, 그때의 닮음 조건을 말하시오.

(1)

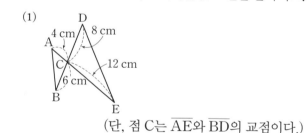

(단, 점 C는 $\overline{AE}$와 $\overline{BD}$의 교점이다.)

(2)

9 다음 그림과 같이 $\angle A = 90°$인 직각삼각형 ABC에서 x의 값을 구하시오.

(1) (2)

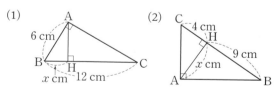

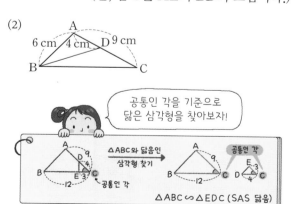

대표 예제 1

다음 그림에서 △ABC∽△DEF일 때, 옳은 것을 보기에서 모두 고르시오.

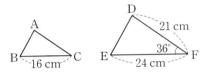

┌─ 보기 ┐
ㄱ. $\overline{AC}=14$ cm   ㄴ. ∠A=72°
ㄷ. △ABC와 △DEF의 닮음비는 2 : 3이다.
└─────┘

🧭 **개념 가이드**

닮은 두 평면도형에서 닮음비는 대응하는 ① [ ]의 길이의 비이다.

답 ① 변

대표 예제 2

다음 그림의 두 직육면체 (개), (내)는 닮은 도형이다. □ABCD∽□A′B′C′D′일 때, 옳지 않은 것을 보기에서 고르시오.

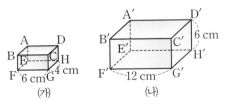

┌─ 보기 ┐
ㄱ. $\overline{DH}=3$ cm   ㄴ. $\overline{G'H'}=9$ cm
ㄷ. 두 입체도형 (개), (내)의 닮음비는 1 : 2이다.
└─────┘

🧭 **개념 가이드**

닮은 두 입체도형에서 닮음비는 대응하는 ① [ ]의 길이의 비이다.

답 ① 모서리

대표 예제 3

다음 그림에서 두 원기둥 A, B가 닮은 도형일 때, 원기둥 B의 부피를 구하시오.

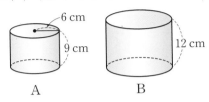

🧭 **개념 가이드**

닮은 두 입체도형의 닮음비가 $m : n$일 때
(1) 겉넓이의 비 ➡ m^2 : ① [ ]
(2) 부피의 비 ➡ m^3 : ② [ ]

답 ① n^2 ② n^3

대표 예제 4

오른쪽 그림에서 △ABC와 닮은 삼각형을 찾아 기호를 사용하여 나타내고, 그때의 닮음 조건을 구하시오.

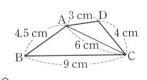

🧭 **개념 가이드**

두 삼각형이 닮은 도형인지 확인하는 방법

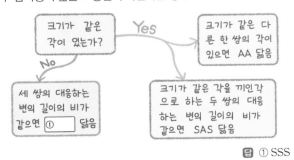

답 ① SSS

대표 예제 5

오른쪽 그림과 같은 $\triangle ABC$에서 $\overline{AD}=3$ cm, $\overline{BD}=5$ cm, $\overline{BC}=10$ cm, $\overline{AE}=4$ cm, $\overline{CE}=2$ cm일 때, x의 값을 구하시오.

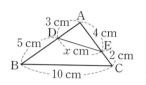

개념 가이드

공통인 각을 ① [____] 으로 하는 두 쌍의 대응하는 변의 길이의 비가 같으면 ② [____] 닮음을 이용한다.

답 ① 끼인각 ② SAS

대표 예제 7

오른쪽 그림과 같은 $\triangle ABC$에서 $\angle B=\angle AED$, $\overline{AC}=5$ cm, $\overline{AD}=3$ cm, $\overline{DB}=4$ cm일 때, $\triangle ABC$와 $\triangle AED$의 넓이의 비를 구하시오.

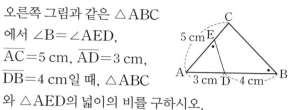

개념 가이드

❶ $\triangle ABC$와 $\triangle AED$가 ① [____] 임을 보인다.
❷ $\triangle ABC$와 $\triangle AED$의 ② [____] 를 구한다.
❸ 닮음비를 이용하여 넓이의 비를 구한다.

답 ① 닮음 ② 닮음비

대표 예제 6

오른쪽 그림과 같은 $\triangle ABC$에서 $\angle B=\angle DAC$이고 $\overline{AC}=8$ cm, $\overline{BC}=10$ cm일 때, x의 값을 구하시오.

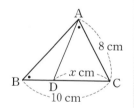

개념 가이드

공통인 각이 있고, 다른 한 쌍의 내각의 크기가 같으면 ① [____] 닮음을 이용한다.

답 ① AA

대표 예제 8

다음 그림과 같이 $\angle A=90°$인 직각삼각형 ABC의 꼭짓점 A에서 $\overline{BC}$에 내린 수선의 발을 H라 하자. $\overline{AC}=6$ cm, $\overline{CH}=3$ cm일 때, $\overline{BH}$의 길이를 구하시오.

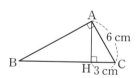

개념 가이드

오른쪽 그림에서
$\triangle ABC \backsim$ ① [____] (AA 닮음)이므로
$\overline{BC}:\overline{AC}=\overline{CA}:\overline{CH}$
$\therefore \overline{AC}^2=\overline{CH}\times$ ② [____]

답 ① $\triangle HAC$ ② $\overline{CB}$

1 아래 그림에서 □ABCD∽□EFGH일 때, 다음 중 옳지 <u>않은</u> 것은?

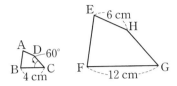

① $\overline{AD}$의 길이는 2 cm이다.

② ∠G의 크기는 60°이다.

③ $\overline{AB}$에 대응하는 변은 $\overline{HG}$이다.

④ ∠B에 대응하는 각은 ∠F이다.

⑤ □ABCD와 □EFGH의 닮음비는 1 : 3이다.

2 다음 그림의 두 사면체 (가), (나)는 닮은 도형이다. △ABC∽△A′B′C′일 때, 옳은 것을 보기에서 모두 고르시오.

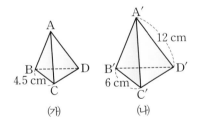

┌ 보기 ┐

㉠ $\overline{AD}$의 길이는 9 cm이다.

㉡ 두 사면체 (가), (나)의 닮음비는 3 : 5이다.

㉢ △A′B′C′의 넓이가 32 cm²일 때, △ABC의 넓이는 24 cm²이다.

㉣ 사면체 (가)의 부피가 54 cm³일 때, 사면체 (나)의 부피는 128 cm³이다.

3 다음 그림에서 △ABC∽△DEF이고 닮음비가 3 : 2일 때, △ABC의 둘레의 길이는?

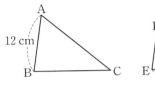

① 36 cm　　② 39 cm　　③ 42 cm

④ 45 cm　　⑤ 50 cm

> 두 삼각형의 닮음비가
> m : n이면 둘레의
> 길이의 비도 m : n이야!

4 다음 그림의 △ABC와 △DEF가 닮은 도형이 되기 위해 추가해야 하는 조건을 바르게 말한 학생을 모두 찾으시오.

5 다음 그림과 같은 △ABC에서 두 점 D, E가 각각 $\overline{AB}$, $\overline{BC}$ 위의 점일 때, $\overline{DE}$의 길이는?

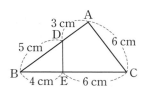

① 3 cm ② $\dfrac{7}{2}$ cm ③ 4 cm

④ $\dfrac{9}{2}$ cm ⑤ 5 cm

6 다음 그림과 같은 △ABC에서 ∠A = ∠DEC이고 $\overline{AD}=2$ cm, $\overline{CD}=4$ cm, $\overline{CE}=3$ cm일 때, x의 값은?

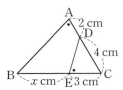

① 4 ② 5 ③ 6
④ 7 ⑤ 8

7 오른쪽 그림에서 ∠B = ∠ADE이고 $\overline{AE}=6$ cm, $\overline{BE}=6$ cm, $\overline{AD}=8$ cm이다. △ABC의 넓이가 45 cm²일 때, △ADE의 넓이는?

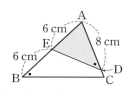

① 10 cm² ② 15 cm² ③ 20 cm²
④ 25 cm² ⑤ 30 cm²

두 삼각형의 닮음비가 $m:n$이면 넓이의 비는 $m^2:n^2$이지!

8 다음 그림과 같이 ∠A = 90°인 직각삼각형 ABC의 꼭짓점 A에서 $\overline{BC}$에 내린 수선의 발을 H라 하자. $\overline{AH}=6$ cm, $\overline{BH}=4$ cm일 때, △ABC의 넓이는?

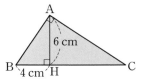

① 18 cm² ② 24 cm² ③ 39 cm²
④ 49 cm² ⑤ 60 cm²

1 오른쪽 그림과 같이 $\overline{AB}=\overline{AC}$인 이등변삼각형 ABC에서 ∠A의 이등분선과 $\overline{BC}$가 만나는 점을 D라 하자. $\overline{BD}=6\,cm$, ∠BAC=56°일 때, 다음을 구하시오.

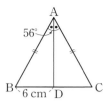

(1) ∠B의 크기

(2) ∠ADC의 크기

(3) $\overline{BC}$의 길이

2 오른쪽 그림과 같은 △ABC에서 $\overline{BD}=\overline{AD}=\overline{AC}$이고 ∠ADB=100°일 때, ∠$x$+∠$y$의 크기는?

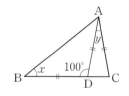

① 30° ② 40°
③ 60° ④ 80°
⑤ 100°

3 오른쪽 그림과 같은 △ABC에서 x의 값을 구하시오.

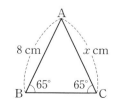

4 다음에서 서로 합동인 삼각형을 들고 있는 학생끼리 짝을 짓고, 그때의 합동 조건을 말하시오.

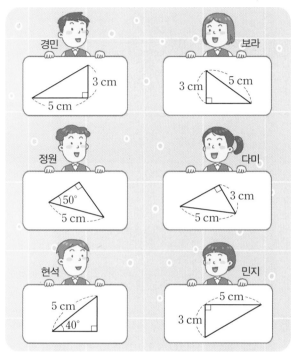

5 오른쪽 그림과 같이 ∠C=90° 인 직각삼각형 ABC에서 $\overline{AE}=\overline{AC}$이고 $\overline{AB}\perp\overline{DE}$이다. ∠DAE=20°일 때, ∠BDE의 크기는?

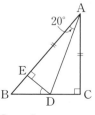

① 30° ② 35° ③ 40°
④ 45° ⑤ 50°

6 오른쪽 그림에서 점 O는
△ABC의 외심이다.
∠OAB=30°, ∠OCA=35°
일 때, ∠BOC의 크기는?

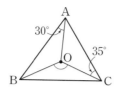

① 115° ② 120° ③ 125°
④ 130° ⑤ 135°

나, ∠BOC는
∠A의 2배야!

7 오른쪽 그림과 같이
∠C=90°인 직각삼각형
ABC에서 점 O가 $\overline{AB}$의 중
점이고 $\overline{OC}$=5 cm일 때, x의
값을 구하시오.

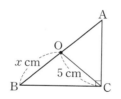

8 다음 중 삼각형의 외심과 내심에 대한 설명으로 옳은
것은?

① 직각삼각형의 외심은 빗변의 중점에 있다.
② 둔각삼각형의 외심은 삼각형의 내부에 있다.
③ 외심에서 세 변에 이르는 거리는 모두 같다.
④ 내심에서 세 꼭짓점에 이르는 거리는 모두 같다.
⑤ 외심은 세 내각의 이등분선의 교점이다.

9 오른쪽 그림에서 점 I는
△ABC의 내심이다.
∠IAB=33°, ∠IBC=27°
일 때, ∠x의 크기는?

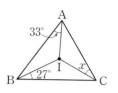

① 25° ② 30° ③ 35°
④ 40° ⑤ 45°

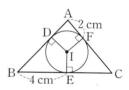

우리 셋의 각의
크기를 더하면 90°야!

10 오른쪽 그림에서 점 I는
△ABC의 내심이고 세 점
D, E, F는 접점이다.
$\overline{AF}$=2 cm, $\overline{BE}$=4 cm
일 때, $\overline{AB}$의 길이를 구하
시오.

1 오른쪽 그림과 같은 평행사변형 ABCD에서 $x+y$의 값을 구하시오.

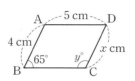

2 다음 그림과 같은 평행사변형 ABCD에서 ∠A의 이등분선이 $\overline{BC}$와 만나는 점을 E, $\overline{DC}$의 연장선과 만나는 점을 F라 할 때, $\overline{CF}$의 길이를 구하시오.

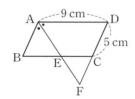

3 다음 중 오른쪽 그림과 같은 □ABCD가 평행사변형이 될 수 <u>없는</u> 것은? (단 점 O는 두 대각선의 교점이다.)

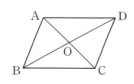

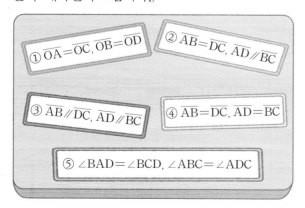

① $\overline{OA}=\overline{OC}$, $\overline{OB}=\overline{OD}$
② $\overline{AB}=\overline{DC}$, $\overline{AD}/\!/\overline{BC}$
③ $\overline{AB}/\!/\overline{DC}$, $\overline{AD}/\!/\overline{BC}$
④ $\overline{AB}=\overline{DC}$, $\overline{AD}=\overline{BC}$
⑤ ∠BAD=∠BCD, ∠ABC=∠ADC

4 오른쪽 그림과 같은 직사각형 ABCD에서 두 대각선의 교점을 O라 하자. $\overline{AC}=12$ cm일 때, $\overline{OB}$의 길이를 구하시오.

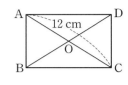

5 다음 그림과 같은 마름모 ABCD에서 ∠BDC=24°일 때, ∠A의 크기는?

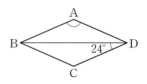

① 110°　　　② 114°　　　③ 124°
④ 132°　　　⑤ 156°

6 여러 가지 사각형에 대한 다음 설명 중 옳은 것은?
① 평행사변형은 마름모이다.
② 마름모의 두 대각선의 길이는 같다.
③ 두 대각선이 서로 수직인 평행사변형은 정사각형이다.
④ 직사각형의 두 대각선은 서로 다른 것을 수직이등분한다.
⑤ 이웃하는 두 내각의 크기가 같은 평행사변형은 직사각형이다.

7 아래 그림에서 △ABC∽△DEF일 때, 다음 중 옳은 것은?

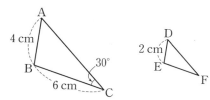

① $\overline{AC}$에 대응하는 변은 $\overline{DE}$이다.

② ∠A에 대응하는 각은 ∠F이다.

③ ∠E=30°이다.

④ $\overline{AB} : \overline{DF}$=2 : 1이다.

⑤ $\overline{EF}$의 길이는 3 cm이다.

9 오른쪽 그림과 같은 △ABC에서 ∠B=∠EDC이다. $\overline{AD}$=4 cm, $\overline{CD}$=6 cm, $\overline{CE}$=5 cm일 때, x의 값은?

① 6

② 7

③ $\dfrac{15}{2}$

④ 8

⑤ $\dfrac{25}{3}$

△ABC와 닮은 삼각형을 찾아봐.

8 다음 그림의 두 직육면체 모양의 선물 상자 ㈎, ㈏는 닮은 도형이다. □CGHD∽□C′G′H′D′이고 선물 상자 ㈎의 부피가 4 cm³일 때, 선물 상자 ㈏의 부피를 구하시오.

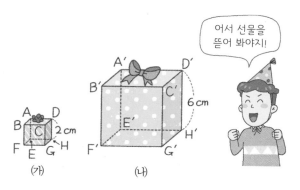

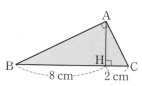

어서 선물을 뜯어 봐야지!

10 다음 그림과 같이 ∠A=90°인 직각삼각형 ABC의 꼭짓점 A에서 $\overline{BC}$에 내린 수선의 발을 H라 하자. $\overline{BH}$=8 cm, $\overline{CH}$=2 cm일 때, △ABC의 넓이는?

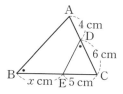

① 16 cm²

② 18 cm²

③ 20 cm²

④ 22 cm²

⑤ 24 cm²

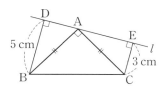

서술형·사고력 **테스트**

1 다음 그림과 같이 ∠A＝90°인 직각이등변삼각형 ABC의 꼭짓점 A를 지나는 직선 l을 긋고, 꼭짓점 B, C에서 직선 l에 내린 수선의 발을 각각 D, E라 하자. $\overline{BD}$＝5 cm, $\overline{CE}$＝3 cm일 때, 물음에 답하시오.

(1) △ABD와 합동인 삼각형을 찾고, 그때의 합동 조건을 말하시오.

(2) □DBCE의 넓이를 구하시오.

(3) △ABC의 넓이를 구하시오.

풀이

답 _____

2 다음 그림은 ∠A＝90°인 직각삼각형 ABC의 내접 원 I와 외접원 O를 그린 것이다. $\overline{AB}$＝6 cm, $\overline{BC}$＝10 cm, $\overline{CA}$＝8 cm일 때, 물음에 답하시오.

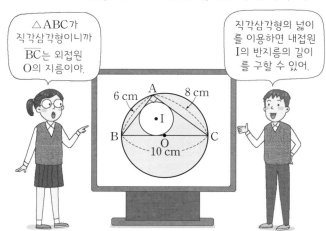

△ABC가 직각삼각형이니까 $\overline{BC}$는 외접원 O의 지름이야.

직각삼각형의 넓이를 이용하면 내접원 I의 반지름의 길이를 구할 수 있어.

(1) 외접원 O의 반지름의 길이를 구하시오.

(2) 내접원 I의 반지름의 길이를 구하시오.

(3) 색칠한 부분의 넓이를 구하시오.

풀이

답 _____

3 다음 그림의 평행사변형 ABCD에서 두 대각선의 교점 O를 지나는 직선이 $\overline{AB}$, $\overline{CD}$와 만나는 점을 각각 E, F라 하자. △OAE와 △OFD의 넓이의 합이 15 cm²일 때, 물음에 답하시오.

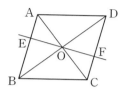

(1) △OAE와 합동인 삼각형을 찾으시오.

(2) △OCD의 넓이를 구하시오.

(3) 평행사변형 ABCD의 넓이를 구하시오.

[풀이]

[답] _____

4 오른쪽 그림에서 △ABC의 넓이가 96 cm²일 때, 다음 물음에 답하시오.

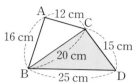

(1) △ABC와 닮은 삼각형을 찾아 기호 ∽를 사용하여 나타내고, 그때의 닮음 조건을 말하시오.

(2) △CBD의 넓이를 구하시오.

[풀이]

[답] _____

1 다음 두 사람의 대화를 읽고, 물음에 답하시오.

(1) ∠A의 크기를 구하시오.

(2) △ABC는 어떤 삼각형인지 말하시오.

(3) 강의 폭 $\overline{AB}$의 길이를 구하시오.

2 다음 대화를 읽고, 아래 보기에서 텐트를 치는 지점 P에 대한 설명으로 옳은 것을 고르시오.

┌ 보기 ┐
ⓞ 점 P는 △ABC의 세 꼭짓점에서 대변에 내린 수선의 교점이다.
ⓛ 점 P는 △ABC의 세 변에서 같은 거리에 있다.
ⓒ 점 P는 △ABC의 세 변의 수직이등분선의 교점이다.
ⓔ 점 P는 △ABC의 세 꼭짓점에서 대변의 중점을 이은 선분의 교점이다.

3 오른쪽 그림과 같은 □ABCD를 다음과 같이 3단계의 작업 과정을 거치는 기계에 넣었을 때, 나오는 사각형의 이름을 말하시오.

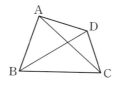

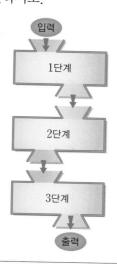

[1단계] 입력된 도형을 $\overline{AB}=\overline{DC}$, $\overline{AD}=\overline{BC}$가 되도록 만든다.
[2단계] 입력된 도형을 $\overline{AC}=\overline{BD}$가 되도록 만든다.
[3단계] 입력된 도형을 $\overline{AC}\perp\overline{BD}$가 되도록 만든다.

4 승희와 지운이가 다음 그림과 같이 닮은 두 원기둥 모양의 케이크를 만들어 판매하려고 한다.

승희가 만든 케이크의 가격을 10800원으로 정하고, 케이크의 가격이 케이크의 부피에 정비례한다고 할 때, 지운이가 만든 케이크의 가격은 얼마로 정해야 하는지 구하시오.

1 오른쪽 그림과 같이 $\overline{AB}=\overline{AC}$인 이등변삼각형 ABC에서 ∠B=52°일 때, ∠x, ∠y의 크기를 각각 구하시오.

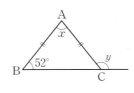

2 오른쪽 그림에서 $\overline{AB}=\overline{AC}=\overline{CD}$이고 ∠B=40°일 때, ∠DCE 의 크기는?

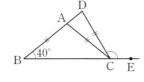

① 100°　　② 110°　　③ 115°

④ 120°　　⑤ 125°

3 다음 그림과 같이 ∠A=90°이고 $\overline{AB}=\overline{AC}$인 직각 이등변삼각형 ABC의 꼭짓점 A를 지나는 직선 l을 긋고, 꼭짓점 B, C에서 직선 l에 내린 수선의 발을 각각 D, E라 하자. $\overline{BD}=6$ cm, $\overline{CE}=4$ cm일 때, □DBCE의 넓이는?

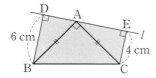

① 40 cm² 　 ② 45 cm² 　 ③ 50 cm²

④ 55 cm² 　 ⑤ 60 cm²

4 다음 중 오른쪽 보기의 삼각형 과 서로 합동인 삼각형은?

보기

① 　　②

③  　　④

⑤

5 다음 중 점 O가 삼각형의 외심인 것은?

① 　　　　②

③ 　　　　④

⑤

6 오른쪽 그림에서 점 I가
△ABC의 내심이고
∠A=58°, ∠ICB=26°일 때,
∠x의 크기를 구하시오.

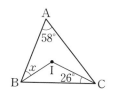

7 어느 시계 제작소에서 다음과 같은 시계 제작을 요청
받았다고 한다. 요청 사항에 맞는 시계를 만들려면
원 모양의 시계의 반지름의 길이를 몇 cm로 해야 하
는지 구하시오.

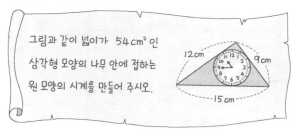

그림과 같이 넓이가 54 cm²인
삼각형 모양의 나무 안에 접하는
원 모양의 시계를 만들어 주시오.

8 오른쪽 그림과 같은 평행
사변형 ABCD에서 점 O
는 두 대각선의 교점이고
$\overline{AC}$=8 cm, $\overline{BD}$=10 cm,
$\overline{DC}$=5 cm일 때, △OAB의 둘레의 길이는?

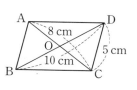

① 12 cm   ② 14 cm   ③ 18 cm
④ 19 cm   ⑤ 23 cm

9 오른쪽 그림과 같은 평행사
변형 ABCD에서 ∠C의 이
등분선이 $\overline{AD}$와 만나는 점
을 E라 하자. ∠B=80°일
때, ∠x의 크기를 구하시오.

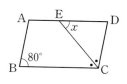

10 다음 보기에서 □ABCD가 평행사변형인 것을 모두
고른 것은? (단, 점 O는 두 대각선의 교점이다.)

보기
ㄱ. $\overline{AB}$=$\overline{DC}$=5 cm, $\overline{AB}$∥$\overline{DC}$
ㄴ. $\overline{AB}$=$\overline{BD}$=5 cm, $\overline{AC}$⊥$\overline{BD}$
ㄷ. ∠A=∠C=70°, ∠B=110°
ㄹ. $\overline{OA}$=$\overline{OC}$=3 cm, $\overline{OB}$=$\overline{OD}$=5 cm
ㅁ. ∠A=120°, ∠B=60°, ∠C=60°, ∠D=120°

① ㄱ, ㄴ   ② ㄱ, ㄴ, ㄷ   ③ ㄱ, ㄷ, ㄹ
④ ㄴ, ㄷ, ㄹ   ⑤ ㄷ, ㄹ, ㅁ

11 오른쪽 그림의 직사각형 ABCD에서 두 대각선의 교점을 O라 할 때, $\overline{BD}$의 길이는?

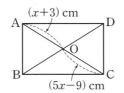

① 10 cm   ② 11 cm   ③ 12 cm
④ 13 cm   ⑤ 14 cm

12 다음 중 오른쪽 그림의 마름모 ABCD가 정사각형이 되는 조건은? (단, 점 O는 두 대각선의 교점이다.)

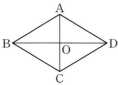

① ∠ABC=∠ADC   ② ∠BAC=∠DAC
③ $\overline{AC}\perp\overline{BD}$ ④ $\overline{AC}=\overline{BD}$
⑤ $\overline{OB}=\overline{OD}$

13 다음 보기 중 두 대각선이 서로 다른 것을 이등분하는 사각형의 개수를 a, 두 대각선이 서로 수직인 사각형의 개수를 b, 두 대각선의 길이가 같은 사각형의 개수를 c라 할 때, $a+b-c$의 값을 구하시오.

┌ 보기 ┐
ㄱ 사다리꼴   ㄴ 등변사다리꼴
ㄷ 평행사변형   ㄹ 직사각형
ㅁ 마름모   ㅂ 정사각형

14 다음 그림은 여러 가지 사각형 사이의 관계를 나타낸 것이다. ①~⑤에 알맞은 조건으로 옳은 것은?

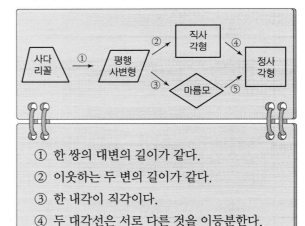

① 한 쌍의 대변의 길이가 같다.
② 이웃하는 두 변의 길이가 같다.
③ 한 내각이 직각이다.
④ 두 대각선은 서로 다른 것을 이등분한다.
⑤ 두 대각선의 길이가 같다.

15 아래 그림에서 □ABCD∽□EFGH일 때, 다음 중 옳지 <u>않은</u> 것은?

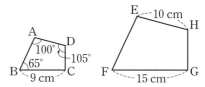

① ∠G=90°이다.
② $\overline{AD}=6$ cm이다.
③ □ABCD와 □EFGH의 닮음비는 2 : 3이다.
④ $\overline{AB}$에 대응하는 변은 $\overline{EF}$이다.
⑤ 점 A에 대응하는 점은 점 E이다.

16 오른쪽 그림과 같은 △ABC에서 ∠B=∠AED 일 때, $\overline{CE}$의 길이는?

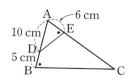

① 15 cm   ② 16 cm   ③ 17 cm

④ 18 cm   ⑤ 19 cm

17 오른쪽 그림과 같이 ∠A=90°인 직각삼각형 ABC에서 △AHC의 넓이는?

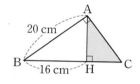

① 24 cm²   ② 36 cm²   ③ 48 cm²

④ 54 cm²   ⑤ 60 cm²

서술형

18 다음 그림을 보고, 선생님의 물음에 답하시오.

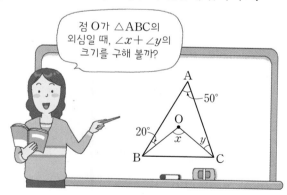

서술형

19 오른쪽 그림과 같은 평행 사변형 ABCD에서 다음 물음에 답하시오.

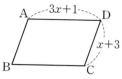

(1) □ABCD의 둘레의 길이가 24일 때, $\overline{BC}$의 길이를 구하시오.

(2) ∠A : ∠B=3 : 2일 때, ∠D의 크기를 구하시오.

서술형

20 다음 그림과 같이 닮은 두 원기둥 A, B의 밑면인 원의 지름의 길이가 각각 8 cm, 10 cm이다. 물음에 답하시오.

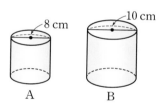

(1) 두 원기둥 A, B의 높이의 비를 구하시오.

(2) 두 원기둥 A, B의 옆넓이의 비를 구하시오.

(3) 원기둥 B의 부피가 250π cm³일 때, 원기둥 A의 부피를 구하시오.

1 오른쪽 그림과 같이 $\overline{AB}=\overline{AC}$인 이등변삼각형 ABC에서 $\overline{AD}$는 ∠A의 이등분선이다. ∠ACE=130°, $\overline{BC}$=16 cm일 때, $x+y$의 값은?

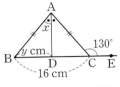

① 46 　　② 48 　　③ 56

④ 58 　　⑤ 66

2 오른쪽 그림에서 △ABC는 $\overline{AB}=\overline{AC}$인 이등변삼각형이다. $\overline{BC}=\overline{BD}$이고 ∠BDC=68°일 때, ∠$x$의 크기는?

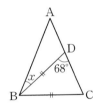

① 20° 　　② 24° 　　③ 32°

④ 36° 　　⑤ 44°

3 오른쪽 그림과 같이 ∠C=90°인 직각삼각형 ABC에서 $\overline{AC}=\overline{AD}$이고 $\overline{AB}\perp\overline{DE}$일 때, $\overline{DE}$의 길이는?

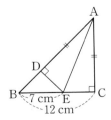

① 3 cm 　　② 4 cm

③ 5 cm 　　④ 6 cm

⑤ 7 cm

4 다음 중 아래 그림과 같이 ∠B=∠E=90°인 두 직각삼각형 ABC와 DEF가 합동이 되기 위한 조건이 아닌 것은?

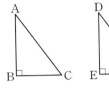

① $\overline{BC}=\overline{EF}$, ∠C=∠F

② $\overline{AC}=\overline{DF}$, ∠C=∠F

③ $\overline{AB}=\overline{DE}$, $\overline{BC}=\overline{EF}$

④ $\overline{BC}=\overline{EF}$, $\overline{AC}=\overline{DF}$

⑤ ∠A=∠D, ∠C=∠F

5 다음 그림과 같이 ∠A=90°인 직각삼각형 ABC에서 점 O는 외심이고 외접원의 둘레의 길이는 12π cm이다. ∠C=60°일 때, △AOC의 둘레의 길이는?

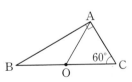

① 6 cm 　　② 9 cm 　　③ 12 cm

④ 15 cm 　　⑤ 18 cm

6 오른쪽 그림에서 점 O는
△ABC의 외심이다.
∠ABO=18°, ∠ACO=50°
일 때, ∠OBC의 크기는?

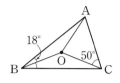

① 22°　　　② 24°　　　③ 28°
④ 30°　　　⑤ 32°

7 오른쪽 그림에서 점 I는 △ABC
의 내심이다. ∠C=74°일 때,
∠x+∠y의 크기를 구하시오.

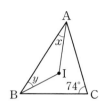

8 오른쪽 그림과 같은 평행
사변형 ABCD에서 두 대
각선의 교점을 O라 할 때,
x+y의 값은?

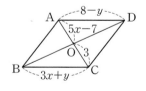

① 3　　　　② 4　　　　③ 5
④ 6　　　　⑤ 7

9 다음 중 □ABCD가 평행사변형인 것을 말한 학생
을 모두 찾으시오.

(단, 점 O는 두 대각선의 교점이다.)

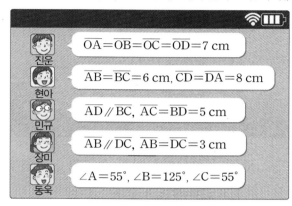

진운 $\overline{OA}=\overline{OB}=\overline{OC}=\overline{OD}=7\,cm$

현아 $\overline{AB}=\overline{BC}=6\,cm, \overline{CD}=\overline{DA}=8\,cm$

민규 $\overline{AD}\,/\!/\,\overline{BC}, \overline{AC}=\overline{BD}=5\,cm$

장미 $\overline{AB}\,/\!/\,\overline{DC}, \overline{AB}=\overline{DC}=3\,cm$

동욱 $\angle A=55°, \angle B=125°, \angle C=55°$

10 다음 그림과 같은 평행사변형 ABCD의 넓이가
120 cm²일 때, □ABCD의 내부의 한 점 P에 대하
여 △PAB와 △PCD의 넓이의 합은?

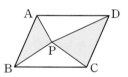

① 40 cm²　　② 50 cm²　　③ 60 cm²
④ 70 cm²　　⑤ 80 cm²

11 오른쪽 그림과 같은 정사각형 ABCD에서 $\overline{AC}$는 대각선이고 ∠EDC=28°일 때, ∠x의 크기는?

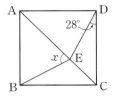

① 70° ② 71°

③ 72° ④ 73°

⑤ 74°

12 오른쪽 그림과 같이 $\overline{AD} /\!/ \overline{BC}$인 등변사다리꼴 ABCD에서 ∠A의 크기를 구하시오.

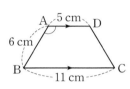

13 다음 그림과 같은 사각형 ㈎, ㈏가 정사각형이 되기 위한 조건으로 알맞은 것을 보기에서 각각 모두 고르시오. (단, 점 O는 두 대각선의 교점이다.)

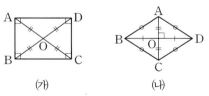

㈎   ㈏

┌ 보기 ─────────────────
⊙ $\overline{AC}=\overline{BD}$ ⊙ $\overline{OA}=\overline{OB}$
ⓒ ∠ABC=90°   ⓔ $\overline{AC}\perp\overline{BD}$
ⓜ $\overline{BC}=\overline{CD}$ ⓗ ∠BAD=∠ABC
└─────────────────────

14 오른쪽 그림에서 $\overline{AE} /\!/ \overline{DB}$이고 □ABCD=16 cm², △DBC=7 cm²일 때, △DEB의 넓이를 구하시오.

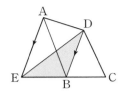

15 다음은 아래 그림을 보고 나눈 대화이다. 옳지 <u>않은</u> 말을 한 학생을 찾으시오.

16 다음 중 서로 닮음인 삼각형을 찾아 기호로 나타내고, 그때의 닮음 조건을 말하시오.

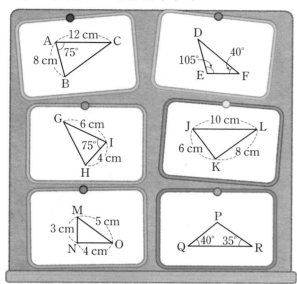

18 오른쪽 그림에서 원 I는 △ABC의 내접원이고 세 점 D, E, F는 접점이다. $\overline{AB}=7$ cm, $\overline{BC}=10$ cm, $\overline{AC}=8$ cm일 때, $\overline{BE}$의 길이를 구하시오.

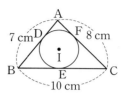

19 오른쪽 그림과 같이 $\overline{AB}=8$ cm, $\overline{AD}=11$ cm인 평행사변형 ABCD에서 ∠A의 이등분선과 $\overline{BC}$의 교점을 E, ∠D의 이등분선과 $\overline{BC}$의 교점을 F라 할 때, $\overline{EF}$의 길이를 구하시오.

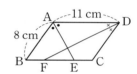

17 오른쪽 그림과 같이 ∠A=90°인 직각삼각형 ABC의 꼭짓점 A에서 $\overline{BC}$에 내린 수선의 발을 H라 할 때, 다음 중 옳지 <u>않은</u> 것은?

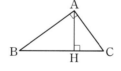

① △ABC∽△HAC
② △HBA∽△HAC
③ $\overline{AB}^2=\overline{BH}\times\overline{HC}$
④ $\overline{AC}^2=\overline{CH}\times\overline{CB}$
⑤ $\overline{AH}^2=\overline{BH}\times\overline{CH}$

20 오른쪽 그림과 같은 △ABC에서 $\overline{BC}$의 길이를 구하시오.

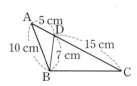

핵심 정리 01 이등변삼각형의 성질

(1) **이등변삼각형**

두 변의 길이가 같은 삼각형

→ $\overline{AB}=\overline{AC}$

(2) **이등변삼각형의 성질**

① 이등변삼각형의 두 밑각의 크기는 같다.

② 이등변삼각형의 꼭지각의 이등분선은 밑변을 ❶ [   ]한다.

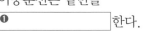

(3) **이등변삼각형이 되는 조건**

두 내각의 크기가 같은 삼각형 은 ❷ [   ]이다.

→ △ABC에서 ∠B=∠C이 면 $\overline{AB}=\overline{AC}$

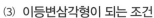

답 ❶ 수직이등분 ❷ 이등변삼각형

핵심 정리 02 직각삼각형의 합동 조건

(1) 두 직각삼각형에서 빗 변의 길이와 한 ❶ [   ]의 크기가 각 각 같으면 두 직각삼각 형은 서로 합동이다. (RHA 합동)

(2) 두 직각삼각형에서 빗 변의 길이와 다른 한 ❷ [   ]의 길이가 각각 같으면 두 직각삼각형 은 서로 합동이다. (RHS 합동)

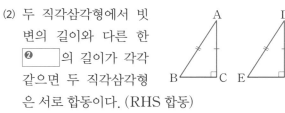

참고 빗변의 길이가 같을 때에만 직각삼각형의 합동 조건을 이용한다.

답 ❶ 예각 ❷ 변

핵심 정리 03 삼각형의 외심과 그 성질

(1) **삼각형의 외심**

삼각형의 외접원의 중심

(2) **삼각형의 외심의 성질**

① 삼각형의 세 변의 수직이 등분선은 한 점(❶ [   ]) 에서 만난다.

② 삼각형의 외심에서 세 꼭짓점에 이르는 거리는 모두 ❷ [   ].

→ $\overline{OA}=\overline{OB}=\overline{OC}$ (외접원의 반지름의 길이)

참고 삼각형의 외심의 위치

예각삼각형	직각삼각형	둔각삼각형
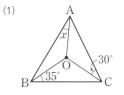		
삼각형의 내부	빗변의 중점	삼각형의 외부

답 ❶ 외심 ❷ 같다

핵심 정리 04 삼각형의 외심의 활용

점 O가 △ABC의 외심일 때

(1)

$\angle x+\angle y+\angle z=90°$

(2)

$\angle BOC=2\angle A$

예 점 O가 △ABC의 외심일 때, ∠x의 크기를 구하시오.

(1)

→ $\angle x+35°+30°=90°$

∴ $\angle x=$ ❶ [   ]

(2)

→ $\angle x=2\angle A$

$=2\times40°$

$=$ ❷ [   ]

답 ❶ 25° ❷ 80°

예 1

다음 보기 의 직각삼각형 중에서 서로 합동인 것을 짝
짓고, 그때의 합동 조건을 말하시오.

보기

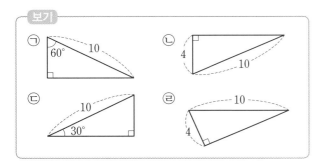

→ ㉠과 ㉢, **❶** [　　　　] 합동
　 ㉡과 ㉣, **❷** [　　　　] 합동

답 ❶ RHA ❷ RHS

예 1

오른쪽 그림에서 ∠x의 크
기를 구하시오.

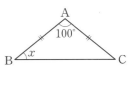

→ ∠$x = \dfrac{1}{2} \times (180° - 100°)$

　　 $=$ **❶** [　　　　]

예 2

오른쪽 그림과 같은 이등변
삼각형 ABC에서 다음을 구
하시오.

(1) $\overline{BD}$의 길이

(2) ∠C의 크기

→ (1) $\overline{BD} = \dfrac{1}{2}\overline{BC} = 5$ (cm)

　 (2) △ADC에서 ∠CAD$=40°$,

　　　 ∠ADC$=$ **❷** [　　　]

　　　 이므로 ∠C$=180° - (40° + 90°) = 50°$

답 ❶ 40° ❷ 90°

예 1

다음 그림에서 점 O가 △ABC의 외심일 때, ∠x의
크기를 구하시오.

(1)

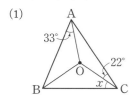

(2)

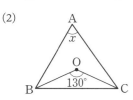

→ (1) $33° + ∠x + 22° =$ **❶** [　　　] 　∴ ∠$x = 35°$

　 (2) $130° =$ **❷** [　　] ∠x 　∴ ∠$x = 65°$

답 ❶ 90° ❷ 2

예 1

오른쪽 그림에서 원 O가
△ABC의 외접원일 때, 다음
중 옳은 것을 모두 고르면?

(정답 2개)

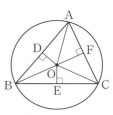

① $\overline{BE} = \overline{CE}$

② $\overline{OD} = \overline{OE}$

③ $\overline{OA} = \overline{OB} = \overline{OC}$

④ ∠OBD $=$ ∠OBE

⑤ △OAD ≡ △OAF

→ ② $\overline{OD} = \overline{OE}$인지는 알 수 없다.

　 ④ ∠OBD $=$ ∠OAD, ∠OBE $=$ ∠ **❶** [　　　]
　　　 이지만 ∠OBD $=$ ∠OBE인지는 알 수 없다.

　 ⑤ △OAD ≡ △OBD, △OAF ≡ △OCF이지만
　　　 △OAD ≡ △OAF인지는 알 수 없다.

　 따라서 옳은 것은 ①, **❷** [　　] 이다.

답 ❶ OCE ❷ ③

핵심 정리 05 | 삼각형의 내심과 그 성질

(1) **삼각형의 내심**

삼각형의 내접원의 중심

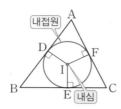

(2) **삼각형의 내심의 성질**

① 삼각형의 세 내각의 이등분선은 한 점(**❶**)에서 만난다.

② 삼각형의 내심에서 세 변에 이르는 거리는 모두 **❷** .

→ $\overline{ID}=\overline{IE}=\overline{IF}$ (내접원의 반지름의 길이)

답 ❶ 내심 ❷ 같다

핵심 정리 06 | 삼각형의 내심의 활용

(1) 점 I가 △ABC의 내심일 때

① $\angle x + \angle y + \angle z =$ **❶**

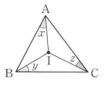

② $\angle BIC = 90° + \dfrac{1}{2}\angle A$

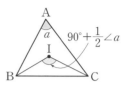

(2) 원 I가 △ABC의 내접원일 때

① $\overline{AD}=\overline{AF}$, $\overline{BD}=\overline{BE}$, $\overline{CE}=\overline{CF}$

② $\triangle ABC = \dfrac{1}{2}$ **❷** $(a+b+c)$

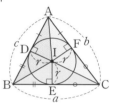

답 ❶ 90° ❷ r

핵심 정리 07 | 평행사변형의 뜻과 성질

(1) **평행사변형** : 두 쌍의 대변이 각각 평행한 사각형

→ □ABCD에서 $\overline{AB}\,/\!/\,\overline{DC}$, $\overline{AD}\,/\!/\,\overline{BC}$

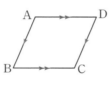

(2) **평행사변형의 성질**

① 두 쌍의 대변의 길이가 각각 같다.

→ $\overline{AB}=\overline{DC}$, $\overline{AD}=\overline{BC}$

② 두 쌍의 **❶** 의 크기가 각각 같다.

→ $\angle A=\angle C$, $\angle B=\angle D$

③ 두 대각선이 서로 다른 것을 **❷** 한다.

→ $\overline{OA}=\overline{OC}$, $\overline{OB}=\overline{OD}$

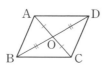

답 ❶ 대각 ❷ 이등분

핵심 정리 08 | 평행사변형이 되는 조건

□ABCD가 다음 중 어느 한 조건을 만족하면 평행사변형이 된다.

(1)	(2)
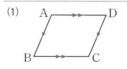	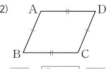
$\overline{AB}\,/\!/\,\overline{DC}$, $\overline{AD}\,/\!/\,\overline{BC}$	$\overline{AB}=$ **❶** , $\overline{AD}=\overline{BC}$
(3)	(4)
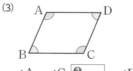	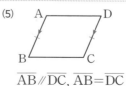
$\angle A=\angle C$, **❷** $=\angle D$	$\overline{OA}=\overline{OC}$, $\overline{OB}=\overline{OD}$
(5)	(6)
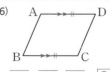	
$\overline{AB}\,/\!/\,\overline{DC}$, $\overline{AB}=\overline{DC}$	$\overline{AD}\,/\!/\,\overline{BC}$, $\overline{AD}=$ **❸**

답 ❶ $\overline{DC}$ ❷ $\angle B$ ❸ $\overline{BC}$

예 1

다음 그림에서 점 I가 △ABC의 내심일 때, ∠x의 크기를 구하시오.

(1) 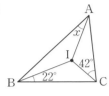　　　(2)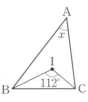

→ (1) ∠x + 22° + 42° = $\boxed{❶}$　　∴ ∠x = 26°

　(2) 112° = 90° + $\frac{1}{2}$∠x　　∴ ∠x = $\boxed{❷}$

예 2

오른쪽 그림에서 점 I가 △ABC의 내심일 때, x의 값을 구하시오.

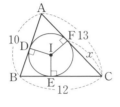

→ 10 = (13 − x) + (12 − x)

　2x = $\boxed{❸}$　　∴ x = $\frac{15}{2}$

답 ❶ 90° ❷ 44° ❸ 15

예 1

오른쪽 그림에서 점 I는 △ABC의 내심이고 점 I에서 각 변에 내린 수선의 발을 D, E, F라 하자. 다음 보기에서 옳은 것을 모두 고르시오.

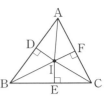

보기

㉠ $\overline{IA} = \overline{IB} = \overline{IC}$　　　㉡ $\overline{ID} = \overline{IE} = \overline{IF}$

㉢ ∠IBD = ∠IBE　　　㉣ △IAD ≡ △IBD

→ ㉠ $\overline{IA} = \overline{IB} = \overline{IC}$인지는 알 수 없다.

　㉣ △IAD ≡ △IAF, △IBD ≡ △$\boxed{❶}$

　　이지만 △IAD ≡ △IBD인지는 알 수 없다.

　따라서 옳은 것은 $\boxed{❷}$, ㉢이다.

답 ❶ IBE ❷ ㉡

예 1

다음 보기에서 □ABCD가 평행사변형인 것을 모두 고르시오. (단, 점 O는 두 대각선의 교점이다.)

보기

㉠ $\overline{AB} = \overline{BC} = 6$ cm, $\overline{CD} = \overline{DA} = 8$ cm

㉡ ∠A = ∠C = 110°, ∠B = ∠D = 70°

㉢ $\overline{OA} = \overline{OB} = 10$ cm, $\overline{OC} = \overline{OD} = 9$ cm

㉣ $\overline{AB} /\!/ \overline{DC}$, $\overline{AB} = \overline{DC} = 8$ cm

→ ㉠ $\overline{AB} \neq \overline{DC}$, $\overline{AD} \neq \overline{BC}$

　㉡ 두 쌍의 $\boxed{❶}$ 의 크기가 각각 같다.

　㉢ $\overline{OA} \neq \overline{OC}$, $\overline{OB} \neq \overline{OD}$

　㉣ 한 쌍의 $\boxed{❷}$ 이 평행하고, 그 길이가 같다.

　따라서 □ABCD가 평행사변형인 것은 ㉡, ㉣이다.

답 ❶ 대각 ❷ 대변

예 1

다음 그림과 같은 평행사변형 ABCD에서 x, y의 값을 각각 구하시오. (단, 점 O는 두 대각선의 교점이다.)

(1)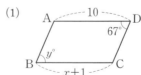

(2)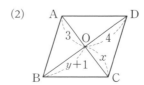

→ (1) $\overline{AD} = \overline{BC}$이므로 10 = x + 1　　∴ x = $\boxed{❶}$

　　∠B = ∠D이므로 y = 67

　(2) $\overline{OA} = \overline{OC}$이므로 x = 3

　　$\overline{OB} = \overline{OD}$이므로 y + 1 = 4　　∴ y = $\boxed{❷}$

답 ❶ 9 ❷ 3

핵심 정리 09　평행사변형과 넓이

(1) 평행사변형의 넓이는 한 대각선에 의하여 이등분된다.

$$\triangle ABC = \boxed{\text{\textbf{1}}}\ \square ABCD$$

(2) 평행사변형의 넓이는 두 대각선에 의하여 사등분된다.

$$\triangle OAB = \boxed{\text{\textbf{2}}}\ \square ABCD$$

(3) 평행사변형의 내부의 한 점 P에 대하여

$$\triangle PAB + \triangle PCD$$
$$= \triangle PDA + \triangle PBC$$
$$= \boxed{\text{\textbf{3}}}\ \square ABCD$$

답 ❶ $\frac{1}{2}$ ❷ $\frac{1}{4}$ ❸ $\frac{1}{2}$

핵심 정리 10　직사각형, 마름모

(1) **직사각형**

① 직사각형 : 네 내각의 크기가 모두 같은 사각형

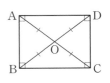

$$\rightarrow \angle A = \angle B = \angle C$$
$$= \angle D = 90°$$

② 직사각형의 성질 : 두 대각선은 길이가 같고, 서로 다른 것을 이등분한다.

$$\rightarrow \overline{AC} = \overline{BD},\ \overline{OA} = \overline{OB} = \overline{OC} = \boxed{\text{\textbf{1}}}$$

(2) **마름모**

① 마름모 : 네 변의 길이가 모두 같은 사각형

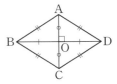

$$\rightarrow \overline{AB} = \overline{BC} = \overline{CD}$$
$$= \overline{DA}$$

② 마름모의 성질 : 두 대각선은 서로 다른 것을 수직이등분한다.

$$\rightarrow \overline{AC} \perp \overline{BD},\ \overline{OA} = \boxed{\text{\textbf{2}}},\ \overline{OB} = \overline{OD}$$

답 ❶ $\overline{OD}$ ❷ $\overline{OC}$

핵심 정리 11　정사각형

(1) **정사각형** : 네 내각의 크기가 모두 같고, 네 변의 길이가 모두 같은 사각형

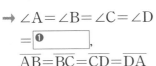

$$\rightarrow \angle A = \angle B = \angle C = \angle D$$
$$= \boxed{\text{\textbf{1}}},$$
$$\overline{AB} = \overline{BC} = \overline{CD} = \overline{DA}$$

(2) **정사각형의 성질** : 두 대각선은 길이가 같고, 서로 다른 것을 수직이등분한다.

$$\rightarrow \overline{AC} = \overline{BD},\ \overline{AC} \boxed{\text{\textbf{2}}} \overline{BD},$$
$$\overline{OA} = \overline{OB} = \overline{OC} = \overline{OD}$$

답 ❶ 90° ❷ ⊥

핵심 정리 12　여러 가지 사각형 사이의 관계

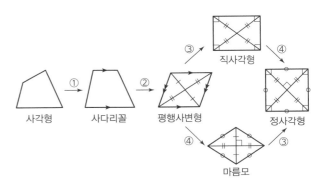

① 한 쌍의 $\boxed{\text{\textbf{1}}}$ 이 평행하다.

② 다른 한 쌍의 대변도 평행하다.

③ 한 내각이 $\boxed{\text{\textbf{2}}}$ 이다.
(또는 두 대각선의 길이가 같다.)

④ 이웃하는 두 변의 길이가 같다.
(또는 두 대각선이 서로 수직이다.)

답 ❶ 대변 ❷ 직각

예 1

다음 그림의 □ABCD에서 점 O가 두 대각선의 교점
일 때, x, y의 값을 각각 구하시오.

(1) 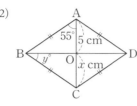 (2)

→ (1) $\overline{AC}=\overline{BD}=12$ cm이므로

$\overline{OC}=\dfrac{1}{2}\overline{AC}=\dfrac{1}{2}\times12=6$ (cm)　　∴ $x=6$

△OBC에서 $\overline{OB}=\overline{OC}$이므로

$\angle OBC=\angle OCB=$ ⓵ 　　　∴ $y=40$

(2) $\overline{OC}=\overline{OA}=5$ cm이므로 $x=5$

$\overline{BA}=\overline{BC}$이므로 $\angle BCA=\angle BAC=55°$

△BCO에서 $\angle BOC=$ ⓶ 이므로

$\angle OBC=180°-(90°+55°)=35°$　∴ $y=35$

답 ⓵ 40° ⓶ 90°

예 1

오른쪽 그림과 같이 평행사
변형 ABCD의 내부에 한
점 P를 잡았다.

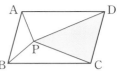

$\triangle PAD=15$ cm^2,

$\triangle PAB=10$ cm^2, $\triangle PBC=13$ cm^{2}일 때, $\triangle PCD$
의 넓이를 구하시오.

→ $\triangle PAB+\triangle PCD=\triangle PAD+\triangle$ ⓵

이므로

$10+\triangle PCD=15+13$

∴ $\triangle PCD=$ ⓶ (cm^2)

답 ⓵ PBC ⓶ 18

예 1

다음 각 조건을 만족하는 평
행사변형 ABCD는 어떤 사
각형이 되는지 말하시오.

(1) $\overline{AB}=\overline{BC}$

(2) $\angle ABC=90°$

(3) $\overline{AC}=\overline{BD}$, $\overline{AC}\perp\overline{BD}$

→ (1) 이웃하는 두 변의 길이가 같으므로 □ABCD는
마름모가 된다.

(2) 한 내각의 크기가 90°이므로 □ABCD는
⓵ 이 된다.

(3) 두 대각선의 길이가 같으므로 □ABCD는 직사
각형이 된다. 또 두 대각선이 서로 수직이므로
직사각형 ABCD는 ⓶ 이 된다.

답 ⓵ 직사각형 ⓶ 정사각형

예 1

오른쪽 그림과 같은 정사각형
ABCD에서 점 O가 두 대각선
의 교점일 때, 다음을 구하시오.

(1) $\overline{AC}$의 길이

(2) $\angle OAB$의 크기

→ (1) $\overline{AC}=\overline{BD}=2\overline{OD}$

$=2\times6=12$ (cm)

(2) $\angle AOB=$ ⓵ 이고 $\overline{OA}=\overline{OB}$이므로

$\angle OAB=\angle OBA$

$=\dfrac{1}{2}\times(180°-90°)$

$=$ ⓶

답 ⓵ 90° ⓶ 45°

핵심 정리 13 | 닮은 도형

(1) **닮음** : 한 도형을 일정한 비율로 확대 또는 축소한 것이 다른 도형과 합동이 될 때, 이 두 도형은 서로 ❶ □□□ 인 관계에 있다고 한다.

(2) **닮은 도형** : 서로 닮음인 관계에 있는 두 도형

(3) **닮음의 기호** : △ABC와 △DEF가 닮은 도형일 때, 이것을 기호로 △ABC ❷ □ △DEF와 같이 나타낸다. 이때 꼭짓점은 대응하는 순서대로 쓴다.

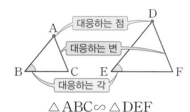

$$\triangle ABC \backsim \triangle DEF$$

[참고] 항상 닮은 도형의 예
  ① 모든 원   ② 변의 개수가 같은 모든 정다각형
  ③ 모든 구   ④ 면의 개수가 같은 모든 정다면체

[답] ❶ 닮음 ❷ ∽

핵심 정리 14 | 닮은 도형의 성질

(1) **평면도형에서 닮음의 성질** : 닮은 두 평면도형에서
  ① 대응하는 변의 길이의 비는 ❶ □□□ 하다.
  ② 대응하는 각의 크기는 각각 같다.
  ③ 닮음비는 대응하는 변의 길이의 비이다.
  ④ 닮음비가 $m:n$이면
$$\begin{cases} \text{둘레의 길이의 비} \rightarrow m:n \\ \text{넓이의 비} \rightarrow m^2 : \boxed{❷} \end{cases}$$

(2) **입체도형에서 닮음의 성질** : 닮은 두 입체도형에서
  ① 대응하는 모서리의 길이의 비는 일정하다.
  ② 대응하는 면은 닮은 도형이다.
  ③ 닮음비는 대응하는 모서리의 길이의 비이다.
  ④ 닮음비가 $m:n$이면
$$\begin{cases} \text{겉넓이의 비} \rightarrow m^2 : n^2 \\ \text{부피의 비} \rightarrow m^3 : \boxed{❸} \end{cases}$$

[답] ❶ 일정 ❷ n^2 ❸ n^3

핵심 정리 15 | 삼각형의 닮음 조건

(1) 세 쌍의 대응하는 변의 길이의 비가 같다.
  → ❶ □□□ 닮음

(2) 두 쌍의 대응하는 변의 길이의 비가 같고, 그 끼인 각의 크기가 같다. → ❷ □□□ 닮음

(3) 두 쌍의 대응하는 각의 크기가 각각 같다.
  → ❸ □□ 닮음

[답] ❶ SSS ❷ SAS ❸ AA

핵심 정리 16 | 직각삼각형의 닮음

∠A＝90°인 직각삼각형 ABC의 꼭짓점 A에서 빗변 BC에 내린 수선의 발을 H라 하면

(1) △ABC∽△HBA
  (❶ □□ 닮음)
  → $\overline{AB}:\overline{HB}=\overline{BC}:\overline{BA}$
  ∴ $\overline{AB}^2=\overline{BH}\times\overline{BC}$

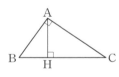

(2) △ABC∽△ ❷ □□□
  (AA 닮음)
  → $\overline{BC}:\overline{AC}=\overline{AC}:\overline{HC}$
  ∴ $\overline{AC}^2=\overline{CH}\times\overline{CB}$

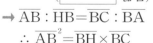
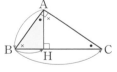

(3) △HBA∽△HAC
  (AA 닮음)
  → $\overline{BH}:\overline{AH}=\overline{AH}:\overline{CH}$
  ∴ $\overline{AH}^2=\overline{BH}\times\overline{CH}$

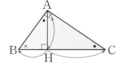

[답] ❶ AA ❷ HAC

예 1

아래 그림의 두 직육면체는 닮은 도형이다.
□ABCD∽□A′B′C′D′일 때, 다음을 구하시오.

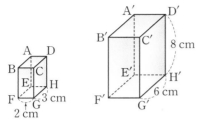

(1) 두 직육면체의 닮음비
(2) 면 ABFE에 대응하는 면
(3) $\overline{CG}$의 길이

→ (1) $\overline{GH} : \overline{G'H'} = 3 : 6 = 1 :$ ❶

(2) 면 A′B′F′E′

(3) $\overline{CG} : 8 = 1 : 2$이므로 $\overline{CG} =$ ❷ (cm)

답 ❶ 2 ❷ 4

예 1

아래 그림에서 □ABCD∽□EFGH일 때, 다음을 구하시오.

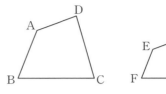

(1) 점 A에 대응하는 점
(2) $\overline{EF}$에 대응하는 변
(3) ∠C에 대응하는 각

→ (1) 점 E

(2) ❶

(3) ❷

답 ❶ $\overline{AB}$ ❷ ∠G

예 1

다음 그림에서 x의 값을 구하시오.

(1)

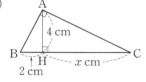

(2)

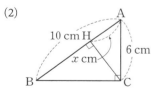

→ (1) $\overline{AH}^2 = \overline{BH} \times \overline{CH}$이므로

$4^2 =$ ❶ ∴ $x = 8$

(2) $\overline{CA}^2 = \overline{AH} \times \overline{AB}$이므로

$6^2 = 10x$ ∴ $x =$ ❷

답 ❶ $2x$ ❷ $\dfrac{18}{5}$

예 1

다음에서 닮은 삼각형을 모두 찾아 기호 ∽를 사용하여 나타내고, 그때의 닮음 조건을 말하시오.

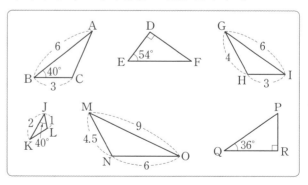

→ △ABC∽△KJL (❶ 닮음)

△DEF∽△ ❷ (AA 닮음)

△GHI∽△ONM (SSS 닮음)

답 ❶ SAS ❷ RPQ

중학 수학 필수 개념 입문서

2021 신간

중학 수·포·자 탈출 필수 개념서!

시작은 **하루 수학**

수학 공부, 더 이상 미룰 수 없다!
"하루 수학"으로 오늘부터 시~작!
중학 1~3학년(학기별)

book.chunjae.co.kr

교재 내용 문의	··········	교재 홈페이지 ▶ 중등 ▶ 교재상담
교재 내용 외 문의	··········	교재 홈페이지 ▶ 고객센터 ▶ 1:1문의
발간 후 발견되는 오류	··········	교재 홈페이지 ▶ 중등 ▶ 학습지원 ▶ 학습자료실

7일끝

기말고사

7일 끝으로 끝내자!

중학 수학 2-2

BOOK 2

천재교육

언제나 만점이고 싶은 친구들

Welcome!

숨 돌릴 틈 없이 찾아오는 시험과 평가,
성적과 입시 그리고 미래에 대한 걱정.
중·고등학교에서 보내는 6년이란 시간은
때때로 힘들고, 버겁게 느껴지곤 해요.

그런데 여러분, 그거 아세요?
지금 이 시기가 노력의 대가를
가장 잘 확인할 수 있는 시간이라는 걸요.

안 돼, 못하겠어, 해도 안 될 텐데―
어렵게 생각하지 말아요. 천재교육이 있잖아요.
첫 시작의 두려움을 첫 마무리의 뿌듯함으로 바꿔줄게요.

펜을 쥐고 이 책을 펼친 순간
여러분 앞에 무한한 가능성의 길이 열렸어요.

우리와 함께 꽃길을 향해 걸어가 볼까요?

#시험대비
#핵심정복

7일 끝
중간고사
기말고사

Chunjae
Makes
Chunjae

▼

[7일 끝] 중학 수학 2-2

저자   최용준, 해법수학연구회
제작   황성진, 조규영

발행일   2021년 6월 15일 초판 2021년 6월 15일 1쇄
발행인   (주)천재교육
주소   서울시 금천구 가산로9길 54
신고번호 제2001-000018호
고객센터 1577-0902
교재 내용문의 (02)3282-8852

7일 끝으로 끝내자!

중학 수학 2-2

BOOK 2

기 말 고 사 대 비

7일 끝 중학 수학
구성과 활용

시험 공부 시작

생각 열기

공부할 내용을 만화로 가볍게 살펴보며 학습을 준비해 보세요.

❶ 공부할 내용을 살피며 핵심 학습 요소를 확인해 보세요.

❷ 이것만은 꼭꼭!을 통해 실수하기 쉬운 개념을 짚어 보세요.

본격 공부 중

교과서 핵심 정리 + 시험지 속 개념 문제

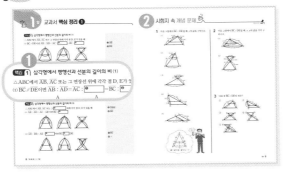

꼭 알아야 할 교과서 핵심 내용을 익히고 시험지 속 개념 문제를 풀며 제대로 이해했는지 확인해 보세요.

❶ 빈칸을 채우며 교과서 핵심 내용을 다시 한 번 확인해 보세요.

❷ 교과서 핵심과 관련된 시험지 속 개념 문제를 풀며 공부한 내용을 확인해 보세요.

교과서 기출 베스트 1회, 2회

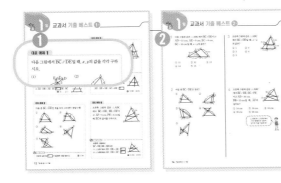

다양한 유형의 문제를 풀어 보며 공부한 내용을 점검해 보세요.

❶ 교과서 기출 베스트 1회에서는 대표 예제 문제를 풀며 시험에 자주 나오는 문제를 확인해 보세요.

❷ 교과서 기출 베스트 1회와 쌍둥이 문제로 구성된 교과서 기출 베스트 2회를 한 번 더 풀면서 실력을 다져 보세요.

누구나 100점 테스트
1회, 2회

앞에서 공부한 개념을 이해
했는지 문제를 풀어 점검해
보세요.

서술형·사고력 테스트

서술형·사고력 문제를 집중
적으로 풀며 서술형·사고력
문제에 대한 적응력을 높여
보세요.

창의·융합·코딩 테스트

앞에서 공부한 개념이 어떻
게 이용되는지 알고 문제 해
결력을 키워 보세요.

기말고사 기본 테스트
1회, 2회

시험 문제에 가까운 예상 문
제를 풀며 실전에 대비해 보
세요.

틈틈이·짬짬이 공부하기

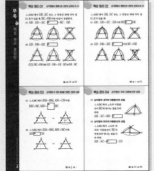

핵심 정리 총집합 카드를 휴대
하며 이동하는 중이나 시험 직
전에 활용해 보세요.

7일 끝 중학 수학 2-2 기말

차례

1일 삼각형에서 평행선과 선분의 길이의 비   6

2일 평행선 사이의 선분의 길이의 비와 삼각형의 무게중심   16

3일 피타고라스 정리   26

4일 경우의 수   36

5일 확률   46

6일

누구나 **100점 테스트** 1회   56

누구나 **100점 테스트** 2회   58

서술형 · 사고력 **테스트**   60

창의 · 융합 · 코딩 **테스트**   62

7일

기말고사 **기본 테스트** 1회   64

기말고사 **기본 테스트** 2회   68

삼각형에서 평행선과 선분의 길이의 비

도형에서 닮은 두 삼각형을 찾으면 삼각형에서 평행선과 선분의 길이의 비를 알 수 있어.

$\overline{BC}\,/\!/\,\overline{DE}$이면 a : a'=b : b'=c : c'

이것도 반드시 기억하자!

$\overline{BC}\,/\!/\,\overline{DE}$이면 a : a'=b : b'

다음 그림에서 $\overline{BC}\,/\!/\,\overline{DE}$일 때, x의 값을 구해 볼까?

$\overline{AD} : \overline{DB} = \overline{DE} : \overline{BC}$이므로
8 : 4=x : 14
4x=112 ∴ x=28

$\overline{AD} : \overline{AB} = \overline{DE} : \overline{BC}$이므로
8 : (8+4)=x : 14
12x=112 ∴ $x=\dfrac{28}{3}$

주의!

$a : a'=b : b' \neq c : c'$

삼각형의 각의 이등분선의 성질

이등분된 각이 기준이야!

외각의 이등분선은 실수하기 쉬워! 정확히 기억하자!

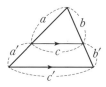

이것만은 꼭꼭!

(1) 오른쪽 그림에서

$a : a' = b : b'$ ❶ $\boxed{}$ $c : c'$

$a : (a+a') = b : ($❷$\boxed{}) = c : c'$

(2) 삼각형의 두 변의 중점을 연결한 선분은 나머지 한 변과 평행하고, 그 길이는 나머지 한 변의 길이의 ❸$\boxed{}$ 이다.

(3) 삼각형의 한 변의 중점을 지나고 다른 한 변에 평행한 직선은 나머지 한 변의 ❹$\boxed{}$을 지난다.

답 ❶ $\neq$ ❷ $b+b'$ ❸ $\dfrac{1}{2}$ ❹ 중점

교과서 **핵심 정리 ①**

핵심 1 삼각형에서 평행선과 선분의 길이의 비 (1)

△ABC에서 $\overline{AB}$, $\overline{AC}$ 또는 그 연장선 위에 각각 점 D, E가 있을 때

(1) $\overline{BC}$ ∥ $\overline{DE}$이면 $\overline{AB} : \overline{AD} = \overline{AC} :$ ❶ ☐ $= \overline{BC} :$ ❷ ☐

❶ $\overline{AE}$
❷ $\overline{DE}$

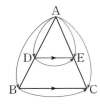 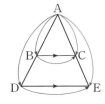 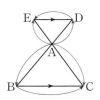

(2) $\overline{BC}$ ∥ $\overline{DE}$이면 $\overline{AD} : \overline{DB} = \overline{AE} :$ ❸ ☐

❸ $\overline{EC}$

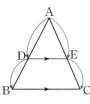 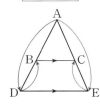 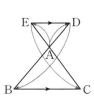

주의 $\overline{BC}$ ∥ $\overline{DE}$이면 $\overline{AD} : \overline{DB} = \overline{AE} : \overline{EC}$ ❹ ☐ $\overline{DE} : \overline{BC}$

❹ ≠

핵심 2 삼각형에서 평행선과 선분의 길이의 비 (2)

△ABC에서 $\overline{AB}$, $\overline{AC}$ 또는 그 ❺ ☐ 위에 각각 점 D, E가 있을 때

(1) $\overline{AB} : \overline{AD} = \overline{AC} : \overline{AE}$이면 $\overline{BC}$ ∥ ❻ ☐

❺ 연장선
❻ $\overline{DE}$

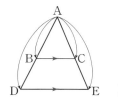

(2) $\overline{AD} : \overline{DB} = \overline{AE} :$ ❼ ☐ 이면 $\overline{BC}$ ❽ ☐ $\overline{DE}$

❼ $\overline{EC}$
❽ ∥

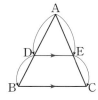 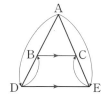 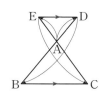

시험지 속 개념 문제

정답과 풀이 28쪽

1 다음 그림에서 $\overline{BC} /\!/ \overline{DE}$일 때, x의 값을 구하시오.

(1)
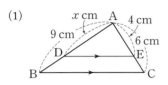

(2)
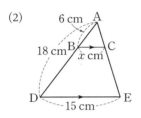

(3)
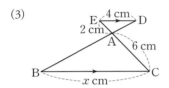

(4)
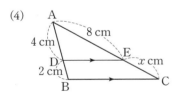

(5)
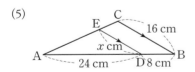

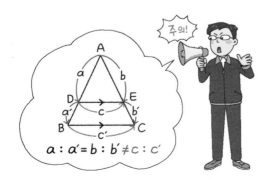

2 다음 그림에서 $\overline{BC} /\!/ \overline{DE}$일 때, x, y의 값을 각각 구하시오.

(1)
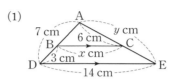

(2)
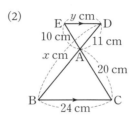

3 다음 중 $\overline{BC} /\!/ \overline{DE}$인 것은?

① 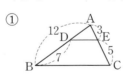 ②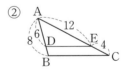

③ 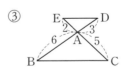 ④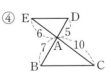

⑤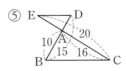

1일 **9**

핵심 3 삼각형의 두 변의 중점을 연결한 선분의 성질

(1) 삼각형의 두 변의 중점을 연결한 선분은 나머지 한 변과 ❶[   ]하고, 그 길이는 나머지 한 변의 길이의 ❷[   ]이다.

❶ 평행

❷ $\dfrac{1}{2}$

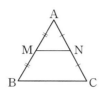 →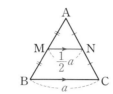

$\overline{AM}=\overline{BM}$, $\overline{AN}=\overline{CN}$이면 $\overline{MN}$ ∥ ❸[   ], $\overline{MN}=$ ❹[   ]$\overline{BC}$

❸ $\overline{BC}$

❹ $\dfrac{1}{2}$

(2) 삼각형의 한 변의 중점을 지나고 다른 한 변에 평행한 직선은 나머지 한 변의 ❺[   ]을 지난다.

❺ 중점

 →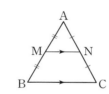

$\overline{AM}=\overline{BM}$, $\overline{MN}$∥$\overline{BC}$이면 $\overline{AN}=$ ❻[   ]

❻ $\overline{CN}$

핵심 4 삼각형의 각의 이등분선의 성질

(1) **삼각형의 내각의 이등분선의 성질**

△ABC에서 ∠A의 이등분선이 $\overline{BC}$와 만나는 점을 D라 하면

$\overline{AB} : \overline{AC}=\overline{BD} :$ ❼[   ]

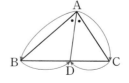

❼ $\overline{CD}$

(2) **삼각형의 외각의 이등분선의 성질**

△ABC에서 ∠A의 외각의 이등분선이 $\overline{BC}$의 연장선과 만나는 점을 D라 하면

$\overline{AB} : \overline{AC}=$ ❽[   ] $: \overline{CD}$

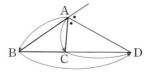

❽ $\overline{BD}$

시험지 속 개념 문제

정답과 풀이 **28쪽**

4 다음 그림과 같은 △ABC에서 $\overline{AB}$, $\overline{AC}$의 중점을 각각 M, N이라 할 때, x의 값을 구하시오.

(1)
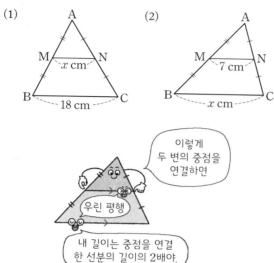

(2)

5 다음 그림과 같은 △ABC에서 점 M이 $\overline{AB}$의 중점이고 $\overline{MN} /\!/ \overline{BC}$일 때, x, y의 값을 각각 구하시오.

(1)
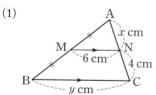

(2)
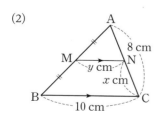

6 다음 그림과 같은 △ABC에서 $\overline{AD}$가 ∠A의 이등분선일 때, x의 값을 구하시오.

(1)
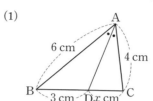

(2)
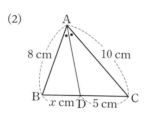

7 다음 그림과 같은 △ABC에서 $\overline{AD}$가 ∠A의 외각의 이등분선일 때, x의 값을 구하시오.

(1)
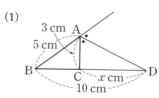

(2)
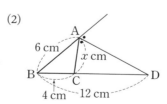

대표 예제 1

다음 그림에서 $\overline{BC} /\!/ \overline{DE}$일 때, x, y의 값을 각각 구하시오.

(1) 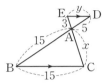　　(2)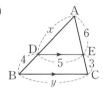

오른쪽 그림에서 $\overline{BC} /\!/ \overline{DE}$이면
(1) $\overline{AD} : \overline{AB} = \overline{AE} : \overline{AC}$ ① □ $\overline{DE} : \overline{BC}$
(2) $\overline{AD} : \overline{DB} = \overline{AE} : \overline{EC}$ ② □ $\overline{DE} : \overline{BC}$

답 ① = ② ≠

대표 예제 2

다음 중 $\overline{BC} /\!/ \overline{DE}$인 것을 모두 고르면? (정답 2개)

① 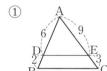　　②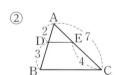

③ 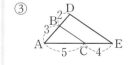　　④

⑤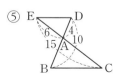

선분의 길이의 ① □ 가 일정한 것을 찾는다.　　답 ① 비

대표 예제 3

오른쪽 그림과 같은 △ABC에서 $\overline{BC} /\!/ \overline{DE}$일 때, x, y의 값을 각각 구하시오.

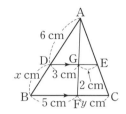

오른쪽 그림에서 $\overline{BC} /\!/ \overline{DE}$이면
(1) △ABF에서
　$\overline{AD} : \overline{AB} = \overline{AG} : \overline{AF} = \overline{DG} : $ ① □
(2) △AFC에서
　$\overline{AG} : \overline{AF} = \overline{AE} : \overline{AC} = \overline{GE} : $ ② □

답 ① $\overline{BF}$ ② $\overline{FC}$

대표 예제 4

오른쪽 그림과 같은 △ABC에서 $\overline{BC} /\!/ \overline{DE}$, $\overline{BE} /\!/ \overline{DF}$이고 $\overline{AF} = 5$ cm, $\overline{FE} = 3$ cm일 때, $\overline{EC}$의 길이를 구하시오.

오른쪽 그림에서
$\overline{BC} /\!/ \overline{DE}$, $\overline{BE} /\!/ \overline{DF}$이면
(1) △ABC에서 $\overline{AD} : \overline{DB} = \overline{AE} : $ ① □
(2) △ABE에서 $\overline{AD} : \overline{DB} = \overline{AF} : $ ② □

답 ① $\overline{EC}$ ② $\overline{FE}$

대표 예제 **5**

오른쪽 그림과 같은
△ABC에서 세 점 D, E, F
는 각각 $\overline{AB}$, $\overline{BC}$, $\overline{CA}$의
중점이다. $\overline{AB}$=6 cm,
$\overline{BC}$=10 cm, $\overline{CA}$=8 cm
일 때, △DEF의 둘레의 길이를 구하시오.

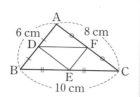

개념 가이드

오른쪽 그림에서
$\overline{AM}=\overline{BM}$, $\overline{AN}=\overline{CN}$이면
$\overline{MN}\,/\!/$ ① , $\overline{MN}=$ ② $\overline{BC}$

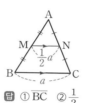

답 ① $\overline{BC}$ ② $\frac{1}{2}$

대표 예제 **7**

오른쪽 그림과 같은 △ABC
에서 ∠A의 이등분선과 $\overline{BC}$
의 교점을 D라 하자.
$\overline{AC}$=8 cm, $\overline{BD}$=6 cm,
$\overline{CD}$=4 cm일 때, $\overline{AB}$의 길
이를 구하시오.

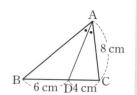

개념 가이드

오른쪽 그림에서 ∠A의 이등분
선이 $\overline{BC}$와 만나는 점을 D라
하면 $a:b=$ ① $:d$

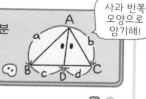

사과 반쪽
모양으로
암기해!

답 ① c

대표 예제 **6**

오른쪽 그림과 같은 △ABC에
서 $\overline{AD}=\overline{DB}$, $\overline{AE}=\overline{EF}=\overline{FC}$
이고 $\overline{DE}$=8 cm일 때, $\overline{BG}$의
길이를 구하시오.

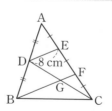

개념 가이드

삼각형의 두 변의 ① 을 연결한 선분의 성질을 이용할 수 있
는 삼각형을 찾아 해결한다. 답 ① 중점

대표 예제 **8**

오른쪽 그림과 같은
△ABC에서 ∠A의 외각
의 이등분선과 $\overline{BC}$의 연장
선의 교점을 D라 하자.
$\overline{AB}$=6 cm, $\overline{AC}$=5 cm,
$\overline{BD}$=12 cm일 때, $\overline{CD}$의 길이를 구하시오.

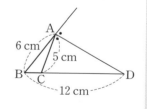

개념 가이드

오른쪽 그림에서 ∠A의 외각의
이등분선이 $\overline{BC}$의 연장선과
만나는 점을 D라 하면
$a:b=c:$ ①

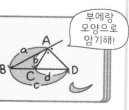

부메랑
모양으로
암기해!

답 ① d

1 다음 그림과 같은 △ABC에서 $\overline{BC} /\!/ \overline{DE}$이고 $\overline{AD}=12$ cm, $\overline{AE}=9$ cm, $\overline{EC}=6$ cm, $\overline{BC}=10$ cm일 때, $x+y$의 값은?

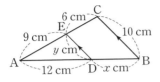

① 11   ② 12   ③ 13
④ 14   ⑤ 15

2 다음 중 $\overline{BC} /\!/ \overline{DE}$인 것은?

①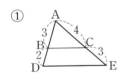

②

③

④ (그림)

⑤

3 오른쪽 그림과 같은 △ABC에서 $\overline{BC} /\!/ \overline{DE}$일 때, $x-y$의 값은?

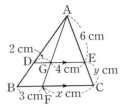

① 1   ② 2
③ 3   ④ 4
⑤ 5

4 오른쪽 그림과 같은 △ABC에서 $\overline{BC} /\!/ \overline{DE}$, $\overline{DC} /\!/ \overline{FE}$이고 $\overline{AD}=30$ cm, $\overline{DB}=15$ cm일 때, $\overline{AF}$의 길이는?

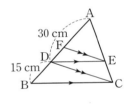

① 14 cm   ② 16 cm   ③ 18 cm
④ 20 cm   ⑤ 22 cm

△ABC와 △ADC에서 각각 평행선과 선분의 길이의 비를 이용해 봐!

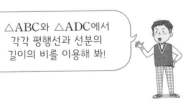

5 오른쪽 그림에서 네 점 M, N, P, Q는 각각 $\overline{AB}$, $\overline{AC}$, $\overline{DB}$, $\overline{DC}$의 중점이다. $\overline{BC}$=16 cm일 때, $\overline{MN}+\overline{PQ}$의 길이는?

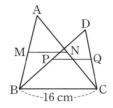

① 10 cm   ② 12 cm
③ 14 cm   ④ 16 cm
⑤ 18 cm

6 오른쪽 그림과 같은 △ABC에서 $\overline{AE}=\overline{EF}=\overline{FB}$, $\overline{AG}=\overline{GD}$이고, $\overline{EG}$=7 cm일 때, $\overline{GC}$의 길이는?

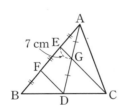

① 12 cm   ② 14 cm
③ 15 cm   ④ 18 cm
⑤ 21 cm

7 오른쪽 그림과 같은 △ABC에서 ∠A의 이등분선과 $\overline{BC}$의 교점을 D라 하자. $\overline{AB}$=10 cm, $\overline{AC}$=8 cm, $\overline{BD}$=5 cm일 때, $\overline{CD}$의 길이는?

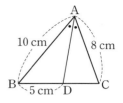

① 2 cm   ② 3 cm   ③ 4 cm
④ 5 cm   ⑤ 6 cm

8 다음 선생님의 질문에 바르게 답하시오.

이 그림에서 $\overline{AD}$가 ∠A의 외각의 이등분선일 때, $\overline{BC}$의 길이를 구해 볼래?

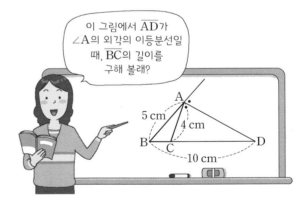

2일 평행선 사이의 선분의 길이의 비와 삼각형의 무게중심

삼각형의 무게중심

삼각형의 세 중선은 한 점에서 만나며 이 교점을 무게중심이라 한다.

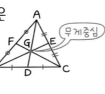

삼각형의 무게중심의 성질

삼각형의 무게중심은 세 중선의 길이를 각 꼭짓점으로부터 2 : 1로 나눈다.

점 G가 △ABC의 무게중심일 때

$$\triangle GAF = \triangle GBF = \triangle GBD = \triangle GCD$$
$$= \triangle GCE = \triangle GAE = \frac{1}{6}\triangle ABC$$

점 G가 △ABC의 무게중심일 때

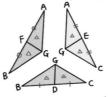

$$\triangle GAB = \triangle GBC = \triangle GCA = \frac{1}{3}\triangle ABC$$

이것만은 꼭꼭!

(1)
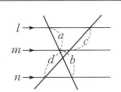

$l /\!/ m /\!/ n$이면 $a : b = c :$ **❶** ☐

(2) 삼각형의 무게중심은 세 중선의 길이를 각 꼭짓점으로부터 각각 **❷** ☐ 로 나눈다.

답 ❶ d ❷ 2 : 1

핵심 1 **평행선 사이의 선분의 길이의 비**

평행한 세 직선이 다른 두 직선과 만날 때, **❶** [　　　] 사이에 생기는 선분의 길이의 비는 같다.

→ $l /\!/ m /\!/ n$이면 $a:b=c:$ **❷** [　　]

❶ 평행선

❷ d

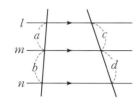 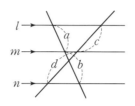

[예] 다음 그림에서 $l /\!/ m /\!/ n$일 때, x의 값을 구해 보자.

①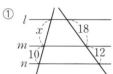

②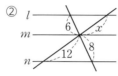

$x:10=18:12$이므로

$12x=180$ ∴ $x=15$

$6:8=x:$ **❸** [　　]이므로

$8x=$ **❹** [　　] ∴ $x=9$

❸ 12

❹ 72

핵심 2 **사다리꼴에서 평행선 사이의 선분의 길이의 비**

사다리꼴 ABCD에서 $\overline{AD} /\!/ \overline{EF} /\!/ \overline{BC}$일 때, $\overline{EF}$의 길이는 다음과 같이 구한다.

[방법 1] **평행선 긋기**

❶ $\overline{DC}$에 평행한 $\overline{AH}$를 그으면 □AGFD, □AHCD가
   평행사변형이므로
   $\overline{GF}=\overline{HC}=$ **❺** [　　]

❷ △ABH에서
   $\overline{EG}:\overline{BH}=\overline{AE}:\overline{AB}=$ **❻** [　　] $:(m+n)$

❸ $\overline{EF}=\overline{EG}+\overline{GF}$

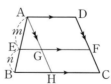

❺ $\overline{AD}$

❻ m

[방법 2] **대각선 긋기**

❶ 대각선 AC를 그으면
   △ABC에서 $\overline{EG}:\overline{BC}=\overline{AE}:\overline{AB}=m:($ **❼** [　] $)$

❷ △ACD에서
   $\overline{GF}:\overline{AD}=\overline{CG}:\overline{CA}=$ **❽** [　] $:(m+n)$

❸ $\overline{EF}=\overline{EG}+\overline{GF}$

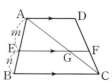

❼ $m+n$

❽ n

시험지 속 개념 문제

1 다음 그림에서 $l /\!/ m /\!/ n$일 때, x의 값을 구하시오.

(1)
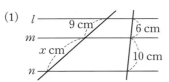

(2)
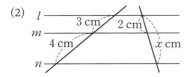

(3)
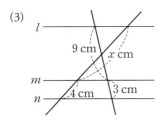

(4)
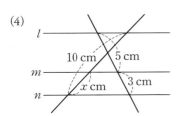

이렇게 평행이동하면 삼각형이 보이지? 이것도 삼각형의 닮음을 이용한 거야.

2 아래 그림과 같은 사다리꼴 ABCD에서 $\overline{AD} /\!/ \overline{EF} /\!/ \overline{BC}$이고 $\overline{AH} /\!/ \overline{DC}$일 때, 다음을 구하시오.

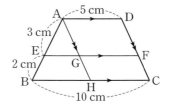

(1) $\overline{BH}$의 길이   (2) $\overline{EG}$의 길이

(3) $\overline{GF}$의 길이   (4) $\overline{EF}$의 길이

3 아래 그림과 같은 사다리꼴 ABCD에서 $\overline{AD} /\!/ \overline{EF} /\!/ \overline{BC}$일 때, 다음을 구하시오.

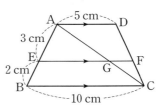

(1) $\overline{EG}$의 길이

(2) $\overline{GF}$의 길이

(3) $\overline{EF}$의 길이

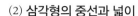 **교과서 핵심 정리 ②**

핵심 3 삼각형의 중선

(1) **중선** : 삼각형에서 한 꼭짓점과 그 대변의 ❶ 을 이은 선분

〔참고〕 하나의 삼각형에는 3개의 중선이 있다.

(2) **삼각형의 중선과 넓이**

① 삼각형의 중선은 삼각형의 넓이를 이등분한다.

➡ $\triangle ABD = \triangle ADC = $ ❷ $\triangle ABC$

〔참고〕 높이가 같은 두 삼각형의 넓이의 비는 밑변의 길이의 비와 같다.

② 점 P가 중선 AD 위의 점이면

$\triangle PBD = \triangle$ ❸ , $\triangle ABP = \triangle$ ❹

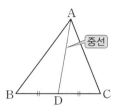

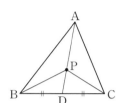

❶ 중점

❷ $\dfrac{1}{2}$

❸ PDC

❹ APC

핵심 4 삼각형의 무게중심

(1) **삼각형의 무게중심** : 삼각형의 세 중선의 교점

(2) **삼각형의 무게중심의 성질**

① 삼각형의 세 중선은 한 점(❺)에서 만난다.

② 삼각형의 무게중심은 세 중선의 길이를 각 꼭짓점으로부터 각각 2 : 1로 나눈다.

➡ $\overline{AG} : \overline{GD} = \overline{BG} : \overline{GE} = \overline{CG} : \overline{GF} = $ ❻ $: 1$

(3) **삼각형의 무게중심과 넓이**

삼각형의 세 중선에 의하여 생기는 6개의 삼각형의 넓이는 모두 같다. 즉 점 G가 △ABC의 무게중심이면

① $\triangle GAF = \triangle GBF = \triangle GBD = \triangle GCD$

$= \triangle GCE = \triangle GAE = $ ❼ $\triangle ABC$

② $\triangle GAB = \triangle GBC = \triangle GCA = $ ❽ $\triangle ABC$

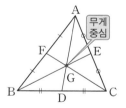

❺ 무게중심

❻ 2

❼ $\dfrac{1}{6}$

❽ $\dfrac{1}{3}$

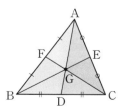

4 오른쪽 그림에서 $\overline{AD}$가 △ABC의 중선일 때, 다음을 구하시오.

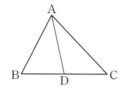

(1) $\overline{BD}=3$ cm일 때, $\overline{DC}$의 길이

(2) $\overline{BC}=14$ cm일 때, $\overline{BD}$의 길이

(3) △ABD의 넓이가 9 cm²일 때, △ABC의 넓이

5 다음 그림에서 점 G가 △ABC의 무게중심일 때, x, y의 값을 각각 구하시오.

(1)

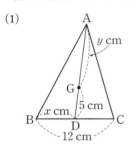

(2)

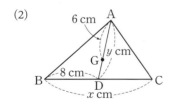

6 오른쪽 그림에서 점 G가 △ABC의 무게중심일 때, 다음 중 옳지 <u>않은</u> 것을 들고 있는 학생을 찾으시오.

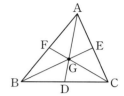

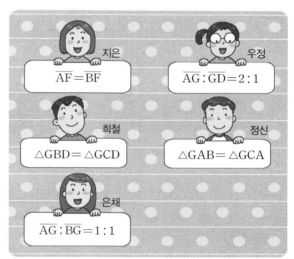

지은 $\overline{AF}=\overline{BF}$

우정 $\overline{AG}:\overline{GD}=2:1$

희철 △GBD=△GCD

정신 △GAB=△GCA

은채 $\overline{AG}:\overline{BG}=1:1$

7 다음 그림에서 점 G가 △ABC의 무게중심이고 △ABC의 넓이가 18 cm²일 때, 색칠한 부분의 넓이를 구하시오.

(1)

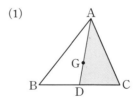

(2)

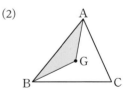

(3)

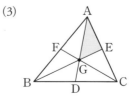

(4)

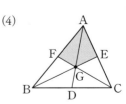

대표 예제 1

다음 그림에서 $l/\!/m/\!/n$일 때, xy의 값을 구하시오.

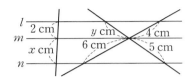

🧭 **개념 가이드**

오른쪽 그림에서 $l/\!/m/\!/n$이면

$a:b=c:$ ① $=e:$ ②

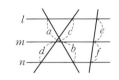

📋 ① d ② f

대표 예제 2

다음 그림에서 $l/\!/m/\!/n/\!/p$일 때, $x-y$의 값을 구하시오.

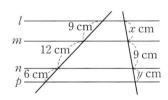

🧭 **개념 가이드**

평행선이 4개일 때는 세 직선이 평행일 때로 나누어 푼다.

(i) $l/\!/m/\!/n$일 때,

$\quad a:b=a':$ ①

(ii) $m/\!/n/\!/p$일 때,

$\quad b:$ ② $=b':c'$

📋 ① b' ② c

대표 예제 3

오른쪽 그림과 같은 사다리꼴 ABCD에서 $\overline{AD}/\!/\overline{EF}/\!/\overline{BC}$일 때, $x-y$의 값을 구하시오.

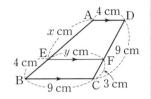

🧭 **개념 가이드**

사다리꼴에서 선분의 길이를 구할 때는 보조선을 그어 삼각형과 ① 또는 두 삼각형으로 나누어 생각한다.

📋 ① 평행사변형

대표 예제 4

오른쪽 그림과 같이 $\overline{AD}/\!/\overline{BC}$인 사다리꼴 ABCD에서 $\overline{AB}$, $\overline{DC}$의 중점을 각각 M, N이라 하자. $\overline{AD}=8$ cm, $\overline{BC}=14$ cm일 때, $\overline{MN}$의 길이를 구하시오.

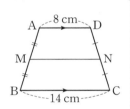

🧭 **개념 가이드**

$\overline{AD}/\!/\overline{BC}$인 사다리꼴 ABCD에서 $\overline{AB}$, $\overline{DC}$의 중점을 각각 M, N이라 하면 $\overline{AD}/\!/\overline{MN}/\!/\overline{BC}$이고 다음이 성립한다.

(1)

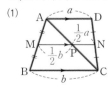

$\overline{MN}=\overline{MP}+\overline{PN}$

$\quad=$ ① $(a+b)$

(2)

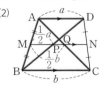

$\overline{PQ}=\overline{MQ}-\overline{MP}$

$\quad=\dfrac{1}{2}(b-$ ② $)$

📋 ① $\dfrac{1}{2}$ ② a

대표 예제 5

오른쪽 그림에서 점 G가
△ABC의 무게중심이고
$\overline{AD}=9$ cm, $\overline{GE}=4$ cm일
때, $\overline{BG}+\overline{GD}$의 길이를 구하
시오.

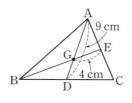

개념 가이드

삼각형의 무게중심은
세 중선의 길이를
각 꼭짓점으로부터
각각 2 : ① 로 나누지!

답 ① 1

대표 예제 7

오른쪽 그림에서 두 점 G, G′
은 각각 △ABC, △GBC의
무게중심이다. $\overline{AD}=18$ cm
일 때, $\overline{GG'}$의 길이를 구하시
오.

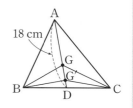

개념 가이드

두 점 G, G′이 각각 △ABC, △GBC
의 무게중심일 때

(1) $\overline{AG}:\overline{GD}=$ ① : 1

(2) $\overline{GG'}:\overline{G'D}=2:$ ②

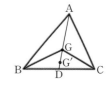

답 ① 2 ② 1

대표 예제 6

오른쪽 그림에서 점 G는
△ABC의 무게중심이고
$\overline{EF}\,/\!/\,\overline{BC}$이다. $\overline{AD}=21$ cm,
$\overline{BD}=9$ cm일 때, $x+y$의 값을
구하시오.

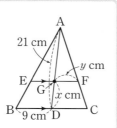

개념 가이드

점 G가 △ABC의 무게중심이고
$\overline{EF}\,/\!/\,\overline{BC}$일 때

(1) △ABD에서

$\overline{EG}:\overline{BD}=\overline{AG}:\overline{AD}=2:$ ①

(2) △ADC에서

$\overline{GF}:\overline{DC}=\overline{AG}:$ ② $=2:3$

답 ① 3 ② $\overline{AD}$

대표 예제 8

오른쪽 그림과 같이
∠C=90°인 직각삼각형
ABC에서 점 G는 △ABC
의 무게중심이다.
$\overline{AC}=12$ cm, $\overline{BC}=16$ cm
일 때, △GDC의 넓이를 구하시오.

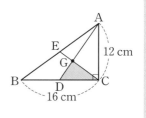

개념 가이드

점 G가 △ABC의 무게중심일 때
$S_1=S_2=S_3=S_4=S_5=S_6$
$=$ ① $\triangle ABC$

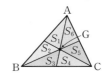

답 ① $\frac{1}{6}$

2일 교과서 기출 베스트 2회

1 다음 그림에서 $l /\!/ m /\!/ n$일 때, $x+y$의 값은?

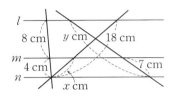

① 23   ② 24   ③ 25

④ 26   ⑤ 27

2 다음 그림에서 $l /\!/ m /\!/ n /\!/ p$일 때, $x+y$의 값은?

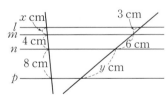

① 12   ② 13   ③ 14

④ 15   ⑤ 16

3 오른쪽 그림과 같은 사다리꼴 ABCD에서 $\overline{AD} /\!/ \overline{EF} /\!/ \overline{BC}$이고 $\overline{AD}=15$ cm, $\overline{AE}=9$ cm, $\overline{EB}=6$ cm, $\overline{EF}=18$ cm일 때, $\overline{BC}$의 길이는?

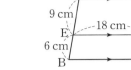

① $\dfrac{35}{2}$ cm   ② 18 cm   ③ $\dfrac{39}{2}$ cm

④ 20 cm   ⑤ $\dfrac{41}{2}$ cm

4 오른쪽 그림과 같이 $\overline{AD} /\!/ \overline{BC}$인 사다리꼴 ABCD에서 $\overline{AB}$, $\overline{DC}$의 중점을 각각 M, N이라 하고 $\overline{MN}$과 $\overline{AC}$의 교점을 P라 하자. $\overline{PN}=5$ cm, $\overline{BC}=20$ cm일 때, $x+y$의 값은?

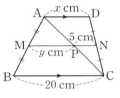

① 10   ② 15   ③ 20

④ 25   ⑤ 30

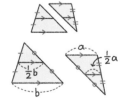

5 오른쪽 그림에서 점 G는 ∠A＝90°인 직각삼각형 ABC의 무게중심이다. $\overline{BC}$＝12 cm일 때, $\overline{AG}$의 길이는?

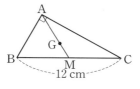

① 2 cm ② 4 cm ③ 6 cm

④ 8 cm ⑤ 10 cm

직각삼각형에서 빗변의 중점은 외심과 일치해! 즉 $\overline{AM}=\overline{BM}=\overline{CM}$이지.

6 오른쪽 그림에서 두 점 G, G′은 각각 △ABC, △GBC의 무게중심이다. $\overline{GG'}$＝8 cm일 때, $\overline{AD}$의 길이는?

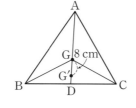

① 34 cm ② 35 cm ③ 36 cm

④ 37 cm ⑤ 38 cm

7 오른쪽 그림에서 점 G는 △ABC의 무게중심이고 $\overline{BE}$∥$\overline{DF}$이다. $\overline{DF}$＝6 cm일 때, $\overline{BG}$의 길이는?

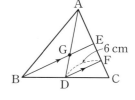

① 8 cm ② 10 cm ③ 12 cm

④ 14 cm ⑤ 16 cm

8 오른쪽 그림에서 두 점 G, G′은 각각 △ABC, △GBC의 무게중심이다. △GBG′의 넓이가 5 cm²일 때, △ABC의 넓이는?

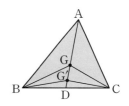

① 40 cm² ② 45 cm² ③ 50 cm²

④ 55 cm² ⑤ 60 cm²

세 변의 길이가 각각 a, b, c인 △ABC에서 c가 가장 긴 변의 길이일 때

$c^2 = a^2 + b^2$인가?

예 → 직각삼각형

아니오

c^2과 $a^2 + b^2$의 대소 비교

$c^2 > a^2 + b^2$ → 둔각삼각형

$c^2 < a^2 + b^2$

예각삼각형

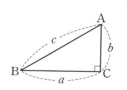

이것만은 꼭꼭!

(1) 직각삼각형에서 직각을 낀 두 변의 길이를 각각 a, b라 하고, 빗변의 길이를 c라 하면
$a^2 + b^2 = $ ❶ □

(2) 세 변의 길이가 각각 a, b, c인 △ABC에서 c가 가장 긴 변의 길이일 때
① $c^2 = a^2 + b^2$이면 △ABC는 직각삼각형❷(이다, 이 아니다).
② $c^2 \neq a^2 + b^2$이면 △ABC는 직각삼각형❸(이다, 이 아니다).

답 ❶ c^2 ❷ 이다 ❸ 이 아니다

핵심 **1** 피타고라스 정리

직각삼각형에서 직각을 낀 두 변의 길이를 각각 a, b라 하고, 빗변의 길이를 c라 하면

$$a^2+b^2=\boxed{❶}$$

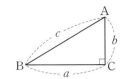

❶ c^2

[참고] 오른쪽 그림에서 모눈 한 눈금의 길이를 1이라 하면 $\overline{BC}$를 한 변으로 하는 정사각형의 넓이는 16, $\overline{CA}$를 한 변으로 하는 정사각형의 넓이는 9, $\overline{AB}$를 한 변으로 하는 정사각형의 넓이는 25이므로 $\overline{BC}^2=16$, $\overline{AC}^2=9$, $\boxed{❷}=25$ 이때 $16+9=\boxed{❸}$이므로

$$\overline{BC}^2+\overline{AC}^2=\overline{AB}^2$$

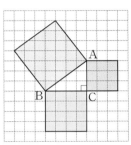

❷ $\overline{AB}^2$

❸ 25

핵심 **2** 피타고라스 정리의 설명

(1) **삼각형의 닮음을 이용한 방법**

오른쪽 그림과 같이 $\angle C=90°$인 직각삼각형 ABC의 꼭짓점 C에서 $\overline{AB}$에 내린 수선의 발을 D라 하면

$$a^2=c\times\overline{DB} \quad\cdots\cdots\,㉠,\; b^2=c\times\boxed{❹} \quad\cdots\cdots\,㉡$$

㉠, ㉡을 변끼리 더하면

$$a^2+b^2=c\times\overline{DB}+c\times\overline{AD}=c\times(\overline{DB}+\overline{AD})$$

이때 $\overline{DB}+\overline{AD}=\boxed{❺}$이므로 $a^2+b^2=c^2$

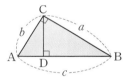

❹ $\overline{AD}$

❺ c

(2) **피타고라스의 방법**

오른쪽 그림과 같이 직각삼각형 ABC와 합동인 세 직각삼각형 ①, ②, ③을 이용하여 [그림 1], [그림 2]와 같이 한 변의 길이가 ($\boxed{❻}$)인 정사각형을 각각 만들자.

[그림 1]에서 색칠한 사각형은 한 변의 길이가 c인 정사각형이므로 그 넓이는 $\boxed{❼}$이다. $\quad\cdots\cdots\,㉠$

[그림 2]에서 색칠한 부분의 넓이는

(한 변의 길이가 a인 정사각형의 넓이)+(한 변의 길이가 b인 정사각형의 넓이)

$$=a^2+\boxed{❽} \quad\cdots\cdots\,㉡$$

㉠, ㉡에서 $c^2=a^2+b^2$

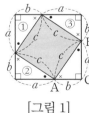

[그림 1]　　　　[그림 2]

❻ $a+b$

❼ c^2

❽ b^2

시험지 속 개념 문제

1 다음 그림과 같은 직각삼각형 ABC에서 x의 값을 구하시오.

(1)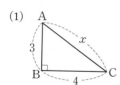

(2)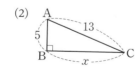

2 오른쪽 그림과 같은 △ABC에서 $\overline{AD} \perp \overline{BC}$일 때, x, y의 값을 각각 구하시오.

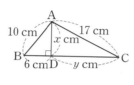

3 오른쪽 그림은 ∠A$=90°$인 직각삼각형 ABC의 각 변을 한 변으로 하는 세 정사각형을 그리고, 그 넓이를 나타낸 것이다. 이때 x의 값을 구하시오.

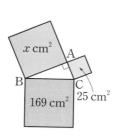

우리 둘의 넓이를 합하면

내 넓이가 되지!

4 오른쪽 그림은 ∠A$=90°$인 직각삼각형 ABC의 각 변을 한 변으로 하는 세 정사각형을 그린 것이다. $\overline{AB}=9$ cm, $\overline{AC}=12$ cm일 때, 색칠한 부분의 넓이를 구하시오.

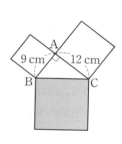

5 오른쪽 그림과 같은 정사각형 ABCD에서 $\overline{AE}=\overline{BF}=\overline{CG}=\overline{DH}$일 때, 다음 물음에 답하시오.

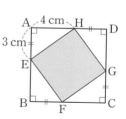

(1) $\overline{EH}$의 길이를 구하시오.

(2) □EFGH의 넓이를 구하시오.

3일 교과서 핵심 정리 ❷

핵심 3 직각삼각형이 되는 조건

세 변의 길이가 각각 a, b, c인 △ABC에서
$a^2+b^2=c^2$이면 이 삼각형은 빗변의 길이가 $\underset{\rightarrow \angle C = 90°}{}$
❶ 인 직각삼각형이다.

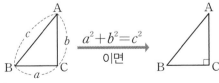

[예] ① 세 변의 길이가 3, 4, 5인 삼각형

→ $3^2+4^2 = 5^2$이므로 빗변의 길이가 ❷ 인 직각삼각형이다.

② 세 변의 길이가 4, 5, 6인 삼각형 → $4^2+5^2 \neq 6^2$이므로 직각삼각형이 아니다.

[참고] 직각삼각형의 세 변의 길이가 될 수 있는 세 자연수, 즉 피타고라스 정리를 만족하는 세 자연
수를 피타고라스 수라 한다.

[예] $(3, 4, 5)$, $(5, 12, ❸\ )$, $(6, 8, 10)$, $(7, 24, 25)$, $(8, 15, 17)$, …

❶ c

❷ 5

❸ 13

핵심 4 삼각형의 변과 각 사이의 관계

△ABC에서 $\overline{AB}=c$, $\overline{BC}=a$, $\overline{CA}=b$이고, c가 가장 긴 변의 길이일 때

① $c^2<a^2+b^2$이면 ∠C<90° → △ABC는 예각삼각형

② $c^2=a^2+b^2$이면 ∠C=90° → △ABC는 ❹ 삼각형 ← 직각삼각형이 되는 조건

③ $c^2>a^2+b^2$이면 ∠C>90° → △ABC는 둔각삼각형

[예] ①

②

③
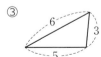

$6^2<5^2+4^2$

→ 예각삼각형

$5^2 ❺\ 4^2+3^2$

→ 직각삼각형

$6^2>5^2+3^2$

→ ❻ 삼각형

❹ 직각

❺ $=$
❻ 둔각

핵심 5 직각삼각형과 세 반원 사이의 관계

오른쪽 그림과 같이 직각삼각형 ABC의 각 변을 지름으로 하는
반원의 넓이를 각각 S_1, S_2, S_3이라 할 때

$$S_1+S_2= ❼\ $$

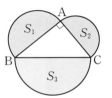

[설명] 직각삼각형 ABC에서 $\overline{AB}=c$, $\overline{BC}=a$, $\overline{CA}=b$라 하면

$$S_1+S_2=\frac{1}{2}\times\pi\times\left(\frac{c}{2}\right)^2+\frac{1}{2}\times\pi\times\left(\frac{b}{2}\right)^2=\frac{1}{8}\pi(b^2+c^2)$$

$$S_3=\frac{1}{2}\times\pi\times\left(\frac{a}{2}\right)^2=\frac{1}{8}\pi a^2$$

이때 피타고라스 정리에 의하여 $b^2+c^2= ❽\ $이므로 $S_1+S_2=S_3$

❼ S_3

❽ a^2

시험지 속 개념 문제

6 세 변의 길이가 다음과 같은 삼각형이 직각삼각형인 것에는 '○'를, 직각삼각형이 아닌 것에는 '×'를 ( ) 안에 써넣으시오.

(1) 2 cm, 3 cm, 4 cm   (   )

(2) 5 cm, 12 cm, 13 cm   (   )

(3) 9 cm, 12 cm, 15 cm   (   )

(4) 9 cm, 40 cm, 41 cm   (   )

8 세 변의 길이가 각각 다음과 같은 삼각형은 예각삼각형, 직각삼각형, 둔각삼각형 중 어떤 삼각형인지 말하시오.

(1) 2 cm, 5 cm, 6 cm

(2) 6 cm, 8 cm, 9 cm

(3) 8 cm, 15 cm, 17 cm

(4) 12 cm, 15 cm, 20 cm

9 다음 그림은 ∠A=90°인 직각삼각형 ABC의 각 변을 지름으로 하는 세 반원을 그리고, 그 넓이를 나타낸 것이다. 색칠한 부분의 넓이를 구하시오.

(1)
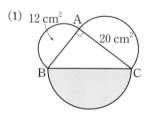

(2)
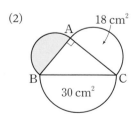

7 오른쪽 그림과 같은 △ABC에서 $\overline{AB}=20$ cm, $\overline{BC}=12$ cm, $\overline{AC}=16$ cm일 때, ∠C의 크기를 구하시오.

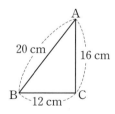

대표 예제 1

오른쪽 그림과 같은 △ABC에서 $\overline{AD} \perp \overline{BC}$이고 $\overline{AB}=15$ cm, $\overline{AC}=13$ cm, $\overline{BD}=9$ cm일 때, △ADC의 넓이를 구하시오.

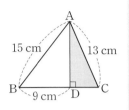

개념 가이드

직각삼각형을 찾아 ① [　　　　] 정리를 이용하여 변의 길이를 구한다.

답 ① 피타고라스

대표 예제 2

오른쪽 그림과 같이 직사각형 ABCD의 꼭짓점 A에서 $\overline{BD}$에 내린 수선의 발을 H라 하자. $\overline{AD}=20$ cm, $\overline{CD}=15$ cm일 때, $\overline{AH}$의 길이를 구하시오.

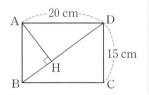

개념 가이드

→ △BCD는 ① [　　] 삼각형
→ $l^2 = a^2 + $ ② [　　]

답 ① 직각 ② b^2

대표 예제 3

오른쪽 그림의 □ABCD에서 $\angle C = \angle ADC = 90°$이고 $\overline{AB}=13$ cm, $\overline{AD}=11$ cm, $\overline{BC}=16$ cm일 때, $\overline{BD}$의 길이를 구하시오.

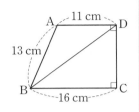

개념 가이드

사각형에서 다음 그림과 같이 보조선을 그어 ① [　　　　] 을 만든 후 피타고라스 정리를 이용한다.

답 ① 직각삼각형

대표 예제 4

오른쪽 그림은 $\angle C = 90°$인 직각삼각형 ABC의 각 변을 한 변으로 하는 세 정사각형을 그린 것이다. □ADEB$=65$ cm², □BFGC$=49$ cm²일 때, $\overline{AC}$의 길이를 구하시오.

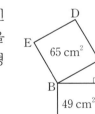

개념 가이드

$\angle C = 90°$인 직각삼각형 ABC의 각 변을 한 ① [　　]으로 하는 세 정사각형의 넓이를 각각 S_1, S_2, S_3이라 하면 $S_1 + S_2 = $ ② [　　]

답 ① 변 ② S_3

대표 예제 5

오른쪽 그림과 같은 정사각형 ABCD에서
$\overline{AE}=\overline{BF}=\overline{CG}=\overline{DH}=4$ cm이다. □EFGH의 넓이가 25 cm²일 때, □ABCD의 넓이를 구하시오.

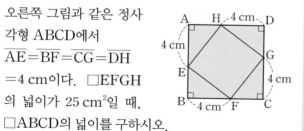

개념 가이드

$\triangle AEH \equiv \triangle BFE \equiv \triangle CGF \equiv \triangle DHG$이므로 □EFGH는 ① [　　　]이다.

답 ① 정사각형

대표 예제 6

세 변의 길이가 각각 다음과 같은 삼각형 중에서 직각삼각형인 것을 모두 고르면? (정답 2개)

① 3 cm, 4 cm, 6 cm
② 5 cm, 9 cm, 10 cm
③ 7 cm, 24 cm, 25 cm
④ 8 cm, 15 cm, 17 cm
⑤ 10 cm, 13 cm, 15 cm

개념 가이드

세 변의 길이가 각각 a, b, c인 $\triangle ABC$에서 $a^2+b^2=c^2$이 성립하면 이 삼각형은 ① [　　　]의 길이가 c인 ② [　　　]삼각형이다.

답 ① 빗변 ② 직각

대표 예제 7

$\triangle ABC$에서 $\overline{AB}=6$ cm, $\overline{BC}=10$ cm, $\overline{CA}=7$ cm일 때, $\triangle ABC$는 어떤 삼각형인가?

① 예각삼각형
② $\angle A=90°$인 직각삼각형
③ $\angle A>90°$인 둔각삼각형
④ $\angle B>90°$인 둔각삼각형
⑤ $\angle C=90°$인 직각삼각형

개념 가이드

삼각형의 세 변의 길이가 주어지면 가장 긴 변의 길이의 ① [　　　]과 나머지 두 변의 길이의 제곱의 ② [　　　]을 비교하여 삼각형의 모양을 판별한다.

답 ① 제곱 ② 합

대표 예제 8

오른쪽 그림과 같이 $\angle A=90°$인 직각삼각형 ABC의 각 변을 지름으로 하는 세 반원을 그렸다. $\overline{AC}=4$ cm이고 $\overline{BC}$를 지름으로 하는 반원의 넓이가 12π cm²일 때, 색칠한 부분의 넓이를 구하시오.

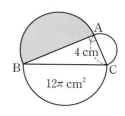

개념 가이드

$\angle A=90°$인 직각삼각형 ABC의 각 변을 ① [　　　]으로 하는 세 반원의 넓이를 각각 S_1, S_2, S_3이라 하면 $S_1+S_2=$ ② [　　　]

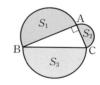

답 ① 지름 ② S_3

1 다음 그림과 같이 $\angle B = 90°$인 직각삼각형 ABC에서 $\overline{AC} = 17$ cm, $\overline{BD} = 6$ cm, $\overline{CD} = 9$ cm일 때, $y - x$ 의 값은?

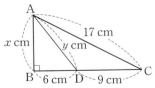

① 1   ② 2   ③ 3

④ 4   ⑤ 5

2 오른쪽 그림과 같이 넓이가 각각 16 cm², 144 cm²인 두 정사각형을 한 변이 맞닿도록 붙여 놓았을 때, x의 값은?

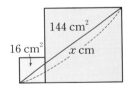

① 12   ② 14   ③ 16

④ 18   ⑤ 20

직각삼각형이네!

3 오른쪽 그림과 같은 사다리꼴 ABCD에서 $\overline{AD} = 5$ cm, $\overline{BC} = 14$ cm, $\overline{DC} = 15$ cm일 때, $\overline{AB}$의 길이는?

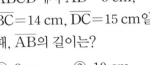

① 9 cm   ② 10 cm

③ 11 cm   ④ 12 cm

⑤ 13 cm

점 D에서 $\overline{BC}$에 수선을 그어 직각삼각형을 만들어 봐!

4 오른쪽 그림은 $\angle A = 90°$인 직각삼각형 ABC의 각 변을 한 변으로 하는 세 정사각형을 그린 것이다. □BFGC $= 100$ cm², □ACHI $= 64$ cm²일 때, △ABC의 넓이는?

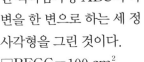

① 24 cm²   ② 27 cm²   ③ 32 cm²

④ 36 cm²   ⑤ 38 cm²

5 오른쪽 그림과 같은 정사각형 ABCD에서 $\overline{AE}=\overline{BF}=\overline{CG}=\overline{DH}$이다. $\overline{AE}=8$ cm, $\overline{EB}=4$ cm 일 때, □EFGH의 넓이는?

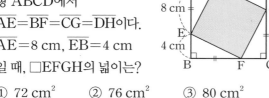

① 72 cm² ② 76 cm² ③ 80 cm²
④ 84 cm² ⑤ 88 cm²

6 세 변의 길이가 각각 12 cm, 16 cm, x cm인 삼각형이 직각삼각형이 되도록 하는 x의 값은? (단, $x>16$)

① 17 ② 18 ③ 19
④ 20 ⑤ 21

7 다음은 세 변의 길이가 주어진 삼각형에 대한 학생들의 설명이다. 옳지 <u>않은</u> 설명을 한 학생을 모두 말하시오.

삼각형의 종류를 알려면 우선 가장 긴 변의 길이를 찾는 것이 중요해요.

삼각형의 세 변의 길이를 알 때, 삼각형의 종류 알기
㉠ 2, 4, 5 ㉡ 4, 6, 8
㉢ 6, 8, 10 ㉣ 7, 9, 11
㉤ 9, 12, 15

상화: ㉣은 예각삼각형입니다.
태범: 둔각삼각형은 ㉠, ㉡, ㉤입니다.
연아: 직각삼각형은 2개입니다.
세영: ㉡ $6^2 < 4^2 + 8^2$이므로 예각삼각형입니다.

8 오른쪽 그림과 같이 ∠A=90°인 직각삼각형 ABC의 직각을 낀 두 변을 각각 지름으로 하는 두 반원의 넓이를 S_1, S_2라 하자. $\overline{BC}=12$일 때, S_1+S_2의 값은?

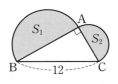

① 12π ② 18π ③ 36π
④ 45π ⑤ 54π

이것만은 꼭꼭!

(1) 한 개의 주사위를 던질 때, 3 이하의 눈 <u>또는</u> 5 이상의 눈이 나오는 경우의 수는

(3 이하의 눈이 나오는 경우의 수)❶(+ , ×)(5 이상의 눈이 나오는 경우의 수) = ❷ ☐

└▶ 1, 2, 3의 3가지   └▶ 5, 6의 2가지

(2) A, B 두 개의 주사위를 동시에 던질 때, A 주사위는 3 이하의 눈이 나오고 B 주사위는 5 이상의 눈이 나오는
경우의 수는

(A 주사위는 3 이하의 눈이 나오는 경우의 수)❸(+ , ×)(B 주사위는 5 이상의 눈이 나오는 경우의 수)

= ❹ ☐

답 ❶ + ❷ 5 ❸ × ❹ 6

4일 교과서 핵심 정리 ①

핵심 1 사건과 경우의 수

(1) **사건** : 동일한 조건에서 반복할 수 있는 실험이나 관찰에 의하여 나타나는 결과

(2) **경우의 수** : 어떤 사건이 일어나는 경우의 ❶

실험·관찰	사건	경우	경우의 수
한 개의 주사위를 던진다.	2의 배수의 눈이 나온다.	⚁ ⚃ ⚅	❷

❶ 가짓수

❷ 3

핵심 2 사건 A 또는 사건 B가 일어나는 경우의 수

두 사건 A, B가 동시에 일어나지 않을 때, 사건 A가 일어나는 경우의 수가 m, 사건 B가 일어나는 경우의 수가 n이면

(사건 A 또는 사건 B가 일어나는 경우의 수)= ❸

예 한 개의 주사위를 던질 때, 3 이하 **또는** 5 이상의 눈이 나오는 경우의 수는
↳ 1, 2, 3의 3가지
(3 이하의 눈이 나오는 경우의 수)+(5 이상의 눈이 나오는 경우의 수)
↳ 5, 6의 2가지
=3+ ❹ = ❺

참고 문제에 '또는', '~이거나'와 같은 표현이 있다.

❸ $m+n$

❹ 2
❺ 5

핵심 3 사건 A와 사건 B가 동시에 일어나는 경우의 수

사건 A가 일어나는 경우의 수가 m이고 그 각각에 대하여 사건 B가 일어나는 경우의 수가 n이면

(사건 A와 사건 B가 동시에 일어나는 경우의 수)= ❻

예 티셔츠 5장과 바지 3장 중에서 티셔츠와 바지를 각각 1장씩 고르는 경우의 수는
(티셔츠를 1장 고르는 경우의 수)×(바지를 1장 고르는 경우의 수)
=5× ❼ = ❽

참고 문제에 '동시에', '그리고', '~하고 나서'와 같은 표현이 있다.

❻ $m \times n$

❼ 3
❽ 15

시험지 속 개념 문제

정답과 풀이 **37**쪽

1 한 개의 주사위를 던질 때, 다음을 구하시오.

(1) 짝수의 눈이 나오는 경우의 수

(2) 소수의 눈이 나오는 경우의 수

(3) 6의 약수의 눈이 나오는 경우의 수

2 서로 다른 두 개의 주사위를 동시에 던질 때, 다음을 구하시오.

(1) 나오는 두 눈의 수가 같은 경우의 수

(2) 나오는 두 눈의 수의 합이 5인 경우의 수

3 1부터 10까지의 자연수가 각각 하나씩 적힌 10장의 카드 중에서 한 장을 뽑을 때, 다음을 구하시오.

(1) 소수가 적힌 카드가 나오는 경우의 수

(2) 4의 배수가 적힌 카드가 나오는 경우의 수

(3) 소수 또는 4의 배수가 적힌 카드가 나오는 경우의 수

소수이면서 4의 배수인 수는 없어. 즉 두 사건은 동시에 일어나지 않으므로 각 경우의 수를 더해야 해.

4 어느 피자 가게에서는 도우 3종류, 토핑 5종류 중에서 각각 하나씩 선택하여 피자를 주문할 수 있다. 피자를 주문하는 경우의 수를 구하시오.

두 사건은 동시에 일어나므로 각 경우의 수를 곱해야 돼!

5 다음 그림과 같이 은하네 집, 학교, 도서관을 연결하는 길이 있다. 은하네 집에서 학교를 거쳐 도서관까지 가는 경우의 수를 구하시오.

(단, 한 번 지나간 지점은 다시 지나지 않는다.)

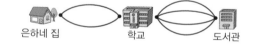

은하네 집　　　　학교　　　　도서관

6 동전 한 개와 주사위 한 개를 동시에 던질 때, 다음을 구하시오.

(1) 일어날 수 있는 모든 경우의 수

(2) 동전은 앞면, 주사위는 4 이하의 눈이 나오는 경우의 수

4일 교과서 핵심 정리 ❷

핵심 4 │ 여러 가지 경우의 수

(1) 한 줄로 세우는 경우의 수

① n명을 한 줄로 세우는 경우의 수 → $n \times (n-1) \times (n-2) \times \cdots \times 2 \times 1$

② n명 중에서 2명을 뽑아 한 줄로 세우는 경우의 수 → $n \times ($ ❶ $)$

③ n명 중에서 3명을 뽑아 한 줄로 세우는 경우의 수 → $n \times (n-1) \times ($ ❷ $)$

④ 이웃하여 한 줄로 세우는 경우의 수

→ $\begin{pmatrix} \text{이웃하는 것을 하나로 묶어서} \\ \text{한 줄로 세우는 경우의 수} \end{pmatrix} \times \begin{pmatrix} \text{묶음 안에서 ❸ 를} \\ \text{바꾸는 경우의 수} \end{pmatrix}$

［예］ ① 4명을 한 줄로 세우는 경우의 수는 $4 \times 3 \times 2 \times 1 = 24$

② 4명 중에서 2명을 뽑아 한 줄로 세우는 경우의 수는 $4 \times$ ❹ $= 12$

(2) 자연수를 만드는 경우의 수

① 0을 포함하지 않는 경우

0이 아닌 서로 다른 한 자리 숫자가 각각 하나씩 적힌 n장의 카드 중에서 서로 다른 2장을 뽑아 만들 수 있는 두 자리 자연수의 개수

→ $n \times (n-1)$

［예］ 1, 2, 3이 각각 하나씩 적힌 3장의 카드 중에서 서로 다른 2장을 뽑아 만들 수 있는 두 자리 자연수의 개수

→ $3 \times 2 = 6$

② 0을 포함하는 경우

0을 포함한 서로 다른 한 자리 숫자가 각각 하나씩 적힌 n장의 카드 중에서 서로 다른 2장을 뽑아 만들 수 있는 두 자리 자연수의 개수

→ $($ ❺ $) \times (n-1)$

［예］ 0, 1, 2가 각각 하나씩 적힌 3장의 카드 중에서 서로 다른 2장을 뽑아 만들 수 있는 두 자리 자연수의 개수

→ ❻ $\times 2 = 4$

(3) 대표를 뽑는 경우의 수 → n명 중에서 2명을 뽑아 한 줄로 세우는 경우의 수와 같다.

① n명 중에서 자격이 다른 대표 2명을 뽑는 경우의 수

→ $n \times ($ ❼ $)$

［예］ 3명의 학생 중에서 회장 1명, 부회장 1명을 뽑는 경우의 수 → 자격이 다르다.

→ $3 \times 2 = 6$

② n명 중에서 자격이 같은 대표 2명을 뽑는 경우의 수

→ $\dfrac{n \times (n-1)}{2}$

［예］ 3명의 학생 중에서 대표 2명을 뽑는 경우의 수 → 자격이 같다.

→ $\dfrac{3 \times 2}{\text{❽}} = 3$

❶ $n-1$

❷ $n-2$

❸ 자리

❹ 3

❺ $n-1$

❻ 2

❼ $n-1$

❽ 2

7 A, B, C, D, E 5명의 학생이 있을 때, 다음을 구하시오.

(1) 5명을 한 줄로 세우는 경우의 수

(2) 5명 중에서 2명을 뽑아 한 줄로 세우는 경우의 수

(3) 5명 중에서 3명을 뽑아 한 줄로 세우는 경우의 수

8 A, B, C, D 4명을 한 줄로 세울 때, A, B를 이웃하게 세우는 경우의 수를 구하시오.

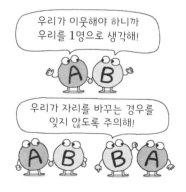

9 1, 2, 3, 4가 각각 하나씩 적힌 4장의 카드가 있을 때, 다음을 구하시오.

(1) 서로 다른 2장을 뽑아 만들 수 있는 두 자리 자연수의 개수

(2) 서로 다른 3장을 뽑아 만들 수 있는 세 자리 자연수의 개수

10 0, 1, 2, 3이 각각 하나씩 적힌 4장의 카드가 있을 때, 다음을 구하시오.

(1) 서로 다른 2장을 뽑아 만들 수 있는 두 자리 자연수의 개수

(2) 서로 다른 3장을 뽑아 만들 수 있는 세 자리 자연수의 개수

11 A, B, C, D 4명의 학생이 있을 때, 다음을 구하시오.

(1) 회장 1명, 부회장 1명을 뽑는 경우의 수

(2) 대표 2명을 뽑는 경우의 수

4일 교과서 기출 베스트 1회

대표 예제 1

서로 다른 세 개의 동전을 동시에 던질 때, 한 개의 동전만 뒷면이 나오는 경우의 수는?

① 1 　　　　② 3 　　　　③ 5
④ 8 　　　　⑤ 11

개념 가이드

일어날 수 있는 사건에 대한 경우를 ① [　　　] 을 이용하여 구한다.

답 ① 순서쌍

대표 예제 2

서로 다른 두 개의 주사위를 동시에 던질 때, 나오는 두 눈의 수의 합이 4 또는 6인 경우의 수는?

① 5 　　　　② 6 　　　　③ 7
④ 8 　　　　⑤ 9

개념 가이드

문제에 '또는', '~이거나' 등의 표현이 있으면 두 사건의 경우의 수를 각각 구하여 ① [　　　].

답 ① 더한다

대표 예제 3

다음을 읽고, ▢ 안에 알맞은 수를 구하시오.

티셔츠 6종류와 바지 5종류밖에 없어요.

티셔츠와 바지를 하나씩 짝을 지어 입으면 [　] 가지로 다르게 입을 수 있어.

개념 가이드

문제에 '동시에', '~이고', '~와' 등의 표현이 있으면 두 사건의 경우의 수를 각각 구하여 ① [　　　].

답 ① 곱한다

대표 예제 4

세 지점 A, B, C 사이에 다음과 같은 길이 있을 때, A 지점에서 C 지점까지 가는 경우의 수는?

(단, 한 번 지나간 지점은 다시 지나지 않는다.)

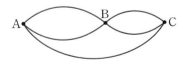

① 3 　　　　② 4 　　　　③ 5
④ 6 　　　　⑤ 7

개념 가이드

B 지점을 지나는 경우와 ① [　] 지점을 지나지 않는 경우로 나누어 생각한다.

답 ① B

대표 예제 **5**

서로 다른 책 6권 중에서 3권을 골라 책꽂이에 일렬로 꽂는 경우의 수는?

① 30 ② 60 ③ 90

④ 120 ⑤ 150

개념 가이드

(1) n명 중에서 2명을 뽑아 한 줄로 세우는 경우의 수
→ $n \times ($ ① $)$

(2) n명 중에서 3명을 뽑아 한 줄로 세우는 경우의 수
→ $n \times (n-1) \times ($ ② $)$

답 ① $n-1$ ② $n-2$

대표 예제 **6**

A, B, C, D, E 5명의 학생을 한 줄로 세울 때, A, B를 이웃하게 세우는 경우의 수는?

① 5 ② 10 ③ 24

④ 36 ⑤ 48

개념 가이드

(이웃하여 한 줄로 세우는 경우의 수)
=(이웃하는 것을 ① 로 묶어서 한 줄로 세우는 경우의 수)
× ② (묶음 안에서 자리를 바꾸는 경우의 수)

답 ① 하나 ② ×

대표 예제 **7**

0, 1, 2, 3, 4가 각각 하나씩 적힌 5장의 카드 중에서 서로 다른 2장을 뽑아 두 자리 자연수를 만들 때, 짝수의 개수를 구하시오.

개념 가이드

0이 포함된 경우 자연수의 맨 앞자리에는 ① 이 올 수 없음에 주의한다. 또 짝수가 되려면 일의 자리에는 0 또는 2 또는 ② 가 와야 한다.

답 ① 0 ② 4

대표 예제 **8**

A, B, C, D, E, F 6명의 후보 중에서 회장 1명, 부회장 1명을 뽑는 경우의 수를 a, 총무 2명을 뽑는 경우의 수를 b라 할 때, $a+b$의 값은?

① 25 ② 30 ③ 35

④ 40 ⑤ 45

개념 가이드

(1) n명 중에서 자격이 다른 대표 2명을 뽑는 경우의 수
→ $n \times ($ ① $)$

(2) n명 중에서 자격이 같은 대표 2명을 뽑는 경우의 수
→ $\dfrac{n \times (n-1)}{②}$

답 ① $n-1$ ② 2

1 1부터 9까지의 자연수가 각각 하나씩 적힌 9개의 공이 들어 있는 주머니에서 한 개의 공을 꺼낼 때, 다음 중 경우의 수가 가장 큰 사건은?

① 짝수가 적힌 공이 나온다.
② 홀수가 적힌 공이 나온다.
③ 6 이상의 수가 적힌 공이 나온다.
④ 3의 배수가 적힌 공이 나온다.
⑤ 15의 약수가 적힌 공이 나온다.

2 선영이는 100원짜리 동전과 50원짜리 동전을 각각 6개씩 가지고 있다. 선영이가 600원짜리 사탕 1개를 사려고 할 때, 사탕 1개의 값을 지불하는 경우의 수는?

① 2   ② 3   ③ 4
④ 5   ⑤ 6

3 A 도시에서 B 도시까지 가는 교통편으로 버스는 4가지, 기차는 3가지 노선이 있다. A 도시에서 B 도시까지 버스 또는 기차를 이용하여 가는 경우의 수를 구하시오.

4 아래 차림표에서 음료 한 종류와 쿠키 한 종류를 고르는 경우의 수는?

차림표		
음료 🥛		쿠키 🍪
녹차 홍차 유자차 생강차	딸기 주스 바나나 주스 오렌지 주스	초콜릿칩 쿠키 크렌베리 쿠키 아몬드 쿠키 호두 쿠키

① 7   ② 11   ③ 20
④ 28   ⑤ 36

5 승희네 집, 공원, 박물관 사이에는 다음과 같은 길이 있다. 승희네 집에서 박물관까지 가는 경우의 수를 구하시오.

(단, 한 번 지나간 지점은 다시 지나지 않는다.)

승희네 집   공원   박물관

6 학교 체육대회에서 400 m 이어달리기 반 대표로 가영, 민준, 석현, 희지 4명이 출전하기로 하였다. 이때 4명이 달리는 순서를 정하는 경우의 수를 구하시오.

7 남학생 2명, 여학생 4명이 영화관 좌석에 일렬로 앉을 때, 남학생 2명이 이웃하여 앉는 경우의 수를 구하시오.

8 1, 2, 3, 4, 5가 각각 하나씩 적힌 5장의 카드 중에서 서로 다른 2장을 뽑아 만들 수 있는 두 자리 자연수의 개수를 구하시오.

9 0, 1, 2, 3이 각각 하나씩 적힌 4장의 카드 중에서 서로 다른 3장의 카드를 뽑아 세 자리 자연수를 만들려고 한다. 다음을 구하시오.

(1) 짝수의 개수

(2) 홀수의 개수

10 민영이를 포함한 7명의 학생 중에서 회장 1명, 부회장 2명을 뽑으려고 한다. 민영이가 회장으로 뽑히는 경우의 수는?

① 7   ② 15   ③ 18
④ 30   ⑤ 42

절대로 일어나지 않는 사건의 확률

반드시 일어나는 사건의 확률

확률

어떤 사건이 일어날 가능성

낮아진다

높아진다

주머니에는 ●이 없으므로 확률은 0

●을 꺼낼 확률

●또는●을 꺼낼 확률

주머니에는 ●과 ●만 있으므로 확률은 1

$$(●을 꺼낼 확률) = \frac{(●의 개수)}{(전체 공의 개수)}$$
$$= \frac{2}{6} = \frac{1}{3}$$

한 개의 주사위를 던질 때, 2의 눈이 나오지 않을 확률을 구해 볼까?

이 사건의 확률은 이렇게 어떤 사건이 일어나지 않을 확률을 이용하면 쉽게 풀려!

시간 초과!

1의 눈이 나올 확률 : $\frac{1}{6}$

3의 눈이 나올 확률 : $\frac{1}{6}$

4의 눈이 나올 확률 : $\frac{1}{6}$

⋮

딩동댕♪

$(2의 눈이 나오지 않을 확률)$
$=1-(2의 눈이 나올 확률)$

$=1-\frac{1}{6}=\frac{5}{6}$

이것만은 꼭꼭!

(1) 사건 A가 일어날 확률을 p라 하면 $0 \le p \le$ **❶**□, (사건 A가 일어나지 않을 확률) $= 1 - p$

(2) 한 개의 주사위를 던질 때, 3 이하의 눈 **또는** 5 이상의 눈이 나올 확률은

$$(3\ \text{이하의 눈이 나올 확률}) + (5\ \text{이상의 눈이 나올 확률}) = \frac{3}{6} + \boxed{\text{❷}} = \boxed{\text{❸}}$$

└→ 1, 2, 3의 3가지   └→ 5, 6의 2가지

(3) 동전 한 개와 주사위 한 개를 동시에 던질 때, 동전은 앞면이 나오고 주사위는 3의 배수의 눈이 나올 확률은

$$(\text{동전에서 앞면이 나올 확률}) \times (\text{주사위에서 3의 배수의 눈이 나올 확률}) = \boxed{\text{❹}} \times \frac{2}{6} = \boxed{\text{❺}}$$

답 ❶ 1   ❷ $\dfrac{2}{6}$ ❸ $\dfrac{5}{6}$ ❹ $\dfrac{1}{2}$ ❺ $\dfrac{1}{6}$

핵심 1 확률

어떤 실험이나 관찰에서 각각의 경우가 일어날 가능성이 모두 같을 때, 일어나는 모든 경우의 수를 n, 사건 A가 일어나는 경우의 수를 a라 하면 사건 A가 일어날 확률 p는

$$p = \frac{(\text{사건 } A\text{가 일어나는 경우의 수})}{(\text{모든 경우의 수})} = \boxed{}^{❶}$$

[예] 서로 다른 두 개의 동전을 동시에 던질 때, 모두 뒷면이 나올 확률을 구해 보자.

나올 수 있는 모든 경우는

(앞면, 앞면), (앞면, 뒷면), (뒷면, 앞면), (뒷면, 뒷면)의 4가지

모두 뒷면이 나오는 경우는 (뒷면, $\boxed{}^{❷}$)의 1가지

따라서 구하는 확률은 $\boxed{}^{❸}$

핵심 2 확률의 기본 성질

(1) 어떤 사건이 일어날 확률을 p라 하면 $0 \leq p \leq \boxed{}^{❹}$이다.

(2) 절대로 일어나지 않는 사건의 확률은 0이다.

　　[예] 한 개의 주사위를 던질 때, 7의 눈이 나올 확률은 $\boxed{}^{❺}$이다.

(3) 반드시 일어나는 사건의 확률은 1이다.

　　[예] 한 개의 주사위를 던질 때, 6 이하의 눈이 나올 확률은 $\boxed{}^{❻}$이다.

핵심 3 어떤 사건이 일어나지 않을 확률

사건 A가 일어날 확률을 p라 하면

$$(\text{사건 } A\text{가 일어나지 않을 확률}) = 1 - \boxed{}^{❼}$$

[예] 서로 다른 두 개의 동전을 동시에 던질 때

(적어도 한 개는 앞면이 나올 확률)

$= 1 - (2\text{개 모두 } \boxed{}^{❽} \text{이 나올 확률})$

$= 1 - \dfrac{1}{4} = \dfrac{3}{4}$

| (앞면, 앞면) |
| (앞면, 뒷면) | 적어도 한 개는 앞면이 나온다. |
| (뒷면, 앞면) |

| (뒷면, 뒷면) | 모두 뒷면이 나온다. |

❶ $\dfrac{a}{n}$

❷ 뒷면

❸ $\dfrac{1}{4}$

❹ 1

❺ 0

❻ 1

❼ p

❽ 뒷면

시험지 속 개념 문제

정답과 풀이 **40쪽**

1 다음을 구하시오.

(1) 한 개의 주사위를 던질 때, 소수의 눈이 나올 확률

(2) 서로 다른 두 개의 동전을 동시에 던질 때, 앞면이 한 개만 나올 확률

2 서로 다른 두 개의 주사위를 동시에 던질 때, 나오는 두 눈의 수의 합이 7일 확률을 구하시오.

3 1부터 9까지의 자연수가 각 각 하나씩 적힌 9장의 카드 중에서 임의로 한 장의 카드 를 뽑을 때, 다음을 구하시 오.

(1) 4의 배수가 적힌 카드가 나올 확률

(2) 9 이하의 자연수가 적힌 카드가 나올 확률

(3) 10 이상의 자연수가 적힌 카드가 나올 확률

4 사건 A가 일어날 확률을 p라 할 때, 다음 보기에서 옳은 것을 모두 고르시오.

> **보기**
> ㉠ $0 \leq p \leq 1$이다.
> ㉡ 사건 A가 일어나지 않을 확률은 $p-1$이다.
> ㉢ 사건 A가 반드시 일어나는 사건일 때, $p=1$이 다.

5 다음을 구하시오.

(1) 규진이가 A 문제를 맞힐 확률이 $\dfrac{5}{7}$일 때, A 문제 를 맞히지 못할 확률

(2) 내일 비가 올 확률이 $\dfrac{4}{5}$일 때, 내일 비가 오지 않 을 확률

(3) 서로 다른 두 개의 주사위를 동시에 던질 때, 나오 는 두 눈의 수가 서로 다를 확률

(4) 서로 다른 두 개의 동전을 동시에 던질 때, 적어도 한 개는 뒷면이 나올 확률

교과서 핵심 정리 ❷

핵심 ❹ 사건 A 또는 사건 B가 일어날 확률

두 사건 A, B가 동시에 일어나지 않을 때, 사건 A가 일어날 확률을 p, 사건 B가 일어날
확률을 q라 하면

(사건 A 또는 사건 B가 일어날 확률)$=p$ ❶ q

❶ +

예 한 개의 주사위를 던질 때, 3 이하의 눈 또는 5 이상의 눈이 나올 확률은

(3 이하의 눈이 나올 확률)$+$(5 이상의 눈이 나올 확률)$=\dfrac{3}{6}+\dfrac{2}{6}=$ ❷

❷ $\dfrac{5}{6}$

핵심 ❺ 사건 A와 사건 B가 동시에 일어날 확률

두 사건 A, B가 서로 영향을 끼치지 않을 때, 사건 A가 일어날 확률을 p, 사건 B가 일어날 확률을 q라 하면

(사건 A와 사건 B가 동시에 일어날 확률)$=p$ ❸ q

❸ $\times$

예 두 개의 주사위 A, B를 동시에 던질 때, A 주사위에서 2의 배수의 눈이 나오고 B 주사위에서 3의 배수의 눈이 나올 확률은

(A 주사위에서 2의 배수의 눈이 나올 확률)$\times$(B 주사위에서 3의 배수의 눈이 나올 확률)

$=\dfrac{3}{6}\times\dfrac{2}{6}=$ ❹

❹ $\dfrac{1}{6}$

참고 **연속하여 뽑는 경우의 확률**

흰 공 3개, 검은 공 2개가 들어 있는 주머니에서 연속하여 2개의 공을 임의로 꺼낼 때, 모두 흰 공이 나올 확률을 구해 보자.

(1) 꺼낸 공을 다시 넣는 경우

→ 처음에 꺼낼 때와 나중에 꺼낼 때, ❺   공의 개수가 같다.

❺ 흰

$\therefore \dfrac{3}{5}\times\dfrac{3}{5}=\dfrac{9}{25}$

→ 처음에 꺼낼 때와 나중에 꺼낼 때, 전체 공의 개수가 ❻

❻ 같다

(2) 꺼낸 공을 다시 넣지 않는 경우

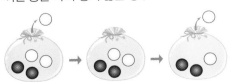

→ 나중에 꺼낼 때, 흰 공의 개수가 ❼   만큼 작아진다.

❼ 1

$\therefore \dfrac{3}{5}\times\dfrac{2}{4}=\dfrac{3}{10}$

→ 나중에 꺼낼 때, 전체 공의 개수가 ❽   만큼 작아진다.

❽ 1

시험지 속 개념 문제

6 흰 공 3개, 파란 공 4개, 빨간 공 5개가 들어 있는 주머니에서 한 개의 공을 임의로 꺼낼 때, 다음을 구하시오.

(1) 흰 공이 나올 확률

(2) 빨간 공이 나올 확률

(3) 흰 공 또는 빨간 공이 나올 확률

7 서로 다른 두 개의 주사위를 동시에 던질 때, 나온 두 눈의 수의 합이 3 또는 7일 확률을 구하시오.

8 이번 주 토요일에 비가 올 확률이 40 %이고 일요일에 비가 올 확률이 50 %일 때, 이번 주 토요일, 일요일에 모두 비가 올 확률은 몇 %인지 구하시오.

9 동전 한 개와 주사위 한 개를 동시에 던질 때, 동전은 앞면이 나오고 주사위는 홀수의 눈이 나올 확률을 구하시오.

10 흰 공 3개, 검은 공 5개가 들어 있는 상자 A와 흰 공 2개, 검은 공 8개가 들어 있는 상자 B가 있다. 두 상자 A, B에서 각각 한 개의 공을 임의로 꺼낼 때, 다음을 구하시오.

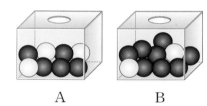

A   B

(1) A 주머니에서 검은 공이 나오고 B 주머니에서 흰 공이 나올 확률

(2) 두 주머니에서 모두 검은 공이 나올 확률

교과서 기출 베스트 1회

대표 예제 1

0, 1, 2, 3, 4가 각각 하나씩 적힌 5장의 카드 중에서 서로 다른 2장을 임의로 뽑아 두 자리 자연수를 만들 때, 홀수일 확률은?

① $\dfrac{1}{8}$　　　② $\dfrac{1}{4}$　　　③ $\dfrac{3}{8}$

④ $\dfrac{1}{2}$　　　⑤ $\dfrac{5}{8}$

개념 가이드

모든 경우의 수를 n, 사건 A가 일어나는 경우의 수를 a라 하면

(확률)$=\dfrac{(\text{사건 } A \text{가 일어나는 경우의 수})}{(\text{모든 경우의 수})}=\boxed{①}$

답 ① $\dfrac{a}{n}$

대표 예제 2

한 개의 주사위를 던질 때, 다음 중 옳은 것을 모두 고르면? (정답 2개)

① 1 이하의 눈이 나올 확률은 0이다.
② 짝수의 눈이 나올 확률은 1이다.
③ 5 미만의 눈이 나올 확률은 $\dfrac{5}{6}$이다.
④ 6 이하의 눈이 나올 확률은 1이다.
⑤ 7 이상의 눈이 나올 확률은 0이다.

개념 가이드

(1) 어떤 사건이 일어날 확률을 p라 하면 $0 \le p \le 1$이다.
(2) 절대로 일어나지 않는 사건의 확률은 $\boxed{①}$ 이다.
(3) 반드시 일어나는 사건의 확률은 $\boxed{②}$ 이다.

답 ① 0　② 1

대표 예제 3

은우가 만든 30개의 찹쌀떡 중에서 6개에는 겨자가 들어 있다. 만든 찹쌀떡 중에서 임의로 하나를 고를 때, 겨자가 들어 있지 않은 찹쌀떡을 고를 확률을 구하시오.

제발, 겨자 찹쌀떡이 아니기를…

개념 가이드

(사건 A가 일어나지 않을 확률)
$=\boxed{①}-(\text{사건 } A \text{가 일어날 확률})$

답 ① 1

대표 예제 4

서로 다른 동전 3개를 동시에 던질 때, 적어도 한 개는 앞면이 나올 확률은?

① $\dfrac{3}{8}$　　　② $\dfrac{1}{2}$　　　③ $\dfrac{3}{4}$

④ $\dfrac{7}{8}$　　　⑤ $\dfrac{15}{16}$

개념 가이드

(적어도 한 개는 앞면이 나올 확률)
$=\boxed{①}-(\text{모두}\boxed{②}\text{이 나올 확률})$

답 ① 1　② 뒷면

대표 예제 **5**

서로 다른 두 개의 주사위를 동시에 던질 때, 나오는 두 눈의 수의 차가 3 또는 5일 확률은?

① $\dfrac{1}{18}$ ② $\dfrac{1}{9}$ ③ $\dfrac{5}{36}$

④ $\dfrac{1}{6}$ ⑤ $\dfrac{2}{9}$

개념 가이드

두 사건 A, B가 동시에 일어나지 않을 때
(사건 A 또는 사건 B가 일어날 확률)
$=$(사건 A가 일어날 확률)① ☐ (사건 B가 일어날 확률)

답 ① $+$

대표 예제 **7**

어느 농구 선수의 자유투 성공률은 $\dfrac{2}{3}$이다. 이 선수가 자유투를 세 번 던질 때, 적어도 한 번은 자유투를 성공할 확률은?

① $\dfrac{1}{27}$ ② $\dfrac{4}{27}$ ③ $\dfrac{8}{27}$

④ $\dfrac{19}{27}$ ⑤ $\dfrac{26}{27}$

개념 가이드

두 사건 A, B가 서로 ① ☐ 을 끼치지 않을 때,
(두 사건 A, B 중 적어도 하나가 일어날 확률)
$=1-$(두 사건 A, B가 ② ☐ 일어나지 않을 확률)

답 ① 영향 ② 모두

대표 예제 **6**

A 주머니에는 파란 공 2개, 빨간 공 3개가 들어 있고, B 주머니에는 파란 공 3개, 빨간 공 2개가 들어 있다. A, B 두 주머니에서 각각 한 개의 공을 임의로 꺼낼 때, 모두 빨간 공이 나올 확률을 구하시오.

개념 가이드

두 사건 A, B가 서로 영향을 끼치지 않을 때
(사건 A, B가 ① ☐ 에 일어날 확률)
$=$(사건 A가 일어날 확률)$\times$(사건 B가 일어날 확률)

답 ① 동시에

대표 예제 **8**

상자 안에 1부터 9까지의 자연수가 각각 하나씩 적힌 9장의 카드가 들어 있다. 이 상자에서 카드 한 장을 임의로 꺼내 숫자를 확인하고 다시 넣은 후 또 한 장의 카드를 임의로 꺼낼 때, 첫 번째에는 짝수가 나오고 두 번째에는 6의 약수가 나올 확률을 구하시오.

개념 가이드

연속하여 꺼내는 경우의 확률
(1) 꺼낸 것을 다시 넣는 경우

$\left(\begin{array}{c}\text{처음에 꺼낼 때의}\\\text{전체 개수}\end{array}\right)$ ① ☐ $\left(\begin{array}{c}\text{나중에 꺼낼 때의}\\\text{전체 개수}\end{array}\right)$

(2) 꺼낸 것을 다시 넣지 않는 경우

$\left(\begin{array}{c}\text{처음에 꺼낼 때의}\\\text{전체 개수}\end{array}\right) \neq \left(\begin{array}{c}\text{나중에 꺼낼 때의}\\\text{전체 개수}\end{array}\right)$

답 ① $=$

1 서로 다른 두 개의 주사위를 동시에 던질 때, 나오는 두 눈의 수의 차가 2일 확률은?

① $\dfrac{1}{9}$ ② $\dfrac{2}{9}$ ③ $\dfrac{1}{3}$

④ $\dfrac{4}{9}$ ⑤ $\dfrac{5}{9}$

2 아빠, 엄마, 누나, 나 4명이 한 줄로 서서 사진을 찍을 때, 아빠와 엄마가 이웃하여 설 확률은?

① $\dfrac{1}{4}$ ② $\dfrac{1}{3}$ ③ $\dfrac{1}{2}$

④ $\dfrac{2}{3}$ ⑤ $\dfrac{3}{4}$

3 다음 중 옳지 <u>않은</u> 것은?

① 확률이 1인 사건은 반드시 일어난다.

② 절대로 일어나지 않는 사건의 확률은 0이다.

③ 어떤 사건이 일어날 확률을 p라 하면 $0 < p \leq 1$이다.

④ 사건 A가 일어날 확률을 p라 하면 사건 A가 일어나지 않을 확률은 $1 - p$이다.

⑤ 어떤 사건이 일어날 확률과 일어나지 않을 확률의 합은 1이다.

4 A, B, C, D 4명의 후보 중에서 회장, 부회장을 각각 1명씩 임의로 뽑을 때, D가 회장으로 뽑히지 않을 확률은?

① $\dfrac{1}{8}$ ② $\dfrac{1}{4}$ ③ $\dfrac{3}{8}$

④ $\dfrac{1}{2}$ ⑤ $\dfrac{3}{4}$

5 다음을 읽고, 물음에 답하시오.

5반 학생 중 한 명을 임의로 선택할 때, 혈액형이 B형 또는 O형일 확률을 구하시오.

6 두 개의 주사위 A, B를 동시에 던질 때, A 주사위에서는 홀수의 눈이 나오고 B 주사위에서는 6의 약수의 눈이 나올 확률은?

① $\dfrac{1}{9}$ ② $\dfrac{2}{9}$ ③ $\dfrac{1}{3}$

④ $\dfrac{1}{2}$ ⑤ $\dfrac{2}{3}$

7 지우와 재영이가 승부차기를 성공할 확률은 각각 $\dfrac{9}{10}, \dfrac{3}{5}$이다. 지우와 재영이가 각각 승부차기를 한 번씩 할 때, 지우는 성공하고 재영이는 실패할 확률을 구하시오.

정지우 선수의 성공률은 $\dfrac{9}{10}$, 최재영 선수의 성공률은 $\dfrac{3}{5}$입니다.

이번 순서는 정지우 선수와 최재영 선수입니다.

8 A 주머니에는 흰 공 4개, 검은 공 2개가 들어 있고, B 주머니에는 흰 공 4개, 검은 공 4개가 들어 있다. A, B 두 주머니에서 각각 한 개의 공을 임의로 꺼낼 때, 적어도 한 개는 흰 공이 나올 확률은?

① $\dfrac{1}{6}$ ② $\dfrac{1}{3}$ ③ $\dfrac{1}{2}$

④ $\dfrac{5}{6}$ ⑤ $\dfrac{7}{9}$

9 상자 안에 10개의 제품 중 불량품이 4개 들어 있다. 이 상자에서 연속하여 2개의 제품을 임의로 꺼낼 때, 모두 불량품을 꺼낼 확률은?

(단, 꺼낸 제품은 다시 넣지 않는다.)

① $\dfrac{3}{25}$ ② $\dfrac{2}{15}$ ③ $\dfrac{4}{25}$

④ $\dfrac{2}{9}$ ⑤ $\dfrac{1}{3}$

6일 누구나 100점 테스트 1회

1 오른쪽 그림과 같은
△ABC에서 $\overline{BC} /\!/ \overline{DE}$이고
$\overline{BC}=21$ cm, $\overline{BD}=4$ cm,
$\overline{DE}=14$ cm일 때, x의 값을
구하시오.

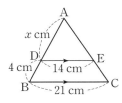

2 다음은 호수의 양 끝 지점 A, B 사이의 거리를 구하
기 위하여 측량한 것이다. 호수의 양 끝 지점 A, B 사
이의 거리를 구하시오.

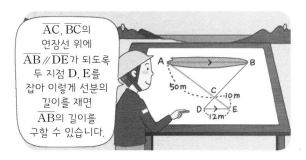

$\overline{AC}$, $\overline{BC}$의
연장선 위에
$\overline{AB} /\!/ \overline{DE}$가 되도록
두 지점 D, E를
잡아 이렇게 선분의
길이를 재면
$\overline{AB}$의 길이를
구할 수 있습니다.

3 오른쪽 그림과 같은 △ABC
에서 $\overline{AD}=\overline{DB}$, $\overline{AE}=\overline{EC}$일
때, $\overline{DE}$의 길이를 구하시오.

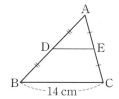

4 다음은 민수와 준서의 휴대전화 문자 내용이다.
□ 안에 알맞은 수를 써넣으시오.

(단, 약도에서 세 길 l, m, n은 모두 평행하다.)

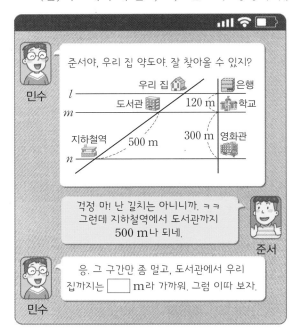

준서야, 우리 집 약도야. 잘 찾아올 수 있지?

걱정 마! 난 길치는 아니니까. ㅋㅋ
그런데 지하철역에서 도서관까지
500 m나 되네.

응. 그 구간만 좀 멀고, 도서관에서 우리
집까지는 □ m라 가까워. 그럼 이따 보자.

5 오른쪽 그림에서 $l /\!/ m /\!/ n$
일 때, x의 값을 구하시오.

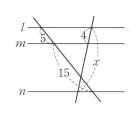

6 오른쪽 그림에서 점 G는 △ABC의 무게중심이다. $\overline{BC}=18$ cm, $\overline{BG}=10$ cm 일 때, $x+y$의 값을 구하시오.

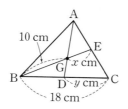

7 오른쪽 그림에서 두 점 G, G′이 각각 △ABC, △GBC의 무게중심이고 $\overline{AG}=24$ cm 일 때, $\overline{GG'}$의 길이를 구하시오.

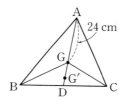

8 오른쪽 그림에서 점 G가 △ABC의 무게중심이고 △ABC의 넓이가 30 cm²일 때, △GBD의 넓이를 구하시오.

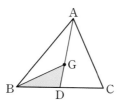

9 오른쪽 그림과 같이 ∠A=90°인 직각삼각형 ABC에서 $\overline{AB}=10$ cm, $\overline{AC}=14$ cm일 때, x^2의 값을 구하시오.

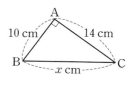

10 다음 만화에서 나온 삼각형이 직각삼각형인지 아닌지 말하시오.

1 주머니 안에 1부터 10까지의 자연수가 각각 하나씩 적힌 공이 10개 들어 있다. 이 주머니에서 한 개의 공을 꺼낼 때, 10의 약수가 적힌 공이 나오는 경우의 수는?

① 3   ② 4   ③ 5

④ 6   ⑤ 7

2 어느 분식집에서 라면 2종류, 만두 3종류, 김밥 4종류를 판매한다. 이 분식집에서 만두 또는 김밥 중 1종류를 고르는 경우의 수는?

① 5   ② 6   ③ 7

④ 9   ⑤ 12

3 다음 그림과 같이 학교에서 집까지 가는 길이 3가지, 집에서 학원까지 가는 길이 2가지 있다. 학교를 출발하여 집에 들렀다가 학원까지 가는 경우의 수를 구하시오. (단, 한 번 지나간 지점은 다시 지나지 않는다.)

4 0, 1, 2, 3, 4, 5가 각각 하나씩 적힌 6장의 카드가 있다. 이 중에서 서로 다른 3장을 뽑아 만들 수 있는 세 자리 자연수의 개수는?

① 100   ② 120   ③ 140

④ 160   ⑤ 180

5 10명의 후보 선수 중에서 공격수 1명과 골키퍼 1명을 뽑는 경우는 수를 a, 수비수 2명을 뽑는 경우를 수를 b라 할 때, $a+b$의 값은?

① 45   ② 90   ③ 135

④ 180   ⑤ 225

6 다음은 정세, 찬미, 기범이가 확률에 대하여 나눈 대화이다. 바르게 말한 학생을 모두 고르시오.

정세: 한 개의 주사위를 던질 때, 1 미만의 수가 나올 확률은 $\frac{1}{6}$이야.

찬미: 우리 반 학생 32명 중에서 13명이 안경을 쓰고 있어. 그러니까 우리 반 학생 중에서 한 명을 임의로 뽑을 때, 안경을 쓰지 않은 학생이 뽑힐 확률은 $\frac{19}{32}$야.

기범: 20 이하의 짝수가 적힌 10장의 카드 중에서 한 장을 임의로 뽑을 때, 2의 배수가 나올 확률은 1이야.

7 1부터 20까지의 자연수가 각각 하나씩 적힌 20장의 카드 중에서 한 장을 임의로 뽑을 때, 4의 배수 또는 7의 배수가 적힌 카드가 나올 확률을 구하시오.

8 두 개의 주사위 A, B를 동시에 던질 때, A 주사위에서 짝수의 눈이 나오고 B 주사위에서 4 이하의 눈이 나올 확률을 구하시오.

9 남학생 4명과 여학생 3명 중에서 대표 2명을 임의로 뽑을 때, 적어도 1명은 남학생이 뽑힐 확률은?

① $\frac{1}{7}$ ② $\frac{2}{7}$ ③ $\frac{4}{7}$

④ $\frac{5}{7}$ ⑤ $\frac{6}{7}$

10 홍길동과 전우치가 만나 서로 재주를 겨루고 있다. 과녁을 맞힐 확률이 각각 $\frac{3}{4}$, $\frac{1}{3}$일 때, 홍길동은 과녁을 맞히고, 전우치는 과녁을 맞히지 못할 확률을 구하시오.

홍길동
명중 확률 : $\frac{3}{4}$

전우치
명중 확률 : $\frac{1}{3}$

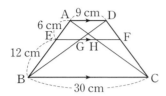
1 다음 그림과 같은 사다리꼴 ABCD에서 $\overline{AD} \parallel \overline{EF} \parallel \overline{BC}$이고 두 점 G, H는 각각 $\overline{EF}$와 $\overline{BD}$, $\overline{AC}$의 교점일 때, 물음에 답하시오.

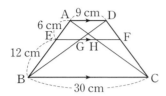

(1) $\overline{EH}$의 길이를 구하시오.

(2) $\overline{EG}$의 길이를 구하시오.

(3) $\overline{GH}$의 길이를 구하시오.

풀이

답 _____

2 다음 그림에서 두 점 G, G′이 각각 △ABC, △ACD의 무게중심일 때, 물음에 답하시오.

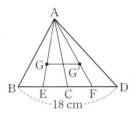

(1) $\overline{EF}$의 길이를 구하시오.

(2) △AGG′과 닮은 삼각형을 찾아 기호 ∽를 사용하여 나타내고, 닮음 조건을 쓰시오.

(3) $\overline{GG'}$의 길이를 구하시오.

풀이

답 _____

3 오른쪽 그림과 같은 원뿔에 대하여 다음을 구하시오.

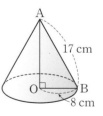

(1) 원뿔의 높이

(2) 원뿔의 부피

풀이

답 _____

4 다음 그림과 같이 네 지점 A, B, C, D를 연결하는 길이 있을 때, 물음에 답하시오.

(단, 한 번 지나간 지점은 다시 지나지 않는다.)

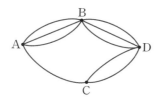

(1) A 지점에서 B 지점을 거쳐 D 지점까지 가는 경우의 수를 구하시오.

(2) A 지점에서 C 지점을 거쳐 D 지점까지 가는 경우의 수를 구하시오.

(3) A 지점에서 D 지점까지 가는 경우의 수를 구하시오.

풀이

답 _____

5 채리와 건우가 공원에서 만나기로 약속을 하였다. 두 사람이 약속을 지킬 확률이 각각 $\frac{2}{3}$, $\frac{3}{5}$일 때, 두 사람이 만나지 못할 확률을 구하시오.

풀이

답 _____

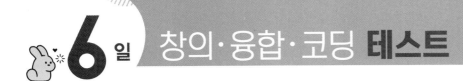

1 다음 그림과 같이 어떤 탑의 높이를 구하기 위하여 길이가 1.5 m인 막대 DE를 탑의 높이를 나타내는 선분 BC와 평행하도록 세웠다. $\overline{BD}$, $\overline{CE}$의 연장선이 만나는 점 A에 대하여 $\overline{AE}=2$ m, $\overline{EC}=12$ m일 때, 이 탑의 높이를 구하시오.

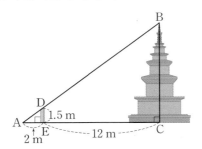

2 아래 그림에서 점 G는 △ABC의 무게중심이고 세 점 D, E, F는 각각 $\overline{BC}$, $\overline{AC}$, $\overline{AB}$의 중점이다.
△ABC의 넓이가 60 cm²일 때, 다음 ☐ 안에 알맞은 수를 써넣고, △FGE의 넓이를 구하시오.

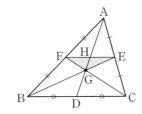

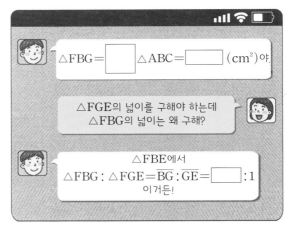

△FBG=☐ △ABC=☐ (cm²)야.

△FGE의 넓이를 구해야 하는데 △FBG의 넓이는 왜 구해?

△FBE에서
△FBG : △FGE=$\overline{BG}$: $\overline{GE}$=☐ : 1
이거든!

3 다음 그림과 같이 ∠A=90°인 직각삼각형 ABC에서 점 G는 △ABC의 무게중심이고 $\overline{AB}$=16 cm, $\overline{AC}$=12 cm이다. 네 학생의 대화를 보고, x의 값을 구하시오.

일단, 피타고라스 정리를 이용하여 $\overline{BC}$의 길이를 구할 수 있겠어.

무게중심은 중선의 길이를 꼭짓점으로부터 2 : 1로 나누지!

그럼 $\overline{AD}$의 길이를 알아야 하는데?

$\overline{AD}$는 중선이니까 점 D는 빗변 BC의 중점! 점 D는 직각삼각형 ABC의 외심이네.

4 다음 만화를 보고, 물음에 답하시오.

이 두 주사위를 던져서

진서   수연

두 눈의 수의 합이 소수이면 진서가 사탕을 먹고

두 눈의 수의 합이 소수가 아니면 수연이가 사탕을 먹기로 하자.

내가 불리한 것 같은데…

(1) 진서가 사탕을 먹을 확률을 구하시오.

(2) 수연이가 사탕을 먹을 확률을 구하시오.

(3) (1), (2)를 이용하여 이 게임이 공정한지 공정하지 않은지 말하시오.

1 오른쪽 그림에서 $\overline{DE} /\!/ \overline{BC}$ 이고, $\overline{AE}=5$ cm, $\overline{BC}=12$ cm, $\overline{DE}=8$ cm일 때, $\overline{AB}$의 길이는?

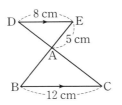

① $\dfrac{13}{2}$ cm ② 7 cm ③ $\dfrac{15}{2}$ cm

④ 8 cm ⑤ $\dfrac{17}{2}$ cm

2 다음 중 $\overline{BC} /\!/ \overline{DE}$인 것은?

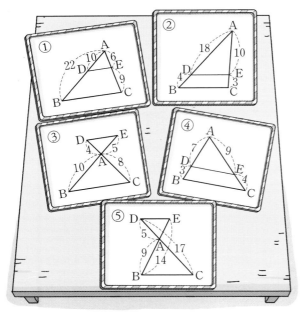

3 오른쪽 그림과 같은 △ABC에서 점 D는 $\overline{AB}$의 중점이고 $\overline{DE} /\!/ \overline{BC}$이다. $\overline{BC}=6$ cm일 때, $\overline{DE}$의 길이는?

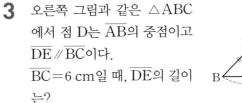

① 1 cm ② $\dfrac{3}{2}$ cm ③ 2 cm

④ $\dfrac{5}{2}$ cm ⑤ 3 cm

4 오른쪽 그림과 같은 △ABC에서 $\overline{AD}$가 ∠A의 이등분선이고 $\overline{AB}=10$ cm, $\overline{AC}=8$ cm, $\overline{BD}=6$ cm일 때, $\overline{CD}$의 길이는?

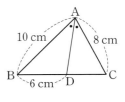

① $\dfrac{16}{5}$ cm ② $\dfrac{18}{5}$ cm ③ 4 cm

④ $\dfrac{22}{5}$ cm ⑤ $\dfrac{24}{5}$ cm

5 다음 그림에서 $l /\!/ m /\!/ n$일 때, x, y의 값을 각각 구하면?

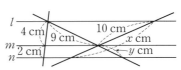

① $x=15, y=\dfrac{9}{2}$ ② $x=15, y=3$

③ $x=15, y=6$ ④ $x=20, y=\dfrac{9}{2}$

⑤ $x=20, y=6$

6 오른쪽 그림에서 점 G는 △ABC의 무게중심이다. $\overline{BD}=5$ cm, $\overline{BG}=4$ cm 일 때, $x+y$의 값은?

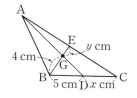

① 6   ② 7   ③ 8

④ 9   ⑤ 10

7 오른쪽 그림에서 두 점 G, G′ 이 각각 △ABC, △GBC의 무게중심이고 $\overline{GG'}=6$ cm일 때, $\overline{AM}$의 길이는?

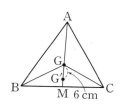

① 15 cm   ② 18 cm   ③ 24 cm

④ 27 cm   ⑤ 30 cm

8 오른쪽 그림에서 점 G는 △ABC의 무게중심이고 $\overline{EF} /\!/ \overline{BC}$이다. △GDF의 넓이가 6 cm²일 때, △FDC의 넓이는?

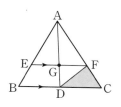

① 7 cm²   ② 8 cm²   ③ 9 cm²

④ 10 cm²   ⑤ 11 cm²

9 오른쪽 그림과 같이 ∠B=90°인 직각이등변삼각형 ABC에서 $\overline{AC}=8$ cm일 때, △ABC의 넓이는?

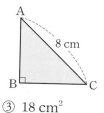

① 16 cm²   ② 17 cm²   ③ 18 cm²

④ 19 cm²   ⑤ 20 cm²

10 오른쪽 그림과 같이 ∠B=90°인 직각삼각형 ABC에서 $x+y$의 값은?

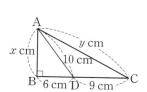

① 21   ② 23   ③ 25

④ 27   ⑤ 29

11 오른쪽 그림과 같이 직각삼각형 ABC의 세 변 AB, AC, BC를 각각 한 변으로 하는 정사각형을 그리고, 그 넓이를 차례로 S_1, S_2, S_3이라 하자. $\overline{AB}=10$일 때, $S_1+S_2+S_3$의 값은?

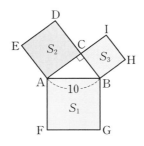

① 50   ② 100   ③ 150

④ 200   ⑤ 250

12 다음 중 직각삼각형의 세 변의 길이가 될 수 <u>없는</u> 것은?

① 3 cm, 4 cm, 5 cm

② 5 cm, 12 cm, 13 cm

③ 6 cm, 8 cm, 10 cm

④ 9 cm, 12 cm, 15 cm

⑤ 10 cm, 12 cm, 14 cm

13 1부터 30까지의 자연수가 각각 하나씩 적힌 30개의 공이 들어 있는 주머니에서 한 개의 공을 꺼낼 때, 4의 배수 또는 9의 배수가 적힌 공이 나오는 경우의 수는?

① 7   ② 8   ③ 9

④ 10   ⑤ 11

14 0부터 4까지의 정수가 각각 하나씩 적힌 5장의 카드 중에서 서로 다른 3장을 뽑아 만들 수 있는 세 자리 자연수 중 짝수의 개수는?

① 27   ② 30   ③ 36

④ 40   ⑤ 48

15 다음 4명의 학생이 들고 있는 카드에는 4가지 사건이 각각 적혀 있다.

4가지 사건 중 확률이 가장 큰 것을 말한 사람은 누구인지 구하시오.

16 A 주머니에는 흰 공 6개와 검은 공 4개가 들어 있고, B 주머니에는 흰 공 4개와 검은 공 2개가 들어 있다. 두 주머니 A, B에서 각각 한 개의 공을 임의로 꺼낼 때, 같은 색의 공이 나올 확률은?

① $\dfrac{8}{15}$ ② $\dfrac{3}{5}$ ③ $\dfrac{2}{3}$

④ $\dfrac{4}{5}$ ⑤ $\dfrac{13}{15}$

17 명중률이 각각 $\dfrac{2}{5}$, $\dfrac{1}{4}$인 두 양궁 선수가 화살을 한 번 씩 쏠 때, 적어도 한 선수는 명중시킬 확률은?

① $\dfrac{1}{10}$ ② $\dfrac{3}{20}$ ③ $\dfrac{3}{10}$

④ $\dfrac{11}{20}$ ⑤ $\dfrac{3}{4}$

서술형
18 오른쪽 그림에서 $\overline{BC} /\!/ \overline{DE}$, $\overline{AB} /\!/ \overline{GF}$일 때, $x - y$의 값을 구하시오.

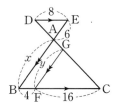

서술형
19 오른쪽 그림과 같은 사다리꼴 ABCD에서 $\overline{AD} /\!/ \overline{EF} /\!/ \overline{BC}$일 때, $\overline{EF}$의 길이를 구하시오.

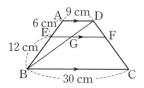

서술형
20 성진, 효재, 연조, 신희, 정태 5명을 한 줄로 세울 때, 물음에 답하시오.

(1) 다음 ☐ 안에 알맞은 수를 써넣고, 성진이를 한 가운데 세우는 경우의 수를 구하시오.

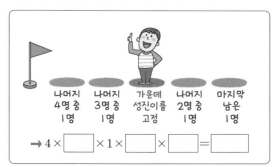

(2) 연조를 맨 앞에, 신희를 맨 뒤에 세우는 경우의 수를 구하시오.

1 오른쪽 그림과 같은 △ABC에서 $\overline{BC} \parallel \overline{DE}$일 때, $x+y$의 값은?

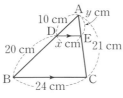

① 11   ② 12

③ 13   ④ 14

⑤ 15

2 오른쪽 그림과 같은 △ABC에서 $\overline{BC} \parallel \overline{DE}$일 때, $x+2y$의 값은?

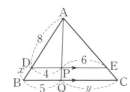

① 15   ② 17

③ 19   ④ 21

⑤ 23

3 오른쪽 그림과 같은 △ABC에서 세 변 AB, BC, CA의 중점을 각각 P, Q, R라 하자. $\overline{AB}=10$ cm, $\overline{BC}=16$ cm, $\overline{CA}=12$ cm일 때, △PQR의 둘레의 길이는?

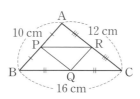

① 11 cm   ② 15 cm   ③ 17 cm

④ 19 cm   ⑤ 21 cm

4 다음 그림에서 $l \parallel m \parallel n$일 때, $5(x-y)$의 값은?

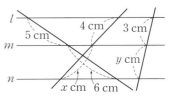

① 3   ② 6   ③ 9

④ 12   ⑤ 15

5 오른쪽 그림과 같은 사다리꼴 ABCD에서 $\overline{AD} \parallel \overline{EF} \parallel \overline{BC}$일 때, $\overline{BC}$의 길이는?

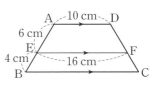

① 18 cm   ② 19 cm   ③ 20 cm

④ 22 cm   ⑤ 24 cm

6 오른쪽 그림에서 점 G는 ∠C=90°인 직각삼각형 ABC의 무게중심이다. $\overline{AB}=30$ cm일 때, $\overline{CG}$의 길이는?

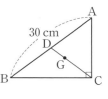

① 7 cm   ② 8 cm   ③ 9 cm

④ 10 cm   ⑤ 11 cm

7 오른쪽 그림의 $\triangle ABC$에서 두 점 D, E는 각각 $\overline{BC}$, $\overline{AC}$의 중점이다. $\overline{AD}/\!/\overline{EF}$이고 $\overline{AG}=8$ cm일 때, $x+y$의 값은?

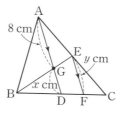

① 6 ② 7 ③ 8
④ 9 ⑤ 10

9 오른쪽 그림과 같은 $\triangle ABC$에서 $\overline{AD}\perp\overline{BC}$이고 $\overline{AB}=13$ cm, $\overline{AC}=20$ cm, $\overline{BD}=5$ cm일 때, $x+y$의 값은?

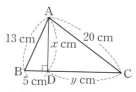

① 22 ② 24 ③ 26
④ 28 ⑤ 30

8 오른쪽 그림에서 두 점 G, G′은 각각 $\triangle ABC$, $\triangle GBC$의 무게중심이다. $\triangle G'BD$의 넓이가 7 cm²일 때, $\triangle AGC$의 넓이를 바르게 구한 학생을 말하시오.

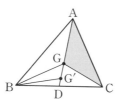

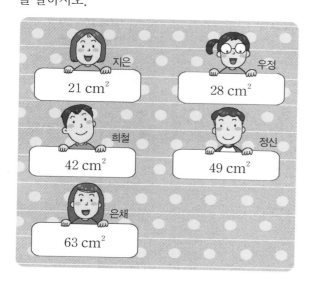

지은 21 cm²

우정 28 cm²

희철 42 cm²

정신 49 cm²

은채 63 cm²

10 세 변의 길이가 각각 x, 7, 9인 삼각형이 빗변의 길이가 9인 직각삼각형일 때, x^2의 값은?

① 21 ② 22 ③ 31
④ 32 ⑤ 33

11 오른쪽 그림의 정사각형 ABCD에서 $\overline{AE}=\overline{BF}=\overline{CG}=\overline{DH}$이다. $\overline{AE}=15$ cm이고 $\square$EFGH의 넓이가 289 cm²일 때, $\square$ABCD의 넓이는?

① 225 cm²　　② 289 cm²　　③ 400 cm²

④ 526 cm²　　⑤ 529 cm²

12 오른쪽 그림과 같이 $\angle A=90°$인 직각삼각형 ABC에서 빗변이 아닌 두 변을 각각 지름으로 하는 반원을 그렸다. $\overline{BC}=10$ cm일 때, 색칠한 부분의 넓이는?

① 10π cm²　　② $\dfrac{21}{2}\pi$ cm²　　③ $\dfrac{23}{2}\pi$ cm²

④ 12π cm²　　⑤ $\dfrac{25}{2}\pi$ cm²

13 다음 보기에서 경우의 수가 작은 것부터 순서대로 나열한 것은?

> 보기
> ㉠ 서로 다른 연필 4자루 중에서 2자루를 고르는 경우의 수
> ㉡ 한 개의 주사위를 두 번 던질 때, 두 번 모두 홀수의 눈이 나오는 경우의 수
> ㉢ 1부터 5까지의 자연수가 각각 하나씩 적힌 5장의 카드 중에서 한 장을 뽑을 때, 소수 또는 4가 적힌 카드가 나오는 경우의 수

① ㉠, ㉡, ㉢　　② ㉠, ㉢, ㉡　　③ ㉡, ㉢, ㉠

④ ㉢, ㉠, ㉡　　⑤ ㉢, ㉡, ㉠

14 오늘은 천재 서당에서 쪽지 시험을 보는 날이다. 훈장 선생님의 질문에 답하시오.

어제 배웠던 6개의 자음 ㄱ, ㄴ, ㄷ, ㄹ, ㅁ, ㅂ과 4개의 모음 ㅏ, ㅓ, ㅗ, ㅜ를 각각 1개씩 짝 지어 만들 수 있는 글자는 모두 몇 개인지 말해 보거라.

15 연수네 집, 문구점, 도서관 사이에 다음 그림과 같은 길이 있을 때, 연수네 집에서 도서관까지 가는 경우의 수를 구하시오.

(단, 한 번 지나간 지점은 다시 지나지 않는다.)

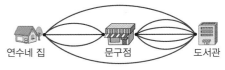

① 10　　② 13　　③ 15

④ 17　　⑤ 20

16 남학생 3명과 여학생 4명 중에서 회장 1명, 부회장 1명을 임의로 뽑을 때, 모두 여학생이 뽑힐 확률은?

① $\dfrac{2}{7}$ ② $\dfrac{3}{7}$ ③ $\dfrac{4}{7}$

④ $\dfrac{5}{7}$ ⑤ $\dfrac{6}{7}$

17 0, 2, 3, 6, 9가 각각 하나씩 적힌 5장의 카드 중에서 서로 다른 2장을 임의로 뽑아 두 자리 자연수를 만들 때, 그 수가 홀수일 확률은?

① $\dfrac{3}{8}$ ② $\dfrac{1}{2}$ ③ $\dfrac{9}{16}$

④ $\dfrac{11}{16}$ ⑤ $\dfrac{3}{4}$

서술형
18 오른쪽 그림과 같이 $\overline{AD} /\!/ \overline{BC}$인 사다리꼴 ABCD에서 $\overline{AB}$, $\overline{DC}$의 중점을 각각 M, N이라 하자. $\overline{AD}=18$ cm, $\overline{BC}=22$ cm일 때, $\overline{PQ}$의 길이를 구하시오.

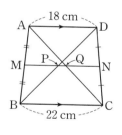

서술형
19 오른쪽 그림에서 점 G는 △ABC의 무게중심이다. $\overline{BC} /\!/ \overline{DE}$이고 $\overline{AG}=12$ cm, $\overline{FC}=9$ cm일 때, $\overline{DG}$, $\overline{GF}$의 길이를 각각 구하시오.

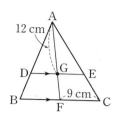

서술형
20 다음은 퀴즈 프로그램 도전! 황금벨이 열리고 있는 천재 중학교 강당이다. 다음 단계로 넘어가기 위하여 지현이가 적어야 하는 답을 구하시오.

memo

핵심 정리 01 삼각형에서 평행선과 선분의 길이의 비 (1)

△ABC에서 $\overline{AB}$, $\overline{AC}$ 또는 그 연장선 위에 각각 점 D, E가 있을 때, $\overline{BC}/\!\!/\overline{DE}$이면 다음이 성립한다.

(1) $\overline{AB} : \overline{AD} = \overline{AC} :$ ❶〔　　　〕$= \overline{BC} : \overline{DE}$

(2) $\overline{AD} : \overline{DB} = \overline{AE} :$ ❷〔　　　〕

〔주의〕 $\overline{BC}/\!\!/\overline{DE}$이면 $\overline{AD} : \overline{DB} = \overline{AE} : \overline{EC} \neq \overline{DE} : \overline{BC}$

답 ❶ $\overline{AE}$ ❷ $\overline{EC}$

핵심 정리 02 삼각형에서 평행선과 선분의 길이의 비 (2)

△ABC에서 $\overline{AB}$, $\overline{AC}$ 또는 그 연장선 위에 각각 점 D, E가 있을 때

(1) $\overline{AB} : \overline{AD} = \overline{AC} : \overline{AE}$이면 $\overline{BC}$ ❶〔　　　〕$\overline{DE}$

(2) $\overline{AD} : \overline{DB} = \overline{AE} :$ ❷〔　　　〕이면 $\overline{BC}/\!\!/\overline{DE}$

답 ❶ $/\!\!/$ ❷ $\overline{EC}$

핵심 정리 03 삼각형의 두 변의 중점을 연결한 선분의 성질

(1) △ABC에서 $\overline{AM} = \overline{BM}$, $\overline{AN} = \overline{CN}$이면

$\overline{MN}/\!\!/\overline{BC}$, $\overline{MN} =$ ❶〔　　　〕$\overline{BC}$

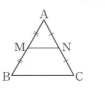 →

(2) △ABC에서 $\overline{AM} = \overline{BM}$, $\overline{MN}/\!\!/\overline{BC}$이면

$\overline{AN}$ ❷〔　　　〕$\overline{CN}$

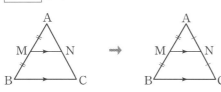

답 ❶ $\frac{1}{2}$ ❷ $=$

핵심 정리 04 삼각형의 각의 이등분선의 성질

(1) **삼각형의 내각의 이등분선의 성질**

△ABC에서 ∠A의 이등분선이 $\overline{BC}$와 만나는 점을 D라 하면

$\overline{AB} : \overline{AC} = \overline{BD} :$ ❶〔　　　〕

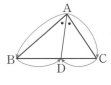

(2) **삼각형의 외각의 이등분선의 성질**

△ABC에서 ∠A의 외각의 이등분선이 $\overline{BC}$의 연장선과 만나는 점을 D라 하면

$\overline{AB} : \overline{AC} =$ ❷〔　　　〕$: \overline{CD}$

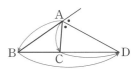

답 ❶ $\overline{CD}$ ❷ $\overline{BD}$

예 1

다음 보기 에서 $\overline{BC} /\!/ \overline{DE}$인 것을 모두 고르시오.

보기

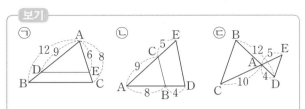

→ ㉠ $\overline{AB} : \overline{AD} = 12 : 9 = 4 : 3$

$\overline{AC} : \overline{AE} = 8 : 6 = 4 : 3$

㉡ $\overline{AC} : \overline{CE} =$ ❶⬚

$\overline{AB} : \overline{BD} = 8 : 4 = 2 : 1$

㉢ $\overline{AD} : \overline{DB} = 4 : 12 =$ ❷⬚

$\overline{AE} : \overline{EC} = 5 : (5+10) = 1 : 3$

따라서 $\overline{BC} /\!/ \overline{DE}$인 것은 ㉠, ❸⬚ 이다.

길이의 비가
같으면 $\overline{BC} /\!/ \overline{DE}$

답 ❶ 9:5 ❷ 1:3 ❸ ㉢

예 1

다음 그림에서 $\overline{BC} /\!/ \overline{DE}$일 때, x, y의 값을 각각 구하시오.

(1) 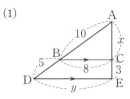　　(2)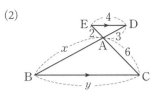

→ (1) $10 : 5 = x : 3$이므로

$5x = 30$　∴ $x = 6$

$10 : (10 + $❶⬚$) = 8 : y$이므로

$10y = 120$　∴ $y = 12$

(2) $2 : 6 = 3 : x$이므로

$2x = 18$　∴ $x =$ ❷⬚

$2 : 6 = 4 : y$이므로

$2y = 24$　∴ $y = 12$

답 ❶ 5 ❷ 9

예 1

오른쪽 그림의 $\triangle ABC$에서
$\overline{AD}$가 $\angle A$의 이등분선일 때,
x의 값을 구하시오.

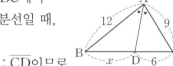

→ $\overline{AB} : \overline{AC} = \overline{BD} : \overline{CD}$이므로

$12 : 9 = x : 6$

$9x = 72$　∴ $x =$ ❶⬚

예 2

오른쪽 그림의 $\triangle ABC$에서 $\angle A$의 외각의 이등분선이 $\overline{BC}$의 연장선과 만나는 점을 D라 할 때, x의 값을 구하시오.

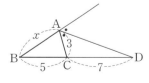

→ $\overline{AB} : \overline{AC} = \overline{BD} : \overline{CD}$이므로 $x : 3 = (5+7) : 7$

$7x =$ ❷⬚　　∴ $x = \dfrac{36}{7}$

답 ❶ 8 ❷ 36

예 1

오른쪽 그림의 $\triangle ABC$에서
$\overline{AB}$, $\overline{AC}$의 중점을 각각 M, N
이라 할 때, x의 값을 구하시오.

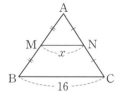

→ $\overline{MN} =$ ❶⬚ $\overline{BC}$이므로

$x = \dfrac{1}{2} \times 16 = 8$

예 2

오른쪽 그림의 $\triangle ABC$에서
$\overline{BN} = \overline{CN}$, $\overline{AB} /\!/ \overline{MN}$일 때,
x, y의 값을 각각 구하시오.

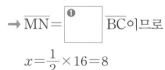

→ $\overline{AM} = \overline{CM}$이므로

$x =$ ❷⬚

$\overline{MN} = \dfrac{1}{2}\overline{AB}$이므로 $\overline{AB} =$ ❸⬚ $\overline{MN}$

∴ $y = 2 \times 7 = 14$

답 ❶ $\dfrac{1}{2}$ ❷ 15 ❸ 2

$l \mathbin{/\!/} m \mathbin{/\!/} n$이면 $a:b=c:d$

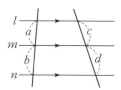 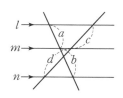

예 (1)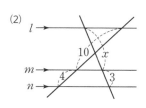

$l \mathbin{/\!/} m \mathbin{/\!/} n$이므로

$x:4=12:6$

$6x=48$

$\therefore x=$ ❶

(2)

$l \mathbin{/\!/} m \mathbin{/\!/} n$이므로

$10:4=$ ❷ $:3$

$4x=30$

$\therefore x=\dfrac{15}{2}$

답 ❶ 8 ❷ x

사다리꼴 ABCD에서 $\overline{AD} \mathbin{/\!/} \overline{EF} \mathbin{/\!/} \overline{BC}$일 때, $\overline{EF}$의 길이는 다음과 같이 구한다.

방법 1 평행선 긋기

□AGFD, □AHCD가 평행사변형이므로

$\overline{GF}=\overline{HC}=\overline{AD}$

△ABH에서

$\overline{EG}:\overline{BH}=m:($ ❶ $)$

$\rightarrow \overline{EF}=\overline{EG}+\overline{GF}$

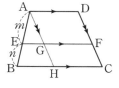

방법 2 대각선 긋기

△ABC에서

$\overline{EG}:\overline{BC}=$ ❷ $:(m+n)$

△ACD에서

$\overline{GF}:\overline{AD}=n:(m+n)$

$\rightarrow \overline{EF}=\overline{EG}+\overline{GF}$

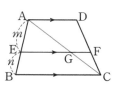

답 ❶ $m+n$ ❷ m

(1) **삼각형의 중선** : 삼각형에서 한 꼭짓점과 그 대변의 ❶ 을 이은 선분

(2) **삼각형의 무게중심**

삼각형의 세 중선의 교점

(3) **삼각형의 무게중심의 성질**

① 삼각형의 세 중선은 한 점 (❷)에서 만난다.

② 삼각형의 무게중심은 세 중선의 길이를 각 꼭짓점으로부터 각각 2 : 1로 나눈다.

$\rightarrow \overline{AG}:\overline{GD}=\overline{BG}:\overline{GE}=\overline{CG}:\overline{GF}$

$=$ ❸ $:1$

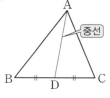

답 ❶ 중점 ❷ 무게중심 ❸ 2

점 G가 △ABC의 무게중심이면

(1) 세 중선에 의하여 나눠지는 6개의 삼각형의 넓이는 모두 같다.

$\rightarrow \triangle GAF=\triangle GBF=\triangle GBD=\triangle GCD$

$=\triangle GCE=\triangle GAE$

$=$ ❶ $\triangle ABC$

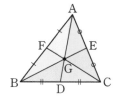

(2) 삼각형의 무게중심과 꼭짓점을 이어서 생기는 세 삼각형의 넓이는 같다.

$\rightarrow \triangle GAB=\triangle GBC=\triangle GCA$

$=$ ❷ $\triangle ABC$

답 ❶ $\dfrac{1}{6}$ ❷ $\dfrac{1}{3}$

예 1

오른쪽 그림과 같은 사다리꼴 ABCD에서 $\overline{AD} /\!/ \overline{EF} /\!/ \overline{BC}$ 일 때, $\overline{EF}$의 길이를 구하시오.

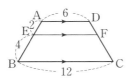

→ **[방법 1]** 평행선 긋기

$\overline{GF} = \overline{HC} = \overline{AD} = 6$

△ABH에서

$2 : (2+4) = \overline{EG} : (12-6)$

이므로 $\overline{EG} = $ **❶**

∴ $\overline{EF} = \overline{EG} + \overline{GF} = 2+6 = 8$

[방법 2] 대각선 긋기

△ABC에서

$2 : (2+4) = \overline{EG} : 12$

이므로 $\overline{EG} = 4$

△ACD에서 **❷** $: (2+4) = \overline{GF} : 6$

이므로 $\overline{GF} = $ **❸**

∴ $\overline{EF} = \overline{EG} + \overline{GF} = 4+4 = 8$

답 ❶ 2 ❷ 4 ❸ 4

예 1

다음 그림에서 $l /\!/ m /\!/ n$일 때, x의 값을 구하시오.

(1)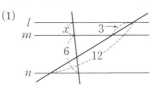

(2)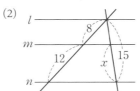

→ (1) $x : 6 = 3 : (12-$ **❶** $)$이므로

$9x = 18$ ∴ $x = 2$

(2) $8 : 12 = (15-x) : x$이므로

$20x = $ **❷**   ∴ $x = 9$

답 ❶ 3 ❷ 180

예 1

다음 그림에서 점 G가 △ABC의 무게중심이고 △ABC의 넓이가 24 cm^2일 때, 색칠한 부분의 넓이를 구하시오.

(1)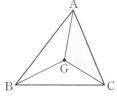

(2)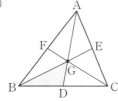

→ (1) $\triangle GAC = $ **❶** $\triangle ABC$

$= \dfrac{1}{3} \times 24 = 8 \text{ (cm}^2)$

(2) $\triangle GBD = $ **❷** $\triangle ABC$

$= \dfrac{1}{6} \times 24 = 4 \text{ (cm}^2)$

답 ❶ $\dfrac{1}{3}$ ❷ $\dfrac{1}{6}$

예 1

다음 그림에서 점 G가 △ABC의 무게중심일 때, x, y의 값을 각각 구하시오.

(1)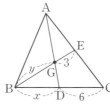

(2)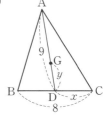

→ (1) $\overline{BD} = \overline{CD}$이므로 $x = 6$

$\overline{BG} : \overline{GE} = $ **❶** $: 1$이므로 $y : 3 = 2 : 1$

∴ $y = 6$

(2) $\overline{BD} = \overline{CD} = $ **❷** $\overline{BC}$이므로 $x = \dfrac{1}{2} \times 8 = 4$

$\overline{AD} : \overline{GD} = $ **❸** $: 1$이므로 $9 : y = 3 : 1$

$3y = 9$ ∴ $y = 3$

답 ❶ 2 ❷ $\dfrac{1}{2}$ ❸ 3

(1) **피타고라스 정리**

직각삼각형 ABC에서 직각을 낀 두 변의 길이를 각각 a, b라 하고, 빗변의 길이를 c라 하면 $a^2+b^2=$ ❶ ▢

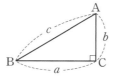

(2) **직각삼각형이 되는 조건**

세 변의 길이가 각각 a, b, c인 $\triangle ABC$에서 $a^2+b^2=c^2$이면 이 삼각형은 빗변의 길이가 c인 직각삼각형이다.

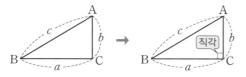

참고 c가 가장 긴 변의 길이일 때
① $c^2=a^2+b^2$이면 $\triangle ABC$는 ❷ ▢ 이다.
② $c^2 \neq a^2+b^2$이면 $\triangle ABC$는 직각삼각형이 아니다.

답 ❶ c^2 ❷ 직각삼각형

---

(1) **삼각형의 변과 각 사이의 관계**

$\triangle ABC$에서 $\overline{AB}=c$, $\overline{BC}=a$, $\overline{CA}=b$이고 c가 가장 긴 변의 길이일 때
① $c^2<a^2+b^2$이면 $\angle C<90°$ (예각삼각형)
② $c^2=a^2+b^2$이면 $\angle C=90°$ (직각삼각형)
③ $c^2>a^2+b^2$이면 $\angle C>90°$ (❶ ▢ 삼각형)

(2) **직각삼각형과 세 반원 사이의 관계**

오른쪽 그림과 같이 직각삼각형 ABC의 세 변을 각각 지름으로 하는 반원의 넓이를 각각 S_1, S_2, S_3이라 할 때, $S_1+S_2=$ ❷ ▢

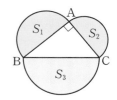

답 ❶ 둔각 ❷ S_3

---

(1) **경우의 수** : 어떤 사건이 일어나는 경우의 ❶ ▢

(2) **사건 A 또는 사건 B가 일어나는 경우의 수**

두 사건 A, B가 동시에 일어나지 않을 때, 사건 A가 일어나는 경우의 수가 m, 사건 B가 일어나는 경우의 수가 n이면

(사건 A 또는 사건 B가 일어나는 경우의 수)
$=m+$ ❷ ▢

(3) **사건 A와 사건 B가 동시에 일어나는 경우의 수**

사건 A가 일어나는 경우의 수가 m이고 그 각각에 대하여 사건 B가 일어나는 경우의 수가 n이면

(사건 A와 사건 B가 동시에 일어나는 경우의 수)
$=m\times n$

답 ❶ 가짓수 ❷ n

---

(1) n**명을 한 줄로 세우는 경우의 수**

→ $n\times($ ❶ ▢ $)\times(n-2)\times\cdots\times2\times1$

(2) n**명 중에서 2명을 뽑아 한 줄로 세우는 경우의 수**

→ $n\times(n-1)$

(3) n**명 중에서 3명을 뽑아 한 줄로 세우는 경우의 수**

→ $n\times(n-1)\times($ ❷ ▢ $)$

(4) **이웃하여 한 줄로 세우는 경우의 수**

❶ 이웃하는 것을 하나로 묶어 한 줄로 세우는 경우의 수를 구한다.
❷ 묶음 안에서 자리를 바꾸는 경우의 수를 구한다.
❸ ❶과 ❷의 경우의 수를 ❸ ▢ 한다.

답 ❶ $n-1$ ❷ $n-2$ ❸ 곱

예1

세 변의 길이가 다음과 같은 삼각형은 어떤 삼각형인지 말하시오.

(1) 4 cm, 6 cm, 7 cm

(2) 5 cm, 10 cm, 13 cm

(3) 7 cm, 24 cm, 25 cm

→ (1) $7^2 < 4^2 + 6^2$이므로 **❶**[   ]삼각형이다.

　(2) $13^2 > 5^2 + 10^2$이므로 둔각삼각형이다.

　(3) $25^2 = 7^2 + 24^2$이므로 **❷**[   ]삼각형이다.

예2

오른쪽 그림은 직각삼각형 ABC의 세 변을 각각 지름으로 하는 세 반원을 그린 것이다. 색칠한 부분의 넓이를 구하시오.

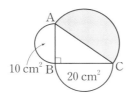

→ (색칠한 부분의 넓이)$= 10 + 20 = 30 \ (\mathrm{cm}^2)$

답 ❶ 예각 ❷ 직각

예1

다음 그림과 같은 직각삼각형에서 x의 값을 구하시오.

(1) 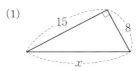　(2)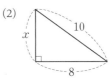

→ (1) $x^2 = 15^2 + 8^2 = 289$이므로 $x = 17$

　(2) $10^2 = x^2 + 8^2$이므로 $x^2 = 36$　∴ $x =$ **❶**[   ]

예2

세 변의 길이가 다음과 같은 삼각형이 직각삼각형인지 아닌지 말하시오.

(1) 2 cm, 4 cm, 5 cm

(2) 9 cm, 12 cm, 15 cm

→ (1) 5^2 **❷**[   ] $2^2 + 4^2$이므로 직각삼각형이 아니다.

　(2) $15^2 = 9^2 + 12^2$이므로 직각삼각형이다.

답 ❶ 6 ❷ ≠

예1

A, B, C, D 4명의 학생이 있을 때, 다음을 구하시오.

(1) 4명을 한 줄로 세우는 경우의 수

(2) 4명 중에서 3명을 뽑아 한 줄로 세우는 경우의 수

→ (1)

첫 번째	두 번째	세 번째	네 번째
4 ×	3 ×	2 ×	1 = 24

　(2)

첫 번째	두 번째	세 번째
4 ×	**❶**[ ] ×	2 = 24

예2

A, B, C 3명의 학생을 한 줄로 세울 때, A, B를 이웃하게 세우는 경우의 수를 구하시오. → 1명으로 생각한다.

→ ❶ A, B를 하나로 묶어 (A, B), C 2명을 한 줄로 세우는 경우의 수는 **❷**[   ] × 1 = 2

　❷ A, B가 자리를 바꾸는 경우의 수는 2 × 1 = 2

　❸ 따라서 구하는 경우의 수는 2 × 2 = **❸**[   ]

답 ❶ 3 ❷ 2 ❸ 4

예1

1부터 12까지의 자연수가 각각 하나씩 적힌 정십이면체 모양의 주사위를 던질 때, 3의 배수 또는 5의 배수가 적힌 면이 나오는 경우의 수를 구하시오.

→ 3의 배수는 3, 6, 9, 12이므로 그 경우의 수는 4
　5의 배수는 5, 10이므로 그 경우의 수는 2
　따라서 구하는 경우의 수는 4 + 2 = **❶**[   ]

예2

A, B 두 개의 주사위를 동시에 던질 때, A 주사위는 짝수의 눈이 나오고 B 주사위는 4의 약수의 눈이 나오는 경우의 수를 구하시오.

→ 짝수는 2, 4, 6이므로 그 경우의 수는 3
　4의 약수는 1, 2, 4이므로 그 경우의 수는 3
　따라서 구하는 경우의 수는 3 **❷**[   ] 3 = **❸**[   ]

답 ❶ 6 ❷ × ❸ 9

핵심 정리 13 — 자연수 만들기와 대표 뽑기

(1) n장의 카드 중에서 서로 다른 2장을 뽑아 만들 수 있는 두 자리 자연수의 개수

① 0을 포함하지 않는 경우 ➡ $n \times (n-1)$

[참고] $n \times (n-1)$은 n명 중에서 2명을 뽑아 한 줄로 세우는 경우의 수와 같다.

② 0을 포함하는 경우 ➡ (❶) $\times (n-1)$

[주의] 자연수를 만들 때, 맨 앞자리에는 0이 올 수 없다.

(2) n명 중에서 대표 2명을 뽑는 경우의 수

① 자격이 다른 경우	② 자격이 같은 경우
➡ $n \times (n-1)$	➡ $\dfrac{n \times (n-1)}{❷}$

 ≠   (회장 부회장 ≠ 회장 부회장)

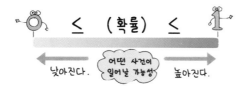   (대표 대표 = 대표 대표)

답 ❶ $n-1$ ❷ 2

핵심 정리 14 — 확률

어떤 실험이나 관찰에서 각각의 경우가 일어날 가능성이 모두 같을 때, 일어나는 모든 경우의 수를 n, 사건 A가 일어나는 경우의 수를 a라 하면 사건 A가 일어날 확률 p는

$$p = \frac{(\text{사건 } A \text{가 일어나는 경우의 수})}{(\text{모든 경우의 수})} = \boxed{❶}$$

[예] 한 개의 주사위를 던질 때, 6의 약수의 눈이 나올 확률을 구해 보자.

❶ 모든 경우는 1, 2, 3, 4, 5, 6의 6가지

❷ 6의 약수의 눈이 나오는 경우는 1, 2, 3, 6의 4가지

❸ 따라서 6의 약수의 눈이 나올 확률은 $\dfrac{4}{6} = \boxed{❷}$

답 ❶ $\dfrac{a}{n}$ ❷ $\dfrac{2}{3}$

핵심 정리 15 — 확률의 성질

(1) 확률의 기본 성질

① 어떤 사건이 일어날 확률을 p라 하면 $0 \le p \le 1$

② 절대로 일어나지 않는 사건의 확률은 0이다.

③ 반드시 일어나는 사건의 확률은 ❶ 이다.

$$\le \ (\text{확률}) \ \le$$

낮아진다. ← (어떤 사건이 일어날 가능성) → 높아진다.

(2) 어떤 사건이 일어나지 않을 확률

사건 A가 일어날 확률을 p라 하면

(사건 A가 일어나지 않을 확률) $= 1 - \boxed{❷}$

[예] 한 개의 주사위를 던질 때

(3의 눈이 나오지 않을 확률)

$= 1 - (3\text{의 눈이 나올 확률})$

$= 1 - \dfrac{1}{6} = \dfrac{5}{6}$

답 ❶ 1 ❷ p

핵심 정리 16 — 확률의 계산

(1) 사건 A 또는 사건 B가 일어날 확률

두 사건 A, B가 동시에 일어나지 않을 때, 사건 A가 일어날 확률을 p, 사건 B가 일어날 확률을 q라 하면

(사건 A 또는 사건 B가 일어날 확률) $= p + \boxed{❶}$

(2) 사건 A와 사건 B가 동시에 일어날 확률

두 사건 A, B가 서로 ❷ 을 끼치지 않을 때, 사건 A가 일어날 확률을 p, 사건 B가 일어날 확률을 q라 하면

(사건 A와 사건 B가 동시에 일어날 확률) $= p \times q$

각 사건이 일어날 확률은 언제 더하나요? → '~ 또는 ~', '~이거나' 등의 표현 → 각 사건이 일어날 확률을 더한다.

각 사건이 일어날 확률은 언제 곱하나요? → '그리고 ~', '~와', '동시에' 등의 표현 → 각 사건이 일어날 확률을 곱한다.

답 ❶ q ❷ 영향

예 1

흰 공 5개, 검은 공 3개가 들어 있는 주머니에서 임의로 한 개의 공을 꺼낼 때, 검은 공이 나올 확률을 구하시오.

→ 모든 경우의 수는 $5+3=8$

검은 공이 나오는 경우의 수는 3

따라서 구하는 확률은 **❶** ⬚

예 2

서로 다른 두 개의 동전을 동시에 던질 때, 모두 앞면이 나올 확률을 구하시오.

→ 모든 경우의 수는 $2 \times 2=4$

모두 앞면이 나오는 경우는 (앞면, 앞면)의 1가지

따라서 구하는 경우의 수는 **❷** ⬚

답 ❶ $\frac{3}{8}$ ❷ $\frac{1}{4}$

예 1

0, 1, 2, 3, 4가 각각 하나씩 적힌 5장의 카드에서 서로 다른 2장을 뽑아 만들 수 있는 두 자리 자연수의 개수를 구하시오.

→ 십의 자리에 올 수 있는 숫자는 **❶** ⬚ 을 제외한 4 가지이고, 일의 자리에 올 수 있는 숫자는 십의 자리 에 온 숫자를 제외한 4가지이다.

따라서 구하는 자연수의 개수는 $4 \times 4=16$

예 2

A, B, C, D 4명의 학생이 있을 때, 다음을 구하시오.

(1) 회장 1명, 부회장 1명을 뽑는 경우의 수

(2) 대표 2명을 뽑는 경우의 수

→ (1) 회장   부회장

   4 × 3 $=$ **❷** ⬚

(2) $\frac{4 \times 3}{2}=6$

답 ❶ 0 ❷ 12

예 1

한 개의 주사위를 던질 때, 3 미만 또는 5 이상의 눈이 나올 확률을 구하시오.

→ 3 미만의 수는 1, 2의 2가지이므로 그 확률은

$\frac{2}{6}=\frac{1}{3}$

5 이상의 수는 5, 6의 2가지이므로 그 확률은

$\frac{2}{6}=\frac{1}{3}$

따라서 구하는 확률은 $\frac{1}{3}$ **❶** ⬚ $\frac{1}{3}=\frac{2}{3}$

예 2

한 개의 주사위를 두 번 던질 때, 첫 번째에는 소수의 눈이 나오고 두 번째에는 짝수의 눈이 나올 확률을 구하시오.

→ 소수는 2, 3, 5의 3가지이므로 그 확률은 $\frac{3}{6}=\frac{1}{2}$

짝수는 2, 4, 6의 3가지이므로 그 확률은 $\frac{3}{6}=\frac{1}{2}$

따라서 구하는 확률은 $\frac{1}{2}$ **❷** ⬚ $\frac{1}{2}=\frac{1}{4}$

답 ❶ + ❷ ×

예 1

흰 공 6개, 검은 공 3개가 들어 있는 주머니에서 임의로 한 개의 공을 꺼낼 때, 다음을 구하시오.

(1) 노란 공이 나올 확률

(2) 흰 공 또는 검은 공이 나올 확률

→ (1) 주머니에는 노란 공이 없으므로 구하는 확률은 0이다.

(2) 주머니에는 흰 공 또는 검은 공뿐이므로 구하는 확률은 **❶** ⬚ 이다.

예 2

내일 비가 올 확률이 $\frac{1}{4}$일 때, 내일 비가 오지 않을 확률을 구하시오.

→ (내일 비가 오지 않을 확률)

$=1$ **❷** ⬚ (내일 비가 올 확률)

$=1-\frac{1}{4}=\frac{3}{4}$

답 ❶ 1 ❷ −

book.chunjae.co.kr

교재 내용 문의	교재 홈페이지 ▶ 중등 ▶ 교재상담
교재 내용 외 문의	교재 홈페이지 ▶ 고객센터 ▶ 1:1문의
발간 후 발견되는 오류	교재 홈페이지 ▶ 중등 ▶ 학습지원 ▶ 학습자료실

7일 끝

중간고사 기말고사

7일 끝으로 끝내자!

중학 **수학 2-2**

BOOK 3
정답과 풀이

천재교육

중간 대비

정답과 풀이

1일 ————————————— 2

2일 ————————————— 5

3일 ————————————— 8

4일 ————————————— 11

5일 ————————————— 13

6일 ————————————— 17

7일 ————————————— 20

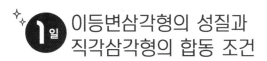

1일 이등변삼각형의 성질과 직각삼각형의 합동 조건

시험지 속 개념 문제 | 9쪽, 11쪽

1 $\overline{AC}$, ∠CAD, SAS, ∠C

2 (1) 50° (2) 50°

3 (1) 20° (2) 6 cm

4 ∠CAD, ∠ADC, $\overline{AD}$, ASA, $\overline{AC}$

5 (1) 6 (2) 7

6 (1) 6 cm (2) 60°

7 (1) 4 cm (2) 30°

8 ④

9 (1) △PAO≡△PBO (RHA 합동) (2) 6 cm

---

2 (1) $\overline{AB}=\overline{AC}$이므로 ∠B=∠C

$$∴ ∠x=\frac{1}{2}\times(180°-∠A)$$
$$=\frac{1}{2}\times(180°-80°)=50°$$

(2) ∠ACB=180°−115°=65°

$\overline{AB}=\overline{AC}$이므로 ∠B=∠ACB=65°

∴ ∠x=180°−(65°+65°)=50°

3 (1) $\overline{AB}=\overline{AC}$이므로 ∠C=∠B=70°

△ADC에서 ∠ADC=90°이므로

∠CAD=180°−(90°+70°)=20°

(2) $\overline{BD}=\overline{CD}=3$ cm이므로

$\overline{BC}=2\overline{CD}=2\times3=6$ (cm)

5 (1) ∠B=180°−(40°+100°)=40°

즉 ∠B=∠A이므로 △ABC는 $\overline{CA}=\overline{CB}=6$ cm
인 이등변삼각형이다.

∴ $x=6$

---

(2) △DBC에서 ∠B=∠DCB이므로

△DBC는 $\overline{DC}=\overline{DB}=7$ cm인 이등변삼각형이다.

이때 ∠ADC=∠B+∠DCB=30°+30°=60°이므
로 ∠ADC=∠A

따라서 △ADC는 $\overline{AC}=\overline{DC}=7$ cm인 이등변삼각
형이다. ∴ $x=7$

6 △ABC와 △DEF에서

∠B=∠E=90°, $\overline{AC}=\overline{DF}$, ∠A=∠D

이므로 △ABC≡△DEF (RHA 합동)

(1) $\overline{AB}=\overline{DE}=6$ cm

(2) ∠D=∠A=180°−(90°+30°)=60°

7 △ABC와 △DEF에서

∠B=∠E=90°, $\overline{AC}=\overline{DF}$, $\overline{AB}=\overline{DE}$

이므로 △ABC≡△DEF (RHS 합동)

(1) $\overline{EF}=\overline{BC}=4$ cm

(2) ∠A=∠D=180°−(90°+60°)=30°

8 ③ 두 직각삼각형은 빗변의 길이와 다른 한 예각의 크기
가 각각 같으므로 RHA 합동이다. ← 합동 조건이 잘못
짝 지어졌다.

④ 보기의 삼각형에서 나머지 한 내각의 크기는

180°−(90°+55°)=35°

즉 두 직각삼각형은 빗변의 길이와 다른 한 예각의 크
기가 각각 같으므로 RHA 합동이다.

9 (1) △PAO와 △PBO에서

∠A=∠B=90°, $\overline{OP}$(빗변)는 공통,

∠AOP=∠BOP

이므로 △PAO≡△PBO (RHA 합동)

(2) △PAO≡△PBO이므로 $\overline{PB}=\overline{PA}=6$ cm

1 ②	**2** ④	**3** 160°
4 (1) 36° (2) 8 cm	**5** 5 cm	**6** ⑤
7 ②	**8** 64°	

1 ①, ② $\angle C = \angle B = 48°$이므로
　　$\angle BAC = 180° - (48° + 48°) = 84°$
③, ④ 이등변삼각형의 꼭지각의 이등분선은 밑변을 수
　　직이등분하므로
　　$\overline{CD} = \overline{BD} = 6$ cm, $\angle ADC = 90°$
⑤ △ABD와 △ACD에서
　　$\overline{AB} = \overline{AC}$, $\angle BAD = \angle CAD$, $\overline{AD}$는 공통
　　이므로 △ABD ≡ △ACD (SAS 합동)
따라서 옳지 않은 것은 ②이다.

2 △ABC에서 $\overline{AB} = \overline{AC}$이므로
　　$\angle B = \frac{1}{2} \times (180° - 44°) = 68°$
　　△CBD에서 $\overline{CB} = \overline{CD}$이므로
　　$\angle x = \angle B = 68°$

3 △ABC에서 $\overline{AB} = \overline{AC}$이므로
　　$\angle ACB = \angle B = \angle x$
　　$\angle CAD = \angle B + \angle ACB = \angle x + \angle x = 2\angle x$
　　△ACD에서 $\overline{CA} = \overline{CD}$이므로
　　$\angle CAD = \angle D = 80°$
　　즉 $2\angle x = 80°$　　∴ $\angle x = 40°$
　　또 △DBC에서 $\angle DCE = \angle B + \angle D$이므로
　　$\angle y = 40° + 80° = 120°$
　　∴ $\angle x + \angle y = 40° + 120° = 160°$

4 (1) △ABC에서 $\overline{AB} = \overline{AC}$이므로
　　　$\angle ABC = \frac{1}{2} \times (180° - 36°) = 72°$
　　　∴ $\angle ABD = \frac{1}{2}\angle ABC = \frac{1}{2} \times 72° = 36°$

(2) △ABD에서 $\angle A = \angle ABD$이므로 △ABD는
　　$\overline{AD} = \overline{BD}$인 이등변삼각형이다.
　　∴ $\overline{BD} = \overline{AD} = 8$ cm

5 오른쪽 그림에서
　　$\angle BAC = \angle DAC$ (접은 각),
　　$\angle BCA = \angle DAC$ (엇각)
　　이므로 $\angle BAC = \angle BCA$
　　따라서 △ABC는 $\overline{BA} = \overline{BC}$인
　　이등변삼각형이다.
　　∴ $\overline{AB} = \overline{BC} = 5$ cm

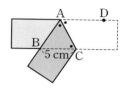

6 ①, ② 두 직각삼각형의 빗변의 길이와 다른 한 변의 길
　　　이가 각각 같으므로 RHS 합동이다.
③, ④ 두 직각삼각형의 빗변의 길이와 한 예각의 크기
　　　가 각각 같으므로 RHA 합동이다.
⑤ 두 직각삼각형의 세 내각의 크기가 각각 같으면 두 삼
　　각형의 모양은 같지만 크기가 서로 다를 수 있으므로
　　합동이 아니다.

7 △ADB와 △BEC에서
　　$\angle D = \angle E = 90°$,
　　$\overline{AB} = \overline{BC}$,
　　$\angle DAB = 90° - \angle ABD$
　　　　　　$= \angle CBE$
　　이므로 △ADB ≡ △BEC (RHA 합동)
　　따라서 $\overline{DB} = \overline{EC} = 8$ cm, $\overline{BE} = \overline{AD} = 6$ cm이므로
　　$\overline{DE} = \overline{DB} + \overline{BE} = 8 + 6 = 14$ (cm)

8 △ADC와 △ADE에서
　　$\angle C = \angle E = 90°$, $\overline{AD}$ (빗변)는 공통, $\overline{AC} = \overline{AE}$
　　이므로 △ADC ≡ △ADE (RHS 합동)
　　따라서 $\angle ADE = \angle ADC = 180° - (90° + 32°) = 58°$이
　　므로
　　$\angle x = 180° - (58° + 58°) = 64°$

중간

교과서 기출 베스트 2회 | 14쪽~15쪽

1 ②	2 15°	3 ⑤
4 (1) 5 cm	(2) 5 cm	5 6 cm
6 민석, 연지, 혜미	7 ④	8 ②

1 ㉠, ㉢ 이등변삼각형의 꼭지각의 이등분선은 밑변을 수직이등분하므로 $\overline{BD}=\overline{CD}$, $\overline{AD}\perp\overline{BC}$

2 △ABC에서 $\overline{AB}=\overline{AC}$이므로 ∠ABC=∠C=65°
△BCD에서 $\overline{BC}=\overline{BD}$이므로 ∠BDC=∠C=65°
따라서 ∠CBD=180°−(65°+65°)=50°이므로
∠x=∠ABC−∠CBD=65°−50°=15°

3 △DBC에서 $\overline{DB}=\overline{DC}$이므로 ∠DCB=∠B=46°
∴ ∠ADC=∠B+∠DCB=46°+46°=92°
△DCA에서 $\overline{DC}=\overline{DA}$이므로
∠A=$\frac{1}{2}$×(180°−92°)=44°
따라서 △ABC에서
∠x=∠A+∠B=44°+46°=90°

4 (1) △ABC에서 $\overline{AB}=\overline{AC}$이므로
∠ABC=∠C=72°
∴ ∠DBA=∠DBC=$\frac{1}{2}$∠ABC=$\frac{1}{2}$×72°=36°
이때 △BCD에서
∠CDB=180°−(72°+36°)=72°이므로
∠CDB=∠C
따라서 △BCD는 $\overline{BC}=\overline{BD}$인 이등변삼각형이다.
∴ $\overline{BD}=\overline{BC}=5$ cm
(2) △ABC에서 ∠A=180°−(72°+72°)=36°
따라서 ∠A=∠DBA이므로 △DAB는 $\overline{DA}=\overline{DB}$인 이등변삼각형이다.
∴ $\overline{AD}=\overline{BD}=5$ cm

5 오른쪽 그림에서
∠ABC=∠CBD (접은 각),
∠ACB=∠CBD (엇각)
이므로 ∠ABC=∠ACB
따라서 △ABC는 $\overline{AB}=\overline{AC}$인 이등변삼각형이다.
∴ $\overline{AB}=\overline{AC}=6$ cm

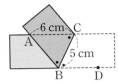

6 민석 : ∠A=∠F이면 ∠B=∠D이므로
　　　△ABC≡△FDE (ASA 합동)
연지 : △ABC≡△FDE (RHS 합동)
혜미 : △ABC≡△FDE (SAS 합동)
따라서 합동이 되기 위해 필요한 조건을 말한 학생은 민석, 연지, 혜미이다.

7 △ADB와 △BEC에서
∠D=∠E=90°,
$\overline{AB}=\overline{BC}$,
∠DAB=90°−∠ABD
　　　=∠CBE
이므로 △ADB≡△BEC (RHA 합동)
따라서 $\overline{BE}=\overline{AD}=5$ cm,
$\overline{EC}=\overline{DB}=12-5=7$ (cm)이므로
(사다리꼴 ADEC의 넓이)=$\frac{1}{2}$×(5+7)×12
　　　　　　　　　　　=72 (cm²)

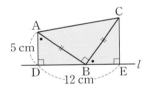

8 △ABD와 △AED에서
∠B=∠E=90°, $\overline{AD}$ (빗변)는 공통,
∠BAD=∠EAD
이므로 △ABD≡△AED (RHA 합동)
따라서 $\overline{AE}=\overline{AB}=7$ cm이므로
$\overline{EC}=\overline{AC}-\overline{AE}=10-7=3$ (cm)

✦ 2일 삼각형의 외심과 내심

| 19쪽, 21쪽

시험지 속 개념 문제

1 (1) 5   (2) 20   **2** ㉠, ㉡

3 예각, 직각, 외부   **4** 28°

5 (1) 33°   (2) 35°   (3) 104°   (4) 65°

6 (1) 30   (2) 2   **7** 태한, 예준

8 (1) 35°   (2) 113°   **9** 12

10 24 cm²

1 (1) 삼각형의 외심은 삼각형의 세 변의 수직이등분선의
교점이므로 $\overline{CD}=\overline{BD}=5\ cm$
$\therefore x=5$

(2) 삼각형의 외심에서 세 꼭짓점에 이르는 거리는 모두
같으므로 $\overline{OB}=\overline{OC}$
따라서 △OBC에서
$\angle OCB=\dfrac{1}{2}\times(180°-140°)=20°$이므로 $x=20$

2 ㉢ $\overline{AD}=\overline{BD}$, $\overline{BE}=\overline{CE}$, $\overline{AF}=\overline{CF}$이지만 $\overline{AD}=\overline{AF}$,
$\overline{BD}=\overline{BE}$, $\overline{CE}=\overline{CF}$인지는 알 수 없다.

㉣ 삼각형의 외심에서 세 변에 이르는 거리가 모두 같
은지는 알 수 없다.

따라서 옳은 것은 ㉠, ㉡이다.

4 점 O가 △ABC의 외심이므로 $\overline{OA}=\overline{OB}=\overline{OC}$
△OBC에서 $\angle OBC=\angle OCB=\angle x$이고
$\angle OBC+\angle OCB=56°$이므로
$2\angle x=56°$ $\therefore \angle x=28°$

5 (1) $21°+36°+\angle x=90°$ $\therefore \angle x=33°$

(2) $\angle x+25°+30°=90°$ $\therefore \angle x=35°$

(3) $\angle x=2\angle A=2\times52°=104°$

(4) △OBC에서 $\overline{OB}=\overline{OC}$이므로
$\angle BOC=180°-(25°+25°)=130°$
$\therefore \angle x=\dfrac{1}{2}\angle BOC=\dfrac{1}{2}\times130°=65°$

6 (1) $\angle IBC=\angle IBA=20°$, $\angle ICB=\angle ICA=x°$
△IBC에서 $130°+20°+x°=180°$
$\therefore x=30$

(2) $\overline{IE}=\overline{ID}=2\ cm$이므로 $x=2$

7 승희 : 삼각형의 내심에서 세 꼭짓점에 이르는 거리가 모
두 같은지는 알 수 없다.

수연 : $\overline{IB}=\overline{IC}$인지 알 수 없으므로 $\angle IBC=\angle ICB$인지
알 수 없다.

태한 : △IAD≡△IAF, △IBD≡△IBE,
△ICE≡△ICF이므로
$\overline{AD}=\overline{AF}$, $\overline{BD}=\overline{BE}$, $\overline{CE}=\overline{CF}$

따라서 옳은 말을 한 학생은 태한, 예준이다.

8 (1) $\angle x+15°+40°=90°$ $\therefore \angle x=35°$

(2) $\angle x=90°+\dfrac{1}{2}\angle A=90°+\dfrac{1}{2}\times46°=113°$

9 $\overline{AF}=\overline{AD}=5\ cm$이므로
$\overline{BE}=\overline{BD}=\overline{AB}-\overline{AD}=12-5=7\ (cm)$
$\overline{CE}=\overline{CF}=\overline{AC}-\overline{AF}=10-5=5\ (cm)$
따라서 $\overline{BC}=\overline{BE}+\overline{CE}=7+5=12\ (cm)$이므로
$x=12$

10 $\triangle ABC=\dfrac{1}{2}\times2\times(6+10+8)$
$=\dfrac{1}{2}\times2\times24=24\ (cm^2)$

교과서 **기출 베스트 ①**회 | 22쪽~23쪽

1 희철, 은아	**2** 12 cm	**3** 31°	**4** 110°
5 ㉠, ㉣, ㉤	**6** (1) 30° (2) 126°		**7** 20 cm
8 4 cm			

1 희철 : 삼각형의 외심에서 세 꼭짓점에 이르는 거리는 모
두 같으므로 $\overline{OA}=\overline{OB}=\overline{OC}$
은아 : △OAB에서 $\overline{OA}=\overline{OB}$이므로
∠OAD=∠OBD
따라서 옳은 말을 한 학생은 희철, 은아이다.

2 점 O가 △ABC의 외심이므로 $\overline{OA}=\overline{OB}=\overline{OC}$
△OAB에서 $\overline{OA}=\overline{OB}$이므로 ∠OAB=∠B=30°
∴ ∠OAC=90°−∠OAB=90°−30°=60°
∠AOC=30°+30°=60°
△AOC에서 ∠OAC=∠AOC이므로
$\overline{OC}=\overline{AC}=6$ cm
∴ $\overline{BC}=2\overline{OC}=2\times6=12$ (cm)

3 34°+∠x+25°=90° ∴ ∠x=31°

4 ∠OBA=∠OAB=20°이므로
∠ABC=20°+35°=55°
∴ ∠x=2∠ABC=2×55°=110°

5 ㉠ △IAD≡△IAF (RHA 합동)이므로
$\overline{AD}=\overline{AF}$
㉣ 삼각형의 내심에서 세 변에 이르는 거리는 모두 같으
므로 $\overline{ID}=\overline{IE}=\overline{IF}$
㉤ $\overline{IC}$는 ∠ACB의 이등분선이므로
∠ICE=∠ICF
㉡, ㉢, ㉥ 알 수 없다.
따라서 옳은 것은 ㉠, ㉣, ㉤이다.

6 (1) $\angle IAC=\frac{1}{2}\angle BAC=\frac{1}{2}\times70°=35°$이므로
35°+∠x+25°=90° ∴ ∠x=30°
(2) ∠BAC=2∠IAB=2×36°=72°이므로
$\angle x=90°+\frac{1}{2}\angle BAC=90°+\frac{1}{2}\times72°=126°$

7 $\overline{BE}=\overline{BD}=4$ cm
$\overline{CF}=\overline{CE}=3$ cm이므로
$\overline{AD}=\overline{AF}=\overline{AC}-\overline{CF}=6-3=3$ (cm)
∴ $\overline{AB}=\overline{AD}+\overline{BD}=3+4=7$ (cm)
$\overline{BC}=\overline{BE}+\overline{CE}=4+3=7$ (cm)
따라서 △ABC의 둘레의 길이는
$\overline{AB}+\overline{BC}+\overline{CA}=7+7+6=20$ (cm)

8 내접원 I의 반지름의 길이를 r cm라 하면
△ABC의 넓이가 84 cm²이므로
$\frac{1}{2}\times r\times(13+15+14)=84$
21r=84 ∴ r=4
따라서 내접원 I의 반지름의 길이는 4 cm이다.

교과서 **기출 베스트 ②**회 | 24쪽~25쪽

1 3개	**2** ④	**3** 22°	**4** 130°
5 ②, ⑤	**6** ①	**7** 2 cm	
8 (1) 3 cm (2) 9π cm²			

1 점 O는 △ABC의 세 변의 수직이등분선의 교점이므로
△ABC의 외심이다.
㉠ 삼각형의 외심에서 세 꼭짓점에 이르는 거리는 모두
같으므로 $\overline{OA}=\overline{OB}=\overline{OC}$
㉢ △OAB에서 $\overline{OA}=\overline{OB}$이므로 ∠OAD=∠OBD
㉣ △OBE≡△OCE (RHS 합동)이므로
△OBE=△OCE
㉡, ㉤ 알 수 없다.
따라서 옳은 것은 ㉠, ㉢, ㉣의 3개이다.

2 점 O가 직각삼각형 ABC의 외심이므로 $\overline{AC}$는 △ABC 의 외접원의 지름이다.

따라서 △ABC의 외접원의 둘레의 길이는

$\pi \times \overline{AC} = \pi \times 13 = 13\pi$ (cm)

3 $40° + \angle x + 28° = 90°$ ∴ $\angle x = 22°$

4 오른쪽 그림과 같이 $\overline{OC}$를 그으면

$\angle OCB = \angle OBC = 28°$

$\angle OCA = \angle OAC = 37°$

따라서 $\angle ACB = 28° + 37° = 65°$

이므로

$\angle AOB = 2\angle ACB$

$\qquad = 2 \times 65° = 130°$

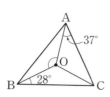

5 ② △ICE ≡ △ICF (RHA 합동)이므로

△ICE = △ICF

⑤ 삼각형의 내심에서 세 변에 이르는 거리는 모두 같으 므로 $\overline{ID} = \overline{IE} = \overline{IF}$

①, ③, ④ 알 수 없다.

따라서 옳은 것은 ②, ⑤이다.

6 ⑺ 오른쪽 그림과 같이 $\overline{IA}$를 그으면

$\angle IAB = \frac{1}{2}\angle BAC$

$\qquad = \frac{1}{2} \times 50° = 25°$

따라서 $25° + 40° + \angle x = 90°$이므로 $\angle x = 25°$

⑻ $\angle ACB = 2\angle x$이고

$\angle AIB = 90° + \frac{1}{2}\angle ACB$이므로

$116° = 90° + \angle x$ ∴ $\angle x = 26°$

7 $\overline{AF} = x$ cm라 하면

$\overline{AD} = \overline{AF} = x$ cm이므로

$\overline{BE} = \overline{BD} = (5-x)$ cm

$\overline{CE} = \overline{CF} = (6-x)$ cm

이때 $\overline{BC} = \overline{BE} + \overline{CE}$이므로

$7 = (5-x) + (6-x)$

$7 = 11 - 2x$, $2x = 4$ ∴ $x = 2$

따라서 $\overline{AF}$의 길이는 2 cm이다.

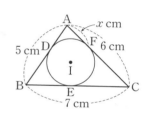

8 ⑴ 다음 그림과 같이 $\overline{ID}$, $\overline{IE}$, $\overline{IF}$를 긋고, 내접원 I의 반 지름의 길이를 r cm라 하자.

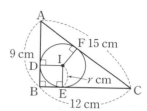

사각형 DBEI가 정사각형이므로

$\overline{BD} = \overline{BE} = r$ cm

∴ $\overline{AF} = \overline{AD} = (9-r)$ cm

$\overline{CF} = \overline{CE} = (12-r)$ cm

이때 $\overline{AC} = \overline{AF} + \overline{CF}$이므로

$15 = (9-r) + (12-r)$

$15 = 21 - 2r$, $2r = 6$ ∴ $r = 3$

따라서 내접원 I의 반지름의 길이는 3 cm이다.

⑵ 내접원 I의 반지름의 길이가 3 cm이므로 그 넓이는

$\pi \times 3^2 = 9\pi$ (cm²)

다른 풀이

⑴ 내접원의 반지름의 길이를 r cm라 하면

$\triangle ABC = \frac{1}{2}r(\overline{AB} + \overline{BC} + \overline{CA})$이므로

$\frac{1}{2} \times 12 \times 9 = \frac{1}{2} \times r \times (9 + 12 + 15)$

$18r = 54$ ∴ $r = 3$

따라서 내접원 I의 반지름의 길이는 3 cm이다.

✦3일 평행사변형

시험지 속 개념 문제 | 29쪽, 31쪽

1 (1) $27°$ (2) $80°$ (3) $70°$

2 지수 : $\overline{DC}$, $\overline{BC}$, 주환 : $\angle BCD$, $\angle ABC$, 현우 : $\overline{OA}$, $\overline{OD}$

3 (1) $x=8$, $y=6$ (2) $x=3$, $y=60$

   (3) $x=12$, $y=8$ (4) $x=65$, $y=115$

4 (1) $100°$ (2) $75°$

5 ①

6 ㉠ - 수현, ㉡ - 정우, ㉢ - 다은, ㉣ - 채아

7 7 cm

8 6 cm²

9 60 cm²

---

1 (1) $\overline{AD} /\!/ \overline{BC}$이므로 $\angle x=\angle ADB=27°$ (엇각)

   (2) $\overline{AB} /\!/ \overline{CD}$이므로 $\angle ACD=\angle BAC=75°$ (엇각)

   △OCD에서

   $\angle x=180°-(75°+25°)=80°$

   (3) $\overline{AD} /\!/ \overline{BC}$이므로 $\angle DAC=\angle ACB=40°$ (엇각)

   △AOD에서

   $\angle x=\angle DAO+\angle ODA=40°+30°=70°$

3 (1) $\overline{BC}=\overline{AD}=8$ cm이므로 $x=8$

   $\overline{DC}=\overline{AB}=6$ cm이므로 $y=6$

   (2) $\overline{DC}=\overline{AB}=3$ cm이므로 $x=3$

   $\angle D=\angle B=60°$이므로 $y=60$

   (3) $\overline{OB}=\overline{OD}=12$ cm이므로 $x=12$

   $\overline{OC}=\overline{OA}=8$ cm이므로 $y=8$

   (4) $\angle A+\angle B=180°$이므로

   $115°+x°=180°$ ∴ $x=65$

   $\angle C=\angle A=115°$이므로 $y=115$

4 (1) △ABD에서

   $\angle A=180°-(50°+30°)=100°$

   ∴ $\angle x=\angle A=100°$

   (2) $\angle C+\angle D=180°$이므로 $100°+\angle D=180°$

   ∴ $\angle D=80°$

   △AED에서

   $\angle x=180°-(25°+80°)=75°$

5 ① 두 쌍의 대변이 각각 평행해야 평행사변형이 된다.

6 ㉠ $\overline{AD} /\!/ \overline{BC}$, $\overline{AD}=\overline{BC}$

   즉 한 쌍의 대변이 평행하고, 그 길이가 같으므로 □ABCD는 평행사변형이다. ➡ 수현

   ㉡ $\overline{AB}=\overline{DC}$, $\overline{AD}=\overline{BC}$

   즉 두 쌍의 대변의 길이가 각각 같으므로 □ABCD는 평행사변형이다. ➡ 정우

   ㉢ $\overline{OA}=\overline{OC}$, $\overline{OB}=\overline{OD}$

   즉 두 대각선이 서로 다른 것을 이등분하므로 □ABCD는 평행사변형이다. ➡ 다은

   ㉣ $\angle C=360°-(60°+120°+120°)=60°$이므로

   $\angle A=\angle C$, $\angle B=\angle D$

   즉 두 쌍의 대각의 크기가 각각 같으므로 □ABCD는 평행사변형이다. ➡ 채아

7 □ABCD에서 $\overline{AD} /\!/ \overline{BC}$이고 $\overline{AD}=\overline{BC}$이면 평행사변형이 된다.

   ∴ $\overline{BC}=\overline{AD}=7$ cm

8 $\triangle BCD=\dfrac{1}{2}\square ABCD=\dfrac{1}{2}\times12=6$ (cm²)

9 $\square ABCD=4\triangle OAB=4\times15=60$ (cm²)

1 $80°$	**2** ④	**3** $100°$	**4** $19\ cm$
5 10	**6** $50°$	**7** ③	**8** $15\ cm^2$

1 $\overline{AB}/\!/\overline{DC}$이므로 $\angle BDC=\angle ABD=35°$ (엇각)

$\overline{AD}/\!/\overline{BC}$이므로 $\angle DBC=\angle ADB=\angle y$ (엇각)

$\triangle BCD$에서 $\angle y+(\angle x+65°)+35°=180°$이므로

$\angle x+\angle y+100°=180°$

$\therefore\ \angle x+\angle y=80°$

2 $\overline{AB}=\overline{DC}$이므로 $x+4=4x-2$

$3x=6$ $\therefore\ x=2$

$\overline{AD}=\overline{BC}$이므로 $y+1=3y-5$

$2y=6$ $\therefore\ y=3$

$\therefore\ x+y=2+3=5$

3 $\angle A+\angle B=180°$이고 $\angle A:\angle B=5:4$이므로

$\angle A=180°\times\dfrac{5}{5+4}=180°\times\dfrac{5}{9}=100°$

$\therefore\ \angle C=\angle A=100°$

4 평행사변형의 두 대각선은 서로 다른 것을 이등분하므로

$\overline{OC}=\dfrac{1}{2}\overline{AC}=\dfrac{1}{2}\times10=5\ (cm)$

$\overline{OD}=\dfrac{1}{2}\overline{BD}=\dfrac{1}{2}\times12=6\ (cm)$

평행사변형의 두 쌍의 대변의 길이는 각각 같으므로

$\overline{CD}=\overline{AB}=8\ cm$

따라서 $\triangle OCD$의 둘레의 길이는

$\overline{OC}+\overline{CD}+\overline{OD}=5+8+6=19\ (cm)$

5 $\overline{AD}/\!/\overline{BC}$이므로 $\angle AEB=\angle DAE$ (엇각)이고

$\angle BAE=\angle DAE$이므로 $\angle AEB=\angle BAE$

$\therefore\ \overline{BE}=\overline{BA}=4\ cm$

이때 $\overline{BC}=\overline{AD}=7\ cm$이므로

$\overline{CE}=\overline{BC}-\overline{BE}=7-4=3\ (cm)$

$\therefore\ x=3$

또 $\overline{AB}/\!/\overline{DC}$이므로 $\angle AFD=\angle BAF$ (엇각)이고

$\angle DAF=\angle BAF$이므로 $\angle AFD=\angle DAF$

따라서 $\overline{DF}=\overline{AD}=7\ cm$이므로 $y=7$

$\therefore\ x+y=3+7=10$

6 $\angle ABC=\angle D=80°$이므로

$\angle FBC=\dfrac{1}{2}\angle ABC=\dfrac{1}{2}\times80°=40°$

$\triangle BCF$에서 $\angle BCF=180°-(90°+40°)=50°$

이때 $\angle BCD+\angle D=180°$이므로

$\angle BCD+80°=180°$ $\therefore\ \angle BCD=100°$

$\therefore\ \angle DCF=\angle BCD-\angle BCF$

$=100°-50°=50°$

7 ① $\overline{AB}=\overline{DC}$, $\overline{AD}=\overline{BC}$, 즉 두 쌍의 대변의 길이가 각각 같으므로 $\square ABCD$는 평행사변형이다.

② $\overline{OA}=\overline{OC}$, $\overline{OB}=\overline{OD}$, 즉 두 대각선이 서로 다른 것을 이등분하므로 $\square ABCD$는 평행사변형이다.

③ 오른쪽 그림과 같은 $\square ABCD$는 $\overline{AB}/\!/\overline{DC}$, $\overline{AB}=4$, $\overline{BC}=4$이지만 평행사변형이 아니다.

④ $\angle D=360°-(135°+45°+135°)=45°$

$\therefore\ \angle A=\angle C$, $\angle B=\angle D$

즉 두 쌍의 대각의 크기가 각각 같으므로 $\square ABCD$는 평행사변형이다.

⑤ $\overline{AD}/\!/\overline{BC}$이고 $\overline{AD}=\overline{BC}$, 즉 한 쌍의 대변이 평행하고 그 길이가 같으므로 $\square ABCD$는 평행사변형이다.

따라서 평행사변형이 아닌 것은 ③이다.

8 $\triangle PAB+\triangle PCD=\triangle PDA+\triangle PBC$이므로

$\triangle PAB+9=8+16$

$\therefore\ \triangle PAB=15\ (cm^2)$

교과서 **기출 베스트 ②회** | 34쪽~35쪽

1 ⑤	2 11 cm	3 105°	4 20 cm
5 ⑤	6 ④	7 가은	8 ③

1 $\overline{AB}/\!/\overline{DC}$이므로 ∠ACD=∠BAC=52° (엇각)

△OCD에서

∠BOC=∠OCD+∠CDO=52°+43°=95°

∴ x=95

$\overline{DC}=\overline{AB}$=12 cm이므로 y=12

2 $\overline{AD}=\overline{BC}$이므로 $2x+1=3x-7$ ∴ x=8

$\overline{DC}=\overline{AB}$=$2x-5$=$2\times8-5$=11 (cm)

3 ∠B+∠C=180°이고 ∠B : ∠C=5 : 7이므로

∠C=$180°\times\dfrac{7}{5+7}$=$180°\times\dfrac{7}{12}$=105°

∴ ∠A=∠C=105°

4 $\overline{OA}=\dfrac{1}{2}\overline{AC}=\dfrac{1}{2}\times10$=5 (cm)

$\overline{OB}=\dfrac{1}{2}\overline{BD}=\dfrac{1}{2}\times14$=7 (cm)

또 $\overline{AB}=\overline{DC}$=8 cm

따라서 △OAB의 둘레의 길이는

$\overline{OA}+\overline{AB}+\overline{OB}$=5+8+7=20 (cm)

5 $\overline{AD}/\!/\overline{BC}$이므로 ∠DEC=∠BCE (엇각)이고

∠BCE=∠DCE이므로 ∠DEC=∠DCE

∴ $\overline{DE}=\overline{DC}$=6 cm

이때 $\overline{AD}=\overline{BC}$=10 cm이므로

$\overline{AE}=\overline{AD}-\overline{DE}$=10-6=4 (cm)

또 $\overline{FB}/\!/\overline{DC}$이므로 ∠AFE=∠DCE (엇각)이고

∠AEF=∠DEC (맞꼭지각)이므로 ∠AFE=∠AEF

∴ $\overline{AF}=\overline{AE}$=4 cm

∴ $\overline{AF}+\overline{AE}$=4+4=8 (cm)

6 ∠ABC+∠BCD=180°이고

∠GBC=$\dfrac{1}{2}$∠ABC, ∠GCB=$\dfrac{1}{2}$∠BCD이므로

∠GBC+∠GCB=$\dfrac{1}{2}$(∠ABC+∠BCD)

=$\dfrac{1}{2}\times180°$=90°

∴ ∠FGE=∠BGC=180°-(∠GBC+∠GCB)

=180°-90°=90°

따라서 △EFG에서

∠x=∠EFG+∠FGE=60°+90°=150°

7 지운 : ∠DAC=∠ACB (엇각)이므로 $\overline{AD}/\!/\overline{BC}$이고
$\overline{AD}=\overline{BC}$, 즉 한 쌍의 대변이 평행하고 그 길이가
같으므로 □ABCD는 평행사변형이다.

윤희 : $\overline{AB}=\overline{DC}$, $\overline{AD}=\overline{BC}$, 즉 두 쌍의 대변의 길이가
각각 같으므로 □ABCD는 평행사변형이다.

수빈 : $\overline{OA}=\overline{OC}$, $\overline{OB}=\overline{OD}$, 즉 두 대각선이 서로 다른
것을 이등분하므로 □ABCD는 평행사변형이다.

한주 : ∠D=360°-(110°+70°+110°)=70°
∴ ∠A=∠C, ∠B=∠D
즉 두 쌍의 대각의 크기가 각각 같으므로
□ABCD는 평행사변형이다.

가은 : ∠ABD=∠CDB (엇각)이므로 $\overline{AB}/\!/\overline{DC}$이지
만 $\overline{AB}=\overline{DC}$인지는 알 수 없다. 즉 □ABCD는
평행사변형이라 할 수 없다.

따라서 □ABCD가 평행사변형이 아닌 것을 들고 있는
학생은 가은이다.

8 △PAB+△PCD=△PDA+△PBC=$\dfrac{1}{2}$□ABCD

이므로

□ABCD=2(△PAB+△PCD)

=2×50=100 (cm²)

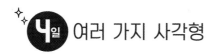

여러 가지 사각형

| 39쪽, 41쪽

시험지 속 개념 문제

1 (1) $x=26$, $y=52$ (2) $x=12$, $y=6$
2 (1) $x=5$, $y=8$ (2) $x=30$, $y=60$
3 (1) $x=8$, $y=90$ (2) $x=6$, $y=45$
4 (1) ㉠, ㉢, ㉣, ㉮   (2) ㉠, ㉡, ㉣, ㉤
    (3) ㉠, ㉡, ㉢, ㉣, ㉤, ㉮
5 (1) $x=12$, $y=100$ (2) $x=35$, $y=105$
6 호영 : 변, 다희 : 직각
7 ②
8 (1) × (2) × (3) ○ (4) ○

1 (1) $\overline{AD} /\!/ \overline{BC}$이므로 $\angle ACB = \angle DAC = 26°$ (엇각)
    △OBC에서 $\overline{OB} = \overline{OC}$이므로
    $\angle OBC = \angle OCB = 26°$ ∴ $x=26$
    또 △OBC에서
    $\angle DOC = \angle OBC + \angle OCB = 26° + 26° = 52°$
    ∴ $y=52$
  (2) $\overline{AC} = \overline{BD} = 12$ cm이므로 $x=12$
    $\overline{OB} = \dfrac{1}{2}\overline{BD} = \dfrac{1}{2} \times 12 = 6$ (cm)이므로 $y=6$

2 (1) $\overline{OC} = \overline{OA} = 5$ cm이므로 $x=5$
    $\overline{OB} = \overline{OD} = 8$ cm이므로 $y=8$
  (2) △ABD에서 $\overline{AB} = \overline{AD}$이므로
    $\angle ABD = \angle ADB = 30°$ ∴ $x=30$
    $\overline{AD} /\!/ \overline{BC}$이므로 $\angle CBD = \angle ADB = 30°$ (엇각)
    $\angle BOC = 90°$이므로 △BOC에서
    $\angle BCO = 180° - (30° + 90°) = 60°$
    ∴ $y=60$

3 (1) $\overline{AC} = 2\overline{OA} = 2 \times 4 = 8$ (cm)
    $\overline{BD} = \overline{AC} = 8$ cm   ∴ $x=8$
    $\overline{AC} \perp \overline{BD}$이므로 $\angle AOD = 90°$ ∴ $y=90$

  (2) $\overline{OB} = \overline{OA} = 6$ cm이므로 $x=6$
    $\angle AOB = 90°$이고 $\overline{OA} = \overline{OB}$이므로 △ABO는 직각이등변삼각형이다.
    따라서 $\angle ABO = 45°$이므로 $y=45$

5 (1) $\overline{AC} = \overline{BD} = 12$ cm이므로 $x=12$
    $\overline{AD} /\!/ \overline{BC}$이므로 $\angle ADC + \angle BCD = 180°$
    이때 $\angle BCD = \angle ABC = 80°$이므로
    $\angle ADC + 80° = 180°$
    ∴ $\angle ADC = 100°$, 즉 $y=100$
  (2) $\overline{AD} /\!/ \overline{BC}$이므로 $\angle ACB = \angle DAC = 40°$ (엇각)
    $\angle BCD = \angle B = 75°$이므로
    $\angle ACD = 75° - 40° = 35°$ ∴ $x=35$
    △ACD에서
    $\angle ADC = 180° - (40° + 35°) = 105°$ ∴ $y=105$

7 ㈎ 한 내각이 직각이거나 대각선의 길이가 같아야 하므로
    $\angle BAD = 90°$ 또는 $\overline{AC} = \overline{BD}$
  ㈏ 이웃하는 두 변의 길이가 같거나 두 대각선이 서로 수직이어야 하므로
    $\overline{AB} = \overline{BC}$ 또는 $\overline{AC} \perp \overline{BD}$
  따라서 ㈎, ㈏의 조건으로 옳은 것은 ②이다.

8 (1) 마름모는 네 내각의 크기가 모두 같지 않으므로 직사각형이 아니다.
  (2) 한 쌍의 대변이 평행한 사각형은 사다리꼴이다.

교과서 기출 베스트 ① | 42쪽~43쪽

1 $x=4$, $y=55$ **2** 57
3 (1) △AEB (2) 25° (3) 25°   **4** ①, ③
5 ④   **6** ④   **7** 50 cm²   **8** 36 cm²

1 $\overline{BD}=\overline{AC}=8$ cm이므로

$\overline{OD}=\dfrac{1}{2}\overline{BD}=\dfrac{1}{2}\times 8=4$ (cm)

∴ $x=4$

$\overline{AB}/\!/\overline{DC}$이므로 ∠ODC=∠OBA=55° (엇각)

△OCD에서 $\overline{OC}=\overline{OD}$이므로

∠OCD=∠ODC=55° ∴ $y=55$

2 $\overline{OB}=\overline{OD}=4$ cm이므로 $x=4$

△BCD에서 $\overline{BC}=\overline{CD}$이므로

∠CDB=∠CBD=37°

이때 ∠COD=90°이므로 △OCD에서

∠OCD=180°−(90°+37°)=53°

∴ $y=53$

∴ $x+y=4+53=57$

3 (1) △AED와 △AEB에서

　　 $\overline{AD}=\overline{AB}$,

　　 ∠DAE=∠BAE=45°,

　　 $\overline{AE}$는 공통

　　　 ∴ △AED≡△AEB

　　　　 (SAS 합동)

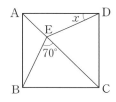

(2) △ABE에서 ∠ABE+∠BAE=∠BEC이므로

　　 ∠ABE+45°=70°　 ∴ ∠ABE=25°

(3) △AED≡△AEB이므로 ∠ADE=∠ABE

　　 ∴ ∠x=25°

4 ①, ③ 평행사변형이 직사각형이 되기 위한 조건이다.

　 ②, ④ 평행사변형이 마름모가 되기 위한 조건이다.

　 ⑤ $\overline{AB}/\!/\overline{DC}$이므로 ∠CDB=∠ABD (엇각)

　　 이때 ∠ABD=∠CBD이므로 ∠CDB=∠CBD

　　 ∴ $\overline{BC}=\overline{CD}$

　　 따라서 평행사변형이 마름모가 되기 위한 조건이다.

5 $\overline{AD}/\!/\overline{BC}$이므로 ∠ADB=∠DBC=35° (엇각)

　 △ABD에서 $\overline{AB}=\overline{AD}$이므로

　 ∠ABD=∠ADB=35°

　 따라서 ∠ABC=35°+35°=70°이므로

　 ∠C=∠ABC=70°

　 △DBC에서

　 ∠BDC=180°−(35°+70°)=75°

6 ④ $\overline{AB}=\overline{BC}$ 또는 $\overline{AC}\perp\overline{BD}$이어야 한다.

7 $\overline{AD}/\!/\overline{BC}$이므로 △DBC=△ABC=80 cm²

　 ∴ △OBC=△DBC−△DOC

　　　　　 =80−30=50 (cm²)

8 $\overline{AC}/\!/\overline{DE}$이므로 △ACD=△ACE

　 ∴ □ABCD=△ABC+△ACD

　　　　　　 =△ABC+△ACE

　　　　　　 =△ABE

　　　　　　 =$\dfrac{1}{2}\times(6+6)\times 6=36$ (cm²)

교과서 기출 베스트 ②				44쪽~45쪽
1 22°	**2** 96 cm²	**3** ①		**4** ①
5 (1) 6 cm	(2) 5 cm	(3) 11 cm		**6** ④
7 ③	**8** ④			

1 △OBC에서 $\overline{OB}=\overline{OC}$이므로 ∠x=∠OCB=34°

　 △DBC에서 ∠BCD=90°이므로

　 ∠y=180°−(34°+90°)=56°

　 ∴ ∠y−∠x=56°−34°=22°

2 마름모의 두 대각선은 서로 다른 것을 수직이등분하므로

$\angle \text{AOB} = 90°$

즉 $\triangle \text{ABO}$는 직각삼각형이다.

$\therefore \square \text{ABCD} = 4\triangle \text{ABO} = 4 \times \left(\dfrac{1}{2} \times 8 \times 6\right) = 96 \ (\text{cm}^2)$

> **참고**
>
> $\overline{\text{OA}} = \overline{\text{OC}}, \overline{\text{OB}} = \overline{\text{OD}}$이고
>
> $\angle \text{AOB} = \angle \text{AOD} = \angle \text{COB} = \angle \text{COD} = 90°$이므로
>
> $\triangle \text{ABO} \equiv \triangle \text{ADO} \equiv \triangle \text{CBO} \equiv \triangle \text{CDO}$ (SAS 합동)
>
> $\therefore \triangle \text{ABO} = \triangle \text{ADO} = \triangle \text{CBO} = \triangle \text{CDO} = \dfrac{1}{4}\square \text{ABCD}$

3 $\triangle \text{ABE}$와 $\triangle \text{BCF}$에서

$\overline{\text{AB}} = \overline{\text{BC}}, \angle \text{B} = \angle \text{C} = 90°, \overline{\text{BE}} = \overline{\text{CF}}$이므로

$\triangle \text{ABE} \equiv \triangle \text{BCF}$ (SAS 합동)

$\therefore \angle \text{BAE} = \angle \text{CBF}$

$\triangle \text{ABG}$에서

$\angle \text{AGF} = \angle \text{BAE} + \angle \text{ABG}$

$\quad\quad\quad\ = \angle \text{CBF} + \angle \text{ABG}$

$\quad\quad\quad\ = \angle \text{ABC} = 90°$

4 평행사변형 ABCD에서 $\overline{\text{AC}} = \overline{\text{BD}}$이므로 두 대각선의 길이가 같고 $\overline{\text{AC}} \perp \overline{\text{BD}}$이므로 두 대각선이 서로 수직이다. 따라서 목격자들의 정보를 모두 만족하는 평행사변형 ABCD는 정사각형이다.

5 (1) $\overline{\text{AB}} /\!/ \overline{\text{DE}}, \overline{\text{AD}} /\!/ \overline{\text{BE}}$이므로 $\square \text{ABED}$는 평행사변형이다.

$\therefore \overline{\text{BE}} = \overline{\text{AD}} = 6 \ \text{cm}$

(2) $\angle \text{A} + \angle \text{B} = 180°$에서 $\angle \text{B} = 180° - 120° = 60°$이고 $\square \text{ABCD}$는 등변사다리꼴이므로 $\angle \text{C} = \angle \text{B} = 60°$ 이때 $\overline{\text{AB}} /\!/ \overline{\text{DE}}$이므로 $\angle \text{DEC} = \angle \text{B} = 60°$ (동위각) 따라서 $\triangle \text{DEC}$는 정삼각형이므로

$\overline{\text{EC}} = \overline{\text{DC}} = \overline{\text{AB}} = 5 \ \text{cm}$

(3) $\overline{\text{BC}} = \overline{\text{BE}} + \overline{\text{EC}} = 6 + 5 = 11 \ (\text{cm})$

6 수연 : 직사각형의 두 대각선은 길이가 같고 서로 다른 것을 이등분하지만 수직인지는 알 수 없다. 따라서 옳은 말을 한 학생은 승희, 태한, 예준이다.

7 $\overline{\text{AD}} /\!/ \overline{\text{BC}}$이므로 $\triangle \text{DBC} = \triangle \text{ABC} = 50 \ \text{cm}^2$

$\therefore \triangle \text{DOC} = \triangle \text{DBC} - \triangle \text{OBC}$

$\quad\quad\quad\quad = 50 - 35 = 15 \ (\text{cm}^2)$

8 오른쪽 그림과 같이 $\overline{\text{AD}}$를 그으면 $\overline{\text{AC}} /\!/ \overline{\text{ED}}$이므로

$\triangle \text{ACE} = \triangle \text{ACD}$

$\quad\quad\quad = \dfrac{1}{2} \times 8 \times 7$

$\quad\quad\quad = 28 \ (\text{cm}^2)$

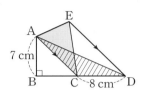

⑤일 도형의 닮음

시험지 속 개념 문제 | 49쪽, 51쪽

1 ③

2 (1) 점 F (2) $\overline{\text{GH}}$ (3) $\angle \text{D}$

3 (1) $3 : 5$ (2) $3 : 5$ (3) $9 : 25$

4 (1) $\overline{\text{D}'\text{E}'}$ (2) $2 : 3$ (3) $x = 4, y = 15$

5 (1) $1 : 2$ (2) $1 : 4$ (3) $1 : 8$

6 ㉠과 ㉢, ㉡과 ㉣

7 (1) $\triangle \text{ABC} \backsim \triangle \text{DEC}$ (SAS 닮음)

(2) $\triangle \text{ABC} \backsim \triangle \text{ADB}$ (SAS 닮음)

8 (1) $\triangle \text{ABC} \backsim \triangle \text{ACD}$ (AA 닮음)

(2) $\triangle \text{ABC} \backsim \triangle \text{AED}$ (AA 닮음)

9 (1) 3 (2) 6

1 다음의 경우에는 닮은 도형이 아니다.

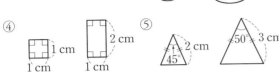

따라서 항상 닮은 도형인 것은 ③이다.

3 (1) □ABCD와 □EFGH의 닮음비는
$\overline{BC} : \overline{FG} = 9 : 15 = 3 : 5$

(2) □ABCD와 □EFGH의 둘레의 길이의 비는 닮음
비와 같으므로 3 : 5

(3) □ABCD와 □EFGH의 넓이의 비는 $3^2 : 5^2 = 9 : 25$

다른 풀이

(2) $\overline{CD} : \overline{GH} = \overline{BC} : \overline{FG}$이므로
$\overline{CD} : 10 = 9 : 15$ ∴ $\overline{CD} = 6$ (cm)
이때
(□ABCD의 둘레의 길이)$= 2 \times (9+6) = 30$ (cm)
(□EFGH의 둘레의 길이)$= 2 \times (15+10) = 50$ (cm)
따라서 □ABCD와 □EFGH의 둘레의 길이의 비는
$30 : 50 = 3 : 5$

4 (2) 두 삼각기둥의 닮음비는 $\overline{AB} : \overline{A'B'} = 2 : 3$

(3) $\overline{AC} : \overline{A'C'} = 2 : 3$에서 $x : 6 = 2 : 3$
$3x = 12$ ∴ $x = 4$
$\overline{CF} : \overline{C'F'} = 2 : 3$에서 $10 : y = 2 : 3$
$2y = 30$ ∴ $y = 15$

5 (1) 두 원뿔 A, B의 닮음비는 모선의 길이의 비와 같으므
로 $4 : 8 = 1 : 2$

(2) 두 원뿔 A, B의 겉넓이의 비는 $1^2 : 2^2 = 1 : 4$

(3) 두 원뿔 A, B의 부피의 비는 $1^3 : 2^3 = 1 : 8$

6 ㉠과 ㉢ : △ABC와 △GIH에서
∠A = ∠G = 75°,
$\overline{AB} : \overline{GI} = 6 : 9 = 2 : 3$,
$\overline{AC} : \overline{GH} = 4 : 6 = 2 : 3$
∴ △ABC ∽ △GIH (SAS 닮음)

㉡과 ㉣ : △DEF와 △JLK에서
∠D = $180° - (60° + 45°) = 75°$이므로
∠D = ∠J, ∠E = ∠L
∴ △DEF ∽ △JLK (AA 닮음)

7 (1) △ABC와 △DEC에서
$\overline{AC} : \overline{DC} = 4 : 8 = 1 : 2$,
$\overline{BC} : \overline{EC} = 6 : 12 = 1 : 2$,
∠ACB = ∠DCE (맞꼭지각)
∴ △ABC ∽ △DEC (SAS 닮음)

(2) △ABC와 △ADB에서
$\overline{AB} : \overline{AD} = 6 : 4 = 3 : 2$,
$\overline{AC} : \overline{AB} = 9 : 6 = 3 : 2$,
∠A는 공통
∴ △ABC ∽ △ADB (SAS 닮음)

8 (1) △ABC와 △ACD에서
∠A는 공통, ∠ABC = ∠ACD
∴ △ABC ∽ △ACD (AA 닮음)

(2) △ABC와 △AED에서
∠A는 공통, ∠BCA = ∠EDA
∴ △ABC ∽ △AED (AA 닮음)

9 (1) $\overline{AB}^2 = \overline{BH} \times \overline{BC}$이므로 $6^2 = x \times 12$
$12x = 36$ ∴ $x = 3$

(2) $\overline{AH}^2 = \overline{BH} \times \overline{CH}$이므로 $x^2 = 9 \times 4 = 36$
∴ $x = 6$ ($\because x > 0$)

1 ㉠, ㉢	**2** ㉢	**3** $768\pi \text{ cm}^3$

4 △ABC∽△DAC (SSS 닮음)

5 5	**6** $\dfrac{32}{5}$	**7** 25 : 9	**8** 9 cm

1 ㉠ $\overline{BC} : \overline{EF} = \overline{AC} : \overline{DF}$에서 $16 : 24 = \overline{AC} : 21$

　 $24\overline{AC} = 336$　　∴ $\overline{AC} = 14 \,(\text{cm})$

㉡ ∠A의 크기는 알 수 없다.

㉢ △ABC와 △DEF의 닮음비는

　 $\overline{BC} : \overline{EF} = 16 : 24 = 2 : 3$

따라서 옳은 것은 ㉠, ㉢이다.

2 ㉠ $\overline{FG} : \overline{F'G'} = \overline{DH} : \overline{D'H'}$에서 $6 : 12 = \overline{DH} : 6$

　 $12\overline{DH} = 36$　　∴ $\overline{DH} = 3 \,(\text{cm})$

㉡ $\overline{FG} : \overline{F'G'} = \overline{GH} : \overline{G'H'}$에서 $6 : 12 = 4 : \overline{G'H'}$

　 $6\overline{G'H'} = 48$　　∴ $\overline{G'H'} = 8 \,(\text{cm})$

㉢ 두 직육면체 ㈎, ㈏의 닮음비는

　 $\overline{FG} : \overline{F'G'} = 6 : 12 = 1 : 2$

따라서 옳지 않은 것은 ㉡이다.

3 두 원기둥 A, B의 닮음비는

(원기둥 A의 높이) : (원기둥 B의 높이) $= 9 : 12 = 3 : 4$

이때 원기둥 A의 부피는 $(\pi \times 6^2) \times 9 = 324\pi \,(\text{cm}^3)$

이고 두 원기둥 A, B의 부피의 비는 $3^3 : 4^3 = 27 : 64$이

므로 $324\pi :$ (원기둥 B의 부피) $= 27 : 64$

$27 \times$ (원기둥 B의 부피) $= 324\pi \times 64$

∴ (원기둥 B의 부피) $= 768\pi \,(\text{cm}^3)$

[참고]

닮은 두 입체도형에서 닮음비

① (두 구의 닮음비) = (반지름의 길이의 비)

② (두 원기둥의 닮음비) = (밑면인 원의 반지름의 길이의 비)

　　　　　　　　　　　= (높이의 비)

③ (두 원뿔의 닮음비) = (밑면인 원의 반지름의 길이의 비)

　　　　　　　　　　= (높이의 비)

　　　　　　　　　　= (모선의 길이의 비)

4 △ABC와 △DAC에서

$\overline{AB} : \overline{DA} = 4.5 : 3 = 3 : 2$,

$\overline{BC} : \overline{AC} = 9 : 6 = 3 : 2$,

$\overline{CA} : \overline{CD} = 6 : 4 = 3 : 2$

∴ △ABC∽△DAC (SSS 닮음)

5 △ABC와 △AED에서

$\overline{AB} : \overline{AE} = (3+5) : 4 = 2 : 1$,

$\overline{AC} : \overline{AD} = (4+2) : 3 = 2 : 1$,

∠A는 공통

∴ △ABC∽△AED (SAS 닮음)

따라서 $\overline{BC} : \overline{ED} = 2 : 1$이므로

$10 : x = 2 : 1$

$2x = 10$　　∴ $x = 5$

6 △ABC와 △DAC에서

∠C는 공통, ∠B = ∠DAC

∴ △ABC∽△DAC (AA 닮음)

따라서 $\overline{BC} : \overline{AC} = \overline{AC} : \overline{DC}$이므로

$10 : 8 = 8 : x$

$10x = 64$　　∴ $x = \dfrac{32}{5}$

7 △ABC와 △AED에서

∠A는 공통, ∠B = ∠AED

∴ △ABC∽△AED (AA 닮음)

△ABC와 △AED의 닮음비는 $\overline{AC} : \overline{AD} = 5 : 3$이므로

구하는 넓이의 비는

$5^2 : 3^2 = 25 : 9$

8 $\overline{AC}^2 = \overline{CH} \times \overline{CB}$이므로 $6^2 = 3 \times \overline{CB}$

$3\overline{CB} = 36$　　∴ $\overline{CB} = 12 \,(\text{cm})$

∴ $\overline{BH} = \overline{CB} - \overline{CH} = 12 - 3 = 9 \,(\text{cm})$

교과서 기출 베스트 2회 | 54쪽~55쪽

1 ③	2 ㉠, ㉣	3 ④	4 정아, 우성
5 ①	6 ②	7 ③	8 ③

1 ① $\overline{BC} : \overline{FG} = \overline{AD} : \overline{EH}$에서 $4 : 12 = \overline{AD} : 6$

$12\overline{AD} = 24$ ∴ $\overline{AD} = 2$ (cm)

② $\angle G = \angle C = 60°$

③ $\overline{AB}$에 대응하는 변은 $\overline{EF}$이다.

④ $\angle B$에 대응하는 각은 $\angle F$이다.

⑤ □ABCD와 □EFGH의 닮음비는

$\overline{BC} : \overline{FG} = 4 : 12 = 1 : 3$

따라서 옳지 않은 것은 ③이다.

2 ㉠ $\overline{BC} : \overline{B'C'} = \overline{AD} : \overline{A'D'}$에서 $4.5 : 6 = \overline{AD} : 12$

$6\overline{AD} = 54$ ∴ $\overline{AD} = 9$ (cm)

㉡ 두 사면체 ㉮, ㉯의 닮음비는

$\overline{BC} : \overline{B'C'} = 4.5 : 6 = 3 : 4$

㉢ ㉡에 의해 △ABC와 △A'B'C'의 닮음비는 $3 : 4$이

므로 넓이의 비는 $3^2 : 4^2 = 9 : 16$

즉 △ABC : $32 = 9 : 16$이므로

$16 △ABC = 288$ ∴ △ABC $= 18$ (cm²)

㉣ 두 사면체 ㉮, ㉯의 부피의 비는 $3^3 : 4^3 = 27 : 64$이므

로 54 : (사면체 ㉯의 부피) $= 27 : 64$

$27 ×$ (사면체 ㉯의 부피) $= 54 × 64$

∴ (사면체 ㉯의 부피) $= 128$ (cm³)

따라서 옳은 것은 ㉠, ㉣이다.

3 $\overline{AB} : \overline{DE} = 3 : 2$에서 $12 : \overline{DE} = 3 : 2$

$3\overline{DE} = 24$ ∴ $\overline{DE} = 8$ (cm)

이때 △DEF의 둘레의 길이는

$\overline{DE} + \overline{EF} + \overline{DF} = 8 + 10 + 12 = 30$ (cm)

△ABC와 △DEF의 둘레의 길이의 비는 $3 : 2$이므로

(△ABC의 둘레의 길이) : $30 = 3 : 2$

$2 ×$ (△ABC의 둘레의 길이) $= 90$

∴ (△ABC의 둘레의 길이) $= 45$ (cm)

4 정아 : $\angle A = 75°$이면 $\angle B = 180° - (75° + 65°) = 40°$

$\angle B = \angle F$, $\angle C = \angle E$

∴ △ABC∽△DFE (AA 닮음)

우성 : $\overline{AC} : \overline{DE} = \overline{BC} : \overline{FE} = 4 : 3$,

$\angle C = \angle E$

∴ △ABC∽△DFE (SAS 닮음)

5 △ABC와 △EBD에서

$\overline{AB} : \overline{EB} = (3 + 5) : 4 = 2 : 1$,

$\overline{BC} : \overline{BD} = (4 + 6) : 5 = 2 : 1$,

$\angle B$는 공통

∴ △ABC∽△EBD (SAS 닮음)

따라서 $\overline{AC} : \overline{ED} = 2 : 1$이므로 $6 : \overline{ED} = 2 : 1$

∴ $\overline{ED} = 3$ (cm)

6 △ABC와 △EDC에서

$\angle C$는 공통, $\angle A = \angle DEC$

∴ △ABC∽△EDC (AA 닮음)

따라서 $\overline{BC} : \overline{DC} = \overline{AC} : \overline{EC}$이므로

$(x + 3) : 4 = (2 + 4) : 3$

$3x + 9 = 24$, $3x = 15$ ∴ $x = 5$

7 △ABC와 △ADE에서

$\angle A$는 공통, $\angle B = \angle ADE$

∴ △ABC∽△ADE (AA 닮음)

△ABC와 △ADE의 닮음비는

$\overline{AB} : \overline{AD} = (6 + 6) : 8 = 3 : 2$이므로 넓이의 비는

$3^2 : 2^2 = 9 : 4$

따라서 45 : △ADE $= 9 : 4$이므로

$9 △ADE = 180$ ∴ △ADE $= 20$ (cm²)

8 $\overline{AH}^2 = \overline{BH} × \overline{CH}$이므로 $6^2 = 4 × \overline{CH}$

$4\overline{CH} = 36$ ∴ $\overline{CH} = 9$ (cm)

따라서 $\overline{BC} = \overline{BH} + \overline{CH} = 4 + 9 = 13$ (cm)이므로

△ABC $= \frac{1}{2} × \overline{BC} × \overline{AH} = \frac{1}{2} × 13 × 6 = 39$ (cm²)

누구나 100점 테스트 1회 | 56쪽~57쪽

---

1 (1) 62° (2) 90° (3) 12 cm   **2** ③

3 8

4 경민과 민지 – SAS 합동, 보라와 다미 – RHS 합동,
    정원과 현석 – RHA 합동

5 ③   **6** ④   **7** 5   **8** ①

9 ②   **10** 6 cm

---

1 (1) $\angle B = \angle C = \dfrac{1}{2} \times (180° - 56°) = 62°$

(2) $\overline{AD} \perp \overline{BC}$이므로 $\angle ADC = 90°$

(3) $\overline{BD} = \overline{CD}$이므로 $\overline{BC} = 2\overline{BD} = 2 \times 6 = 12\ (cm)$

2 $\triangle ABD$에서 $\overline{BD} = \overline{AD}$이므로

$\angle x = \dfrac{1}{2} \times (180° - 100°) = 40°$

이때 $\angle ADC = 180° - 100° = 80°$

$\triangle ADC$에서 $\overline{AD} = \overline{AC}$이므로

$\angle y = 180° - 2 \times 80° = 20°$

$\therefore \angle x + \angle y = 40° + 20° = 60°$

3 $\angle B = \angle C$이므로 $\triangle ABC$는 $\overline{AB} = \overline{AC} = 8\ cm$인 이등
변삼각형이다.

$\therefore x = 8$

4 (i) 경민과 민지

대응하는 두 변의 길이가 각각 같고 그 끼인각의 크
기가 같으므로 두 삼각형은 SAS 합동이다.

(ii) 보라와 다미

빗변의 길이와 다른 한 변의 길이가 각각 같으므로
두 직각삼각형은 RHS 합동이다.

(iii) 정원과 현석

정원이의 삼각형에서 나머지 한 내각의 크기는
$180° - (90° + 50°) = 40°$
즉 빗변의 길이와 한 예각의 크기가 각각 같으므로
두 직각삼각형은 RHA 합동이다.

5 $\triangle AED \equiv \triangle ACD$ (RHS 합동)이므로

$\angle ADC = \angle ADE = 180° - (90° + 20°) = 70°$

$\therefore \angle BDE = 180° - (70° + 70°) = 40°$

6 $\triangle OCA$에서 $\overline{OA} = \overline{OC}$이므로

$\angle OAC = \angle OCA = 35°$

$\therefore \angle BAC = \angle OAB + \angle OAC = 30° + 35° = 65°$

$\therefore \angle BOC = 2\angle BAC = 2 \times 65° = 130°$

7 점 O가 직각삼각형 ABC의 빗변의 중점이므로 외심이다.

따라서 $\overline{OA} = \overline{OB} = \overline{OC} = 5\ cm$이므로 $x = 5$

8 ② 둔각삼각형의 외심은 삼각형의 외부에 있다.

③ 외심에서 세 꼭짓점에 이르는 거리는 모두 같다.

④ 내심에서 세 변에 이르는 거리는 모두 같다.

⑤ 외심은 세 변의 수직이등분선의 교점이다.

따라서 옳은 것은 ①이다.

9 $\angle IAB + \angle IBC + \angle ICA = 90°$이므로

$33° + 27° + \angle x = 90°$ $\therefore \angle x = 30°$

10 $\overline{AD} = \overline{AF} = 2\ cm$, $\overline{BD} = \overline{BE} = 4\ cm$이므로

$\overline{AB} = \overline{AD} + \overline{BD} = 2 + 4 = 6\ (cm)$

누구나 100점 테스트 ❷회 | 58쪽~59쪽

1 119	**2** 4 cm	**3** ②	**4** 6 cm
5 ④	**6** ⑤	**7** ⑤	**8** 108 cm³
9 ②	**10** ③		

1 $\overline{DC} = \overline{AB} = 4$ cm이므로 $x = 4$

$65° + \angle C = 180°$이므로 $\angle C = 115°$ ∴ $y = 115$

∴ $x + y = 4 + 115 = 119$

2 $\overline{AB} /\!/ \overline{DF}$이므로 $\angle BAE = \angle DFA$ (엇각)

이때 $\angle BAE = \angle DAE$이므로 $\angle DAE = \angle DFA$

따라서 △DAF에서 $\overline{DF} = \overline{AD} = 9$ cm이므로

$\overline{CF} = \overline{DF} - \overline{DC} = 9 - 5 = 4$ (cm)

3 ① 두 대각선이 서로 다른 것을 이등분하므로 □ABCD는 평행사변형이다.

② 오른쪽 그림과 같은 □ABCD는 $\overline{AB} = \overline{DC}$, $\overline{AD} /\!/ \overline{BC}$이지만 평행사변형은 아니다.

③ 두 쌍의 대변이 각각 평행하므로 □ABCD는 평행사변형이다.

④ 두 쌍의 대변의 길이가 각각 같으므로 □ABCD는 평행사변형이다.

⑤ 두 쌍의 대각의 크기가 각각 같으므로 □ABCD는 평행사변형이다.

따라서 평행사변형이 될 수 없는 것은 ②이다.

4 $\overline{BD} = \overline{AC} = 12$ cm이고 $\overline{OB} = \overline{OD}$이므로

$\overline{OB} = \dfrac{1}{2}\overline{BD} = \dfrac{1}{2} \times 12 = 6$ (cm)

5 △BCD에서 $\overline{BC} = \overline{CD}$이므로 $\angle DBC = \angle BDC = 24°$

따라서 $\angle C = 180° - (24° + 24°) = 132°$이므로

$\angle A = \angle C = 132°$

6 ⑤ 평행사변형에서 이웃하는 두 내각의 크기의 합은 180°이다. 이때 이웃하는 두 내각의 크기가 같으면 한 내각의 크기가 90°이므로 직사각형이 된다.

7 ① $\overline{AC}$에 대응하는 변은 $\overline{DF}$이다.

② $\angle A$에 대응하는 각은 $\angle D$이다.

③ $\angle E$의 크기는 알 수 없다.

④ $\overline{AB} : \overline{DF}$는 알 수 없다.

⑤ $\overline{AB} : \overline{DE} = \overline{BC} : \overline{EF}$이므로

$4 : 2 = 6 : \overline{EF}$ ∴ $\overline{EF} = 3$ (cm)

따라서 옳은 것은 ⑤이다.

8 두 직육면체 모양의 선물 상자 ㈎, ㈏의 닮음비는

$\overline{DH} : \overline{D'H'} = 2 : 6 = 1 : 3$

이므로 부피의 비는 $1^3 : 3^3 = 1 : 27$

따라서 $4 :$ (선물 상자 ㈏의 부피)$= 1 : 27$이므로

(선물 상자 ㈏의 부피)$= 4 \times 27 = 108$ (cm³)

9 △ABC와 △EDC에서

$\angle C$는 공통, $\angle B = \angle EDC$

∴ △ABC ∽ △EDC (AA 닮음)

따라서 $\overline{BC} : \overline{DC} = \overline{AC} : \overline{EC}$이므로

$(x + 5) : 6 = (4 + 6) : 5$

$5x + 25 = 60, 5x = 35$ ∴ $x = 7$

10 $\overline{AH}^2 = \overline{BH} \times \overline{CH} = 8 \times 2 = 16$이므로

$\overline{AH} = 4$ (cm) $(\because \overline{AH} > 0)$

∴ △ABC $= \dfrac{1}{2} \times (8 + 2) \times 4 = 20$ (cm²)

1 (1) △CAE, RHA 합동 (2) 32 cm² (3) 17 cm²

2 (1) 5 cm (2) 2 cm (3) 21π cm²

3 (1) △OCF (2) 15 cm² (3) 60 cm²

4 (1) △ABC∽△CBD (SSS 닮음) (2) 150 cm²

1 (1) △ABD와 △CAE에서

$\angle D = \angle E = 90°$, $\overline{AB} = \overline{CA}$,

$\angle ABD = 90° - \angle DAB = \angle CAE$

∴ △ABD≡△CAE (RHA 합동) ⋯⋯ ㈎

(2) △ABD≡△CAE이므로

$\overline{AD} = \overline{CE} = 3$ cm, $\overline{AE} = \overline{BD} = 5$ cm

∴ $\overline{DE} = \overline{AD} + \overline{AE} = 3 + 5 = 8$ (cm)

따라서 □DBCE의 넓이는

$\frac{1}{2} \times (5 + 3) \times 8 = 32$ (cm²) ⋯⋯ ㈏

(3) △ABC = □DBCE − 2△ABD

$= 32 - 2 \times \left(\frac{1}{2} \times 5 \times 3\right)$

$= 32 - 15 = 17$ (cm²) ⋯⋯ ㈐

채점 기준	비율
㈎ △ABD≡△CAE(RHA 합동)임을 보이기	30 %
㈏ □DBCE의 넓이 구하기	40 %
㈐ △ABC의 넓이 구하기	30 %

2 (1) $\overline{BC}$는 외접원 O의 지름이므로 반지름의 길이는

$\frac{1}{2}\overline{BC} = \frac{1}{2} \times 10 = 5$ (cm) ⋯⋯ ㈎

(2) 내접원 I의 반지름의 길이를 r cm라 하면

$\frac{1}{2} \times 6 \times 8 = \frac{1}{2} \times r \times (6 + 10 + 8)$

$12r = 24$ ∴ $r = 2$

따라서 내접원 I의 반지름의 길이는 2 cm이다.

⋯⋯ ㈏

(3) (색칠한 부분의 넓이)

= (외접원 O의 넓이) − (내접원 I의 넓이)

$= \pi \times 5^2 - \pi \times 2^2$

$= 25\pi - 4\pi = 21\pi$ (cm²) ⋯⋯ ㈐

채점 기준	비율
㈎ 외접원 O의 반지름의 길이 구하기	30 %
㈏ 내접원 I의 반지름의 길이 구하기	40 %
㈐ 색칠한 부분의 넓이 구하기	30 %

3 (1) △OAE와 △OCF에서

$\overline{OA} = \overline{OC}$, $\angle AOE = \angle COF$ (맞꼭지각),

$\overline{AB} /\!/ \overline{DC}$이므로 $\angle EAO = \angle FCO$ (엇각)

∴ △OAE≡△OCF (ASA 합동) ⋯⋯ ㈎

(2) △OAE≡△OCF이므로 △OAE = △OCF

∴ △OCD = △OCF + △OFD

$= △OAE + △OFD$

$= 15$ cm² ⋯⋯ ㈏

(3) □ABCD = 4△OCD

$= 4 \times 15 = 60$ (cm²) ⋯⋯ ㈐

채점 기준	비율
㈎ △OAE≡△OCF임을 보이기	40 %
㈏ △OCD의 넓이 구하기	30 %
㈐ 평행사변형 ABCD의 넓이 구하기	30 %

4 (1) △ABC와 △CBD에서

$\overline{AB} : \overline{CB} = 16 : 20 = 4 : 5$,

$\overline{BC} : \overline{BD} = 20 : 25 = 4 : 5$,

$\overline{CA} : \overline{DC} = 12 : 15 = 4 : 5$

∴ △ABC∽△CBD (SSS 닮음) ⋯⋯ ㈎

(2) △ABC와 △CBD의 닮음비는 4 : 5이므로 넓이의

비는 $4^2 : 5^2 = 16 : 25$ ⋯⋯ ㈏

따라서 96 : △CBD = 16 : 25이므로

$16△CBD = 96 \times 25$

∴ △CBD = 150 (cm²) ⋯⋯ ㈐

채점 기준	비율
㈎ △ABC∽△CBD (SSS 닮음)임을 보이기	40 %
㈏ △ABC와 △CBD의 넓이의 비 구하기	30 %
㈐ △CBD의 넓이 구하기	30 %

창의·융합·코딩 테스트 | 62쪽~63쪽

1 (1) 30° (2) 이등변삼각형 (3) 115 m   **2** ⓒ
3 정사각형   **4** 25600원

1 (1) ∠CBD=∠A+∠C이므로
　　　60°=∠A+30°　∴ ∠A=30°
　(2) ∠A=∠C=30°, 즉 두 내각의 크기가 같으므로
　　　△ABC는 $\overline{AB}=\overline{BC}$인 이등변삼각형이다.
　(3) $\overline{AB}=\overline{BC}$=115 m

2 점 P는 삼각형의 세 꼭짓점에서 같은 거리에 있으므로
　외심이다. 따라서 외심에 대한 설명으로 옳은 것은 ⓒ이다.

3 [1단계]를 거치면 □ABCD는 평행사변형이 된다.
　[2단계]를 거치면 평행사변형 ABCD는 직사각형이 된다.
　[3단계]를 거치면 직사각형 ABCD는 정사각형이 된다.

4 두 원기둥 모양의 케이크의 닮음비는 밑면인 원의 반지
　름의 길이의 비와 같으므로 12 : 16=3 : 4
　따라서 부피의 비는 $3^3 : 4^3$=27 : 64
　이때 케이크의 가격이 케이크의 부피에 정비례하므로
　10800 : (지운이가 만든 케이크의 가격)=27 : 64
　27×(지운이가 만든 케이크의 가격)=10800×64
　∴ (지운이가 만든 케이크의 가격)=25600(원)

중간고사 기본 테스트 ❶회 | 64쪽 ~67쪽

1 ∠x=76°, ∠y=128°　**2** ④　**3** ③
4 ①　**5** ④　**6** 35°　**7** 3 cm
8 ②　**9** 50°　**10** ③　**11** ③
12 ④　**13** 3　**14** ⑤　**15** ③
16 ⑤　**17** ④　**18** 130°
19 (1) 7　(2) 72°
20 (1) 4 : 5　(2) 16 : 25　(3) 128π cm³

1 $\overline{AB}=\overline{AC}$이므로 ∠ACB=∠B=52°
　∴ ∠x=180°−(52°+52°)=76°
　　∠y=180°−52°=128°

2 △ABC에서 $\overline{AB}=\overline{AC}$이므로
　∠ACB=∠B=40°
　∠DAC=40°+40°=80°
　△CDA에서 $\overline{AC}=\overline{CD}$이므로
　∠D=∠DAC=80°
　△DBC에서
　∠DCE=∠B+∠D=40°+80°=120°

3 △ABD와 △CAE에서
　∠D=∠E=90°, $\overline{AB}=\overline{CA}$,
　∠DBA=90°−∠BAD=∠EAC
　∴ △ABD≡△CAE (RHA 합동)
　따라서 $\overline{AD}=\overline{CE}$=4 cm, $\overline{AE}=\overline{BD}$=6 cm이므로
　$\overline{DE}=\overline{AD}+\overline{AE}$=4+6=10 (cm)
　∴ □DBCE=$\dfrac{1}{2}$×(6+4)×10
　　　　　　=50 (cm²)

4 ① 나머지 한 내각의 크기는 $90°-30°=60°$
따라서 보기의 직각삼각형과 빗변의 길이와 한 예각의 크기가 각각 같으므로 서로 합동이다. (RHA 합동)

5 ④ 삼각형의 외심은 세 변의 수직이등분선의 교점이다.

6 오른쪽 그림과 같이 $\overline{IA}$를 그으면
$\angle IAC=\dfrac{1}{2}\angle BAC$
$\quad\quad\quad=\dfrac{1}{2}\times58°=29°$

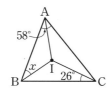

따라서 $29°+\angle x+26°=90°$
이므로 $\angle x=35°$

7 삼각형 모양의 나무에 내접하는 원 모양의 시계의 반지름의 길이를 r cm라 하면 삼각형의 넓이가 54 cm²이므로
$\dfrac{1}{2}\times r\times(12+15+9)=54$
$18r=54 \quad\quad \therefore r=3$
따라서 원 모양의 시계의 반지름의 길이는 3 cm로 해야 한다.

8 $\overline{AB}=\overline{DC}=5$ cm
$\overline{OA}=\dfrac{1}{2}\overline{AC}=\dfrac{1}{2}\times8=4$ (cm)
$\overline{OB}=\dfrac{1}{2}\overline{BD}=\dfrac{1}{2}\times10=5$ (cm)
따라서 $\triangle OAB$의 둘레의 길이는
$\overline{OA}+\overline{AB}+\overline{OB}=4+5+5=14$ (cm)

9 $\angle B+\angle BCD=180°$이므로 $80°+\angle BCD=180°$
$\therefore \angle BCD=100°$
이때 $\angle BCE=\angle DCE=\dfrac{1}{2}\angle BCD=\dfrac{1}{2}\times100°=50°$
따라서 $\overline{AD}/\!/\overline{BC}$이므로 $\angle x=\angle BCE=50°$ (엇각)

10 ㉠ 한 쌍의 대변이 평행하고 그 길이가 같으므로 $\square ABCD$는 평행사변형이다.
㉡ 오른쪽 그림과 같은 $\square ABCD$는 $\overline{AB}=\overline{BD}=5$ cm, $\overline{AC}\perp\overline{BD}$이지만 평행사변형이 아니다.

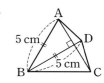

㉢ $\angle D=360°-(70°+110°+70°)=110°$이므로
$\angle A=\angle C$, $\angle B=\angle D$
즉 두 쌍의 대각의 크기가 각각 같으므로 $\square ABCD$는 평행사변형이다.
㉣ 두 대각선이 서로 다른 것을 이등분하므로 $\square ABCD$는 평행사변형이다.
㉤ $\angle A\neq\angle C$, $\angle B\neq\angle D$
즉 두 쌍의 대각의 크기가 각각 같지 않으므로 $\square ABCD$는 평행사변형이 아니다.
따라서 옳은 것은 ㉠, ㉢, ㉣이다.

11 $\overline{OA}=\overline{OC}$이므로 $x+3=5x-9$
$4x=12 \quad\quad \therefore x=3$
따라서 $\overline{OA}=\overline{OC}=3+3=6$ (cm)이므로
$\overline{BD}=\overline{AC}=2\overline{OA}=2\times6=12$ (cm)

12 ④ 두 대각선의 길이가 같으므로 마름모 ABCD는 정사각형이 된다.

13 두 대각선이 서로 다른 것을 이등분하는 사각형은 ㉢, ㉣, ㉤, ㉥의 4개이므로 $a=4$
두 대각선이 서로 수직인 사각형은 ㉤, ㉥의 2개이므로 $b=2$
두 대각선의 길이가 같은 사각형은 ㉡, ㉣, ㉥의 3개이므로 $c=3$
$\therefore a+b-c=4+2-3=3$

14 ① 평행하지 않은 다른 한 쌍의 대변이 평행하다.

②, ⑤ 한 내각이 직각이거나 두 대각선의 길이가 같다.

③, ④ 이웃하는 두 변의 길이가 같거나 두 대각선이 서로 수직이다.

따라서 옳은 것은 ⑤이다.

15 ① $\angle G = \angle C = 360° - (100° + 65° + 105°) = 90°$

② $\overline{AD} : \overline{EH} = \overline{BC} : \overline{FG}$이므로

$\overline{AD} : 10 = 9 : 15$ ∴ $\overline{AD} = 6$ (cm)

③ □ABCD와 □EFGH의 닮음비는

$\overline{BC} : \overline{FG} = 9 : 15 = 3 : 5$

따라서 옳지 않은 것은 ③이다.

16 △ABC와 △AED에서

∠A는 공통, $\angle B = \angle AED$

∴ △ABC∽△AED (AA 닮음)

따라서 $\overline{AB} : \overline{AE} = \overline{AC} : \overline{AD}$이므로

$(10+5) : 6 = \overline{AC} : 10$

$6\overline{AC} = 150$ ∴ $\overline{AC} = 25$ (cm)

∴ $\overline{CE} = \overline{AC} - \overline{AE} = 25 - 6 = 19$ (cm)

17 $\overline{AB}^2 = \overline{BH} \times \overline{BC}$이므로 $20^2 = 16 \times \overline{BC}$

$16\overline{BC} = 400$ ∴ $\overline{BC} = 25$ (cm)

∴ $\overline{CH} = \overline{BC} - \overline{BH} = 25 - 16 = 9$ (cm)

$\overline{AH}^2 = \overline{BH} \times \overline{CH} = 16 \times 9 = 144$이므로

$\overline{AH} = 12$ (cm) $(∵ \overline{AH} > 0)$

∴ $\triangle AHC = \dfrac{1}{2} \times 9 \times 12 = 54$ (cm²)

18 $\angle x = 2\angle A = 2 \times 50° = 100°$ ······ (가)

오른쪽 그림과 같이 $\overline{OA}$를 그으면

$\angle OAB = \angle OBA = 20°$이므로

$\angle OAC = 50° - 20° = 30°$

∴ $\angle y = \angle OAC = 30°$ ····· (나)

∴ $\angle x + \angle y = 100° + 30° = 130°$

······ (다)

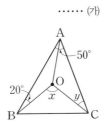

채점 기준	비율
(가) $\angle x$의 크기 구하기	40 %
(나) $\angle y$의 크기 구하기	40 %
(다) $\angle x + \angle y$의 크기 구하기	20 %

19 (1) $\overline{AB} = \overline{DC} = x+3$, $\overline{BC} = \overline{AD} = 3x+1$

□ABCD의 둘레의 길이는 24이므로

$2\{(x+3) + (3x+1)\} = 24$

$8x + 8 = 24$, $8x = 16$ ∴ $x = 2$ ······ (가)

∴ $\overline{BC} = 3x+1 = 3 \times 2 + 1 = 7$ ······ (나)

(2) $\angle A + \angle B = 180°$이고 $\angle A : \angle B = 3 : 2$이므로

$\angle B = 180° \times \dfrac{2}{3+2} = 72°$ ······ (다)

∴ $\angle D = \angle B = 72°$ ······ (라)

채점 기준	비율
(가) x의 값 구하기	30 %
(나) $\overline{BC}$의 길이 구하기	20 %
(다) $\angle B$의 크기 구하기	30 %
(라) $\angle D$의 크기 구하기	20 %

20 (1) 두 원기둥 A, B의 높이의 비는 닮음비와 같고, 닮음비는 밑면인 원의 지름의 길이의 비와 같으므로 구하는 높이의 비는

$8 : 10 = 4 : 5$ ······ (가)

(2) 두 원기둥 A, B는 닮은 도형이므로 두 원기둥 A, B의 옆면도 닮은 도형이다. 이때 두 원기둥 A, B의 옆면의 닮음비는 원기둥의 높이의 비와 같으므로 $4 : 5$이다.

따라서 구하는 옆넓이의 비는

$4^2 : 5^2 = 16 : 25$ ······ (나)

(3) 두 원기둥 A, B의 부피의 비는 $4^3 : 5^3 = 64 : 125$이
므로

(원기둥 A의 부피) : $250\pi = 64 : 125$

$125 \times$ (원기둥 A의 부피) $= 250\pi \times 64$

$\therefore$ (원기둥 A의 부피) $= 128\pi$ (cm^3) $\cdots\cdots$ (다)

채점 기준	비율
(가) 두 원기둥 A, B의 높이의 비 구하기	30 %
(나) 두 원기둥 A, B의 옆넓이의 비 구하기	30 %
(다) 원기둥 A의 부피 구하기	40 %

중간고사 **기본 테스트 ②**회 | 68쪽~71쪽 |

1 ②	**2** ②	**3** ③	**4** ⑤
5 ⑤	**6** ①	**7** 53°	**8** ①
9 진운, 장미, 동욱		**10** ③	**11** ④
12 120°	**13** (가) - ⓔ, ⓜ (나) - ㉠, ㉡, ㉢, ⓗ		
14 9 cm^2	**15** 혜원		

16 $\triangle$ABC $\backsim$ $\triangle$IHG (SAS 닮음),
  $\triangle$DEF $\backsim$ $\triangle$RPQ (AA 닮음),
  $\triangle$JKL $\backsim$ $\triangle$MNO (SSS 닮음)

17 ③   **18** $\dfrac{9}{2}$ cm   **19** 5 cm   **20** 14 cm

1 $\triangle$ABC에서 $\overline{AB} = \overline{AC}$이므로

$\angle$B $= \angle$ACB $= 180° - 130° = 50°$

$\angle$BAC $= 180° - (50° + 50°) = 80°$이므로

$\angle$BAD $= \dfrac{1}{2}\angle$BAC $= \dfrac{1}{2} \times 80° = 40°$ $\therefore x = 40$

또 $\overline{BD} = \overline{CD} = \dfrac{1}{2}\overline{BC} = \dfrac{1}{2} \times 16 = 8$ (cm)

$\therefore y = 8$

$\therefore x + y = 40 + 8 = 48$

2 $\triangle$BCD에서 $\overline{BC} = \overline{BD}$이므로

$\angle$C $= \angle$BCD $= 68°$

$\therefore \angle$DBC $= 180° - (68° + 68°) = 44°$

$\triangle$ABC에서 $\overline{AB} = \overline{AC}$이므로

$\angle$ABC $= \angle$C $= 68°$

$\therefore \angle x = \angle$ABC $- \angle$DBC $= 68° - 44° = 24°$

3 $\triangle$ADE와 $\triangle$ACE에서

$\angle$ADE $= \angle$C $= 90°$, $\overline{AE}$(빗변)는 공통, $\overline{AD} = \overline{AC}$

이므로 $\triangle$ADE $\equiv$ $\triangle$ACE (RHS 합동)

$\therefore \overline{DE} = \overline{CE} = \overline{BC} - \overline{BE} = 12 - 7 = 5$ (cm)

4 ① 두 삼각형의 대응하는 한 변의 길이가 같고 그 양 끝
각의 크기가 각각 같으므로 ASA 합동이다.

② 두 직각삼각형의 빗변의 길이와 한 예각의 크기가 각
각 같으므로 RHA 합동이다.

③ 두 삼각형의 대응하는 두 변의 길이가 각각 같고 그
끼인각의 크기가 같으므로 SAS 합동이다.

④ 두 직각삼각형의 빗변의 길이와 다른 한 변의 길이가
각각 같으므로 RHS 합동이다.

⑤ 모양은 같고 크기가 다른 직각삼각형이 무수히 많이
만들어지므로 합동이 아니다.

따라서 두 직각삼각형 ABC와 DEF가 합동이 되기 위
한 조건이 아닌 것은 ⑤이다.

5 외접원의 반지름의 길이를 r cm라 하면

외접원의 둘레의 길이가 12π cm이므로

$2\pi r = 12\pi$ $\therefore r = 6$

이때 점 O가 외심이므로 $\overline{OA} = \overline{OB} = \overline{OC} = 6$ cm

$\triangle$AOC에서 $\overline{OA} = \overline{OC}$이므로 $\angle$OAC $= \angle$C $= 60°$

$\therefore \angle$AOC $= 180° - (60° + 60°) = 60°$

즉 $\triangle$AOC는 세 내각의 크기가 모두 60°로 같으므로 정
삼각형이다.

$\therefore \overline{AC} = \overline{OA} = \overline{OC} = 6$ cm

따라서 $\triangle$AOC의 둘레의 길이는

$6 + 6 + 6 = 18$ (cm)

6 $18° + \angle OBC + 50° = 90°$이므로 $\angle OBC = 22°$

7 $\angle AIB = 90° + \dfrac{1}{2}\angle C = 90° + \dfrac{1}{2} \times 74° = 127°$

$\triangle ABI$에서 $\angle x + \angle y + 127° = 180°$

$\therefore \angle x + \angle y = 53°$

8 $\overline{OA} = \overline{OC}$이므로 $5x - 7 = 3$

$5x = 10$ $\therefore x = 2$

$\overline{AD} = \overline{BC}$이므로 $8 - y = 3x + y$

$8 - y = 6 + y,\ 2y = 2$ $\therefore y = 1$

$\therefore x + y = 2 + 1 = 3$

9 진운 : 두 대각선이 서로 다른 것을 이등분하므로
□ABCD는 평행사변형이다.

현아 : $\overline{AB} \neq \overline{CD},\ \overline{BC} \neq \overline{DA}$
즉 두 쌍의 대변의 길이가 각각 같지 않으므로
□ABCD는 평행사변형이 아니다.

민규 : 오른쪽 그림과 같은
□ABCD는 $\overline{AD} /\!/ \overline{BC}$,
$\overline{AC} = \overline{BD}$이지만 평행사변
형은 아니다.

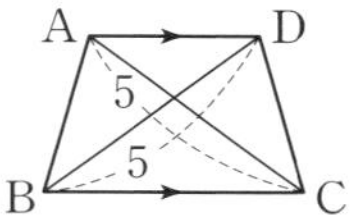

장미 : 한 쌍의 대변이 평행하고 그 길이가 같으므로
□ABCD는 평행사변형이다.

동욱 : $\angle D = 360° - (55° + 125° + 55°) = 125°$이므로
$\angle A = \angle C, \angle B = \angle D$
즉 두 쌍의 대각의 크기가 각각 같으므로
□ABCD는 평행사변형이다.

따라서 □ABCD가 평행사변형인 것을 말한 학생은 진운, 장미, 동욱이다.

10 $\triangle PAB + \triangle PCD = \dfrac{1}{2}$□ABCD

$= \dfrac{1}{2} \times 120 = 60\ (\mathrm{cm}^2)$

11 $\triangle BCE$와 $\triangle DCE$에서
$\overline{BC} = \overline{DC},\ \angle BCE = \angle DCE = 45°,\ \overline{CE}$는 공통
$\therefore \triangle BCE \equiv \triangle DCE$ (SAS 합동)
따라서 $\angle EBC = \angle EDC = 28°$이므로
$\angle x = \angle EBC + \angle BCE$
$= 28° + 45° = 73°$

12 오른쪽 그림과 같이 점 D를 지나고 $\overline{AB}$와 평행한 직선을 그어 $\overline{BC}$와 만나는 점을 E라 하자.

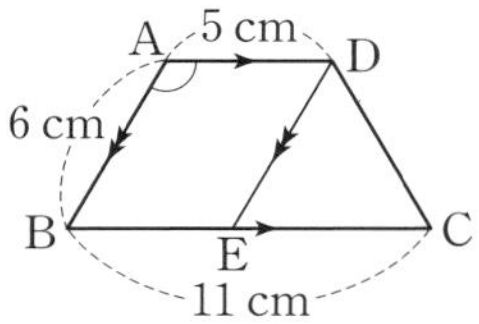

□ABED는 평행사변형이므로
$\overline{DE} = \overline{AB} = 6\ \mathrm{cm},\ \overline{BE} = \overline{AD} = 5\ \mathrm{cm}$
이때 $\overline{EC} = \overline{BC} - \overline{BE} = 11 - 5 = 6\ (\mathrm{cm})$이고
$\overline{DC} = \overline{AB} = 6\ \mathrm{cm}$이므로 $\triangle DEC$는 정삼각형이다.
따라서 $\angle B = \angle C = 60°$이므로
$\angle A = 180° - \angle B = 180° - 60° = 120°$

13 사각형 ㈎는 직사각형이므로 정사각형이 되기 위한 조건으로 알맞은 것을 모두 고르면 ㉣, ㉤이다.
사각형 ㈏는 마름모이므로 정사각형이 되기 위한 조건으로 알맞은 것을 모두 고르면 ㉠, ㉡, ㉢, ㉥이다.

14 $\overline{AE} /\!/ \overline{DB}$이므로
$\triangle DEB = \triangle DAB$
$= $□ABCD$ - \triangle DBC$
$= 16 - 7 = 9\ (\mathrm{cm}^2)$

15 경민 : $\overline{AD} : \overline{A'D'} = \overline{AB} : \overline{A'B'}$이므로
$\overline{AD} : 9 = 4 : 6$ $\therefore \overline{AD} = 6\ (\mathrm{cm})$
성훈 : $\overline{EF} : \overline{E'F'} = \overline{AB} : \overline{A'B'} = 4 : 6 = 2 : 3$

혜원 : 닮은 두 도형에서 대응하는 각의 크기는 같으므로
$$\angle CAB = \angle C'A'B'$$
따라서 옳지 않은 말을 한 학생은 혜원이다.

16 (i) △ABC와 △IHG에서
$$\overline{AB} : \overline{IH} = 8 : 4 = 2 : 1,$$
$$\overline{AC} : \overline{IG} = 12 : 6 = 2 : 1,$$
$$\angle A = \angle I$$
$$\therefore \ \triangle ABC \backsim \triangle IHG \ (SAS \ 닮음)$$
(ii) △DEF와 △RPQ에서
$$\angle D = 180° - (105° + 40°) = 35°이므로$$
$$\angle D = \angle R, \ \angle F = \angle Q$$
$$\therefore \ \triangle DEF \backsim \triangle RPQ \ (AA \ 닮음)$$
(iii) △JKL과 △MNO에서
$$\overline{JK} : \overline{MN} = 6 : 3 = 2 : 1,$$
$$\overline{KL} : \overline{NO} = 8 : 4 = 2 : 1,$$
$$\overline{JL} : \overline{MO} = 10 : 5 = 2 : 1$$
$$\therefore \ \triangle JKL \backsim \triangle MNO \ (SSS \ 닮음)$$

17 ③ $\overline{AB}^2 = \overline{BH} \times \overline{BC}$

18 $\overline{BE} = x$ cm라 하면
$$\overline{BD} = \overline{BE} = x \ cm$$
$$\overline{CF} = \overline{CE} = (10 - x) \ cm$$
$$\overline{AF} = \overline{AD} = (7 - x) \ cm$$

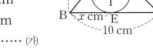

$$\cdots\cdots \ (가)$$
$$\overline{AC} = \overline{AF} + \overline{CF}이므로 \ (7 - x) + (10 - x) = 8$$
$$2x = 9 \quad \therefore \ x = \frac{9}{2}$$

따라서 $\overline{BE}$의 길이는 $\frac{9}{2}$ cm이다. $\cdots\cdots$ (나)

채점 기준	비율
(가) $\overline{BE} = x$ cm라 할 때, $\overline{BD}$, $\overline{CF}$, $\overline{AF}$의 길이를 각각 x를 사용하여 나타내기	60 %
(나) $\overline{BE}$의 길이 구하기	40 %

19 $\overline{AD} /\!/ \overline{BC}$이므로 $\angle AEB = \angle DAE$ (엇각)
이때 $\angle BAE = \angle DAE$이므로 $\angle BAE = \angle AEB$
즉 △ABE에서 $\overline{BE} = \overline{AB} = 8$ cm $\cdots\cdots$ (가)
이때 $\overline{BC} = \overline{AD} = 11$ cm이므로
$$\overline{CE} = \overline{BC} - \overline{BE} = 11 - 8 = 3 \ (cm) \quad \cdots\cdots \ (나)$$
$\overline{AD} /\!/ \overline{BC}$이므로 $\angle CFD = \angle ADF$ (엇각)
이때 $\angle CDF = \angle ADF$이므로 $\angle CDF = \angle CFD$
즉 △CDF에서 $\overline{CF} = \overline{CD} = \overline{AB} = 8$ cm $\cdots\cdots$ (다)
$$\therefore \ \overline{EF} = \overline{CF} - \overline{CE} = 8 - 3 = 5 \ (cm) \quad \cdots\cdots \ (라)$$

채점 기준	비율
(가) $\overline{BE}$의 길이 구하기	30 %
(나) $\overline{CE}$의 길이 구하기	20 %
(다) $\overline{CF}$의 길이 구하기	30 %
(라) $\overline{EF}$의 길이 구하기	20 %

20 △ABC와 △ADB에서
$$\overline{AB} : \overline{AD} = 10 : 5 = 2 : 1,$$
$$\overline{AC} : \overline{AB} = (5 + 15) : 10 = 2 : 1,$$
$$\angle A는 \ 공통$$
$$\therefore \ \triangle ABC \backsim \triangle ADB \ (SAS \ 닮음) \quad \cdots\cdots \ (가)$$
따라서 $\overline{BC} : \overline{DB} = 2 : 1$이므로
$$\overline{BC} : 7 = 2 : 1 \quad \therefore \ \overline{BC} = 14 \ (cm) \quad \cdots\cdots \ (나)$$

채점 기준	비율
(가) △ABC ∽ △ADB임을 보이기	60 %
(나) $\overline{BC}$의 길이 구하기	40 %

memo

기말 대비

정답과 풀이

1일 28

2일 31

3일 34

4일 37

5일 40

6일 44

7일 47

1일 삼각형에서 평행선과 선분의 길이의 비

시험지 속 개념 문제 | 9쪽, 11쪽

1 (1) 6 (2) 5 (3) 12 (4) 4 (5) 12

2 (1) $x=8, y=\dfrac{21}{2}$ (2) $x=33, y=12$

3 ②

4 (1) 9 (2) 14

5 (1) $x=4, y=12$ (2) $x=4, y=5$

6 (1) 2 (2) 4

7 (1) 6 (2) 4

1 (1) $\overline{AB}:\overline{AD}=\overline{AC}:\overline{AE}$이므로
$9:x=6:4$
$6x=36$ ∴ $x=6$

(2) $\overline{AB}:\overline{AD}=\overline{BC}:\overline{DE}$이므로
$6:18=x:15$
$18x=90$ ∴ $x=5$

(3) $\overline{AC}:\overline{AE}=\overline{BC}:\overline{DE}$이므로
$6:2=x:4$
$2x=24$ ∴ $x=12$

(4) $\overline{AD}:\overline{DB}=\overline{AE}:\overline{EC}$이므로
$4:2=8:x$
$4x=16$ ∴ $x=4$

(5) $\overline{AD}:\overline{AB}=\overline{DE}:\overline{BC}$이므로
$24:(24+8)=x:16$
$32x=384$ ∴ $x=12$

2 (1) $\overline{AB}:\overline{AD}=\overline{BC}:\overline{DE}$이므로
$(7-3):7=x:14$
$7x=56$ ∴ $x=8$
$\overline{AB}:\overline{AD}=\overline{AC}:\overline{AE}$이므로
$(7-3):7=6:y$
$4y=42$ ∴ $y=\dfrac{21}{2}$

(2) $\overline{AD}:\overline{DB}=\overline{AE}:\overline{EC}$이므로
$11:x=10:(10+20)$
$10x=330$ ∴ $x=33$
$\overline{AC}:\overline{AE}=\overline{BC}:\overline{DE}$이므로
$20:10=24:y$
$20y=240$ ∴ $y=12$

3 ① $\overline{AB}:\overline{BD}=12:7$, $\overline{AC}:\overline{CE}=(3+5):5=8:5$
즉 $\overline{AB}:\overline{BD}\neq\overline{AC}:\overline{CE}$이므로 $\overline{BC}$와 $\overline{DE}$는 평행하지 않다.

② $\overline{AB}:\overline{AD}=8:6=4:3$,
$\overline{AC}:\overline{AE}=(12+4):12=4:3$
즉 $\overline{AB}:\overline{AD}=\overline{AC}:\overline{AE}$이므로 $\overline{BC}/\!/\overline{DE}$

③ $\overline{AB}:\overline{AD}=6:3=2:1$, $\overline{AC}:\overline{AE}=5:2$
즉 $\overline{AB}:\overline{AD}\neq\overline{AC}:\overline{AE}$이므로 $\overline{BC}$와 $\overline{DE}$는 평행하지 않다.

④ $\overline{AB}:\overline{AD}=7:5$, $\overline{AC}:\overline{AE}=10:6=5:3$
즉 $\overline{AB}:\overline{AD}\neq\overline{AC}:\overline{AE}$이므로 $\overline{BC}$와 $\overline{DE}$는 평행하지 않다.

⑤ $\overline{AB}:\overline{BD}=10:15=2:3$,
$\overline{AC}:\overline{CE}=16:20=4:5$
즉 $\overline{AB}:\overline{BD}\neq\overline{AC}:\overline{CE}$이므로 $\overline{BC}$와 $\overline{DE}$는 평행하지 않다.

따라서 $\overline{BC}/\!/\overline{DE}$인 것은 ②이다.

4 (1) $\overline{AM}=\overline{BM}$, $\overline{AN}=\overline{CN}$이므로
$\overline{MN}=\dfrac{1}{2}\overline{BC}=\dfrac{1}{2}\times18=9\,(\text{cm})$ ∴ $x=9$

(2) $\overline{AM}=\overline{BM}$, $\overline{AN}=\overline{CN}$이므로
$\overline{BC}=2\overline{MN}=2\times7=14\,(\text{cm})$ ∴ $x=14$

5 (1) $\overline{AM}=\overline{BM}$, $\overline{MN}/\!/\overline{BC}$이므로
$\overline{AN}=\overline{CN}=4\,\text{cm}$ ∴ $x=4$
$\overline{BC}=2\overline{MN}=2\times6=12\,(\text{cm})$ ∴ $y=12$

(2) $\overline{AM}=\overline{BM}$, $\overline{MN}/\!/\overline{BC}$이므로

$\overline{CN}=\dfrac{1}{2}\overline{AC}=\dfrac{1}{2}\times8=4\,(\text{cm})$ $\therefore x=4$

$\overline{MN}=\dfrac{1}{2}\overline{BC}=\dfrac{1}{2}\times10=5\,(\text{cm})$ $\therefore y=5$

6 (1) $\overline{AB}:\overline{AC}=\overline{BD}:\overline{CD}$이므로

$6:4=3:x$

$6x=12$ $\therefore x=2$

(2) $\overline{AB}:\overline{AC}=\overline{BD}:\overline{CD}$이므로

$8:10=x:5$

$10x=40$ $\therefore x=4$

7 (1) $\overline{AB}:\overline{AC}=\overline{BD}:\overline{CD}$이므로

$5:3=10:x$

$5x=30$ $\therefore x=6$

(2) $\overline{AB}:\overline{AC}=\overline{BD}:\overline{CD}$이므로

$6:x=12:(12-4)$

$12x=48$ $\therefore x=4$

교과서 기출 베스트 ①회 | 12쪽~13쪽

1 (1) $x=9,\,y=5$ (2) $x=8,\,y=\dfrac{15}{2}$	**2** ①, ⑤
3 $x=4,\,y=\dfrac{10}{3}$ **4** $\dfrac{24}{5}$ cm **5** 12 cm	
6 12 cm **7** 12 cm **8** 10 cm	

1 (1) $\overline{AB}:\overline{AD}=\overline{AC}:\overline{AE}$이므로

$15:5=x:3$

$5x=45$ $\therefore x=9$

$\overline{AB}:\overline{AD}=\overline{BC}:\overline{DE}$이므로

$15:5=15:y$

$15y=75$ $\therefore y=5$

(2) $\overline{AD}:\overline{DB}=\overline{AE}:\overline{EC}$이므로

$x:4=6:3$

$3x=24$ $\therefore x=8$

$\overline{AE}:\overline{AC}=\overline{DE}:\overline{BC}$이므로

$6:(6+3)=5:y$

$6y=45$ $\therefore y=\dfrac{15}{2}$

2 ① $\overline{AD}:\overline{DB}=6:2=3:1$, $\overline{AE}:\overline{EC}=9:3=3:1$

즉 $\overline{AD}:\overline{DB}=\overline{AE}:\overline{EC}$이므로 $\overline{BC}/\!/\overline{DE}$

② $\overline{AD}:\overline{DB}=2:3$, $\overline{AE}:\overline{EC}=(7-4):4=3:4$

즉 $\overline{AD}:\overline{DB}\neq\overline{AE}:\overline{EC}$이므로 $\overline{BC}$와 $\overline{DE}$는 평행하지 않다.

③ $\overline{AB}:\overline{BD}=3:2$, $\overline{AC}:\overline{CE}=5:4$

즉 $\overline{AB}:\overline{BD}\neq\overline{AC}:\overline{CE}$이므로 $\overline{BC}$와 $\overline{DE}$는 평행하지 않다.

④ $\overline{AB}:\overline{AE}=3:4$, $\overline{AC}:\overline{AD}=2:5$

즉 $\overline{AB}:\overline{AE}\neq\overline{AC}:\overline{AD}$이므로 $\overline{BC}$와 $\overline{DE}$는 평행하지 않다.

⑤ $\overline{AD}:\overline{DB}=4:10=2:5$, $\overline{AE}:\overline{EC}=6:15=2:5$

즉 $\overline{AD}:\overline{DB}=\overline{AE}:\overline{EC}$이므로 $\overline{BC}/\!/\overline{DE}$

따라서 $\overline{BC}/\!/\overline{DE}$인 것은 ①, ⑤이다.

3 $\triangle ABF$에서 $\overline{AD}:\overline{AB}=\overline{DG}:\overline{BF}$이므로

$6:(6+x)=3:5$

$18+3x=30$, $3x=12$

$\therefore x=4$

$\overline{AG}:\overline{AF}=\overline{DG}:\overline{BF}=3:5$이고 $\triangle AFC$에서

$\overline{GE}:\overline{FC}=\overline{AG}:\overline{AF}$이므로

$2:y=3:5$, $3y=10$

$\therefore y=\dfrac{10}{3}$

4 $\triangle ABE$에서 $\overline{BE}/\!/\overline{DF}$이므로

$\overline{AD}:\overline{DB}=\overline{AF}:\overline{FE}=5:3$

$\triangle ABC$에서 $\overline{BC}/\!/\overline{DE}$이므로

$\overline{AD}:\overline{DB}=\overline{AE}:\overline{EC}$

즉 $5:3=(5+3):\overline{EC}$이므로

$5\overline{EC}=24$ $\therefore \overline{EC}=\dfrac{24}{5}\,(\text{cm})$

5 $\overline{BD}=\overline{AD}$, $\overline{BE}=\overline{CE}$이므로

$\overline{DE}=\dfrac{1}{2}\overline{AC}=\dfrac{1}{2}\times8=4\,(\text{cm})$

$\overline{CE}=\overline{BE}$, $\overline{CF}=\overline{AF}$이므로

$\overline{EF}=\dfrac{1}{2}\overline{AB}=\dfrac{1}{2}\times6=3\,(\text{cm})$

$\overline{AD}=\overline{BD}$, $\overline{AF}=\overline{CF}$이므로

$\overline{DF}=\dfrac{1}{2}\overline{BC}=\dfrac{1}{2}\times10=5\,(cm)$

따라서 △DEF의 둘레의 길이는

$\overline{DE}+\overline{EF}+\overline{DF}=4+3+5=12\,(cm)$

6 △ABF에서 $\overline{AD}=\overline{DB}$, $\overline{AE}=\overline{EF}$이므로

$\overline{DE}/\!/\overline{BF}$이고, $\overline{BF}=2\overline{DE}=2\times8=16\,(cm)$

△CED에서 $\overline{CF}=\overline{FE}$, $\overline{GF}/\!/\overline{DE}$이므로

$\overline{GF}=\dfrac{1}{2}\overline{DE}=\dfrac{1}{2}\times8=4\,(cm)$

$\therefore \overline{BG}=\overline{BF}-\overline{GF}=16-4=12\,(cm)$

7 $\overline{AB}:\overline{AC}=\overline{BD}:\overline{CD}$이므로

$\overline{AB}:8=6:4$

$4\overline{AB}=48$　$\therefore \overline{AB}=12\,(cm)$

8 $\overline{AB}:\overline{AC}=\overline{BD}:\overline{CD}$이므로

$6:5=12:\overline{CD}$

$6\overline{CD}=60$　$\therefore \overline{CD}=10\,(cm)$

교과서 기출 베스트 ❷회			14쪽~15쪽
1 ④	2 ⑤	3 ③	4 ④
5 ④	6 ⑤	7 ③	8 2 cm

1 $\overline{AD}:\overline{DB}=\overline{AE}:\overline{EC}$이므로

$12:x=9:6$

$9x=72$　$\therefore x=8$

$\overline{AE}:\overline{AC}=\overline{DE}:\overline{BC}$이므로

$9:(9+6)=y:10$

$15y=90$　$\therefore y=6$

$\therefore x+y=8+6=14$

2 ① $\overline{AB}:\overline{BD}=3:2$, $\overline{AC}:\overline{CE}=4:3$

　즉 $\overline{AB}:\overline{BD}\neq\overline{AC}:\overline{CE}$이므로 $\overline{BC}$와 $\overline{DE}$는 평행하지 않다.

② $\overline{AC}:\overline{CE}=(7-2):2=5:2$, $\overline{AB}:\overline{BD}=4:1$

　즉 $\overline{AC}:\overline{CE}\neq\overline{AB}:\overline{BD}$이므로 $\overline{BC}$와 $\overline{DE}$는 평행하지 않다.

③ $\overline{AB}:\overline{AD}=6:4=3:2$

　$\overline{AC}:\overline{AE}=(3+1):3=4:3$

　즉 $\overline{AB}:\overline{AD}\neq\overline{AC}:\overline{AE}$이므로 $\overline{BC}$와 $\overline{DE}$는 평행하지 않다.

④ $\overline{AB}:\overline{AE}=6:2=3:1$, $\overline{AC}:\overline{AD}=8:4=2:1$

　즉 $\overline{AB}:\overline{AE}\neq\overline{AC}:\overline{AD}$이므로 $\overline{BC}$와 $\overline{DE}$는 평행하지 않다.

⑤ $\overline{AB}:\overline{BE}=2:6=1:3$

　$\overline{AC}:\overline{CD}=3:(3+6)=1:3$

　즉 $\overline{AB}:\overline{BE}=\overline{AC}:\overline{CD}$이므로 $\overline{BC}/\!/\overline{DE}$

따라서 $\overline{BC}/\!/\overline{DE}$인 것은 ⑤이다.

3 △ABF에서 $\overline{AG}:\overline{AF}=\overline{DG}:\overline{BF}=2:3$

△AFC에서 $\overline{GE}:\overline{FC}=\overline{AG}:\overline{AF}$이므로

$4:x=2:3$

$2x=12$　$\therefore x=6$

$\overline{AE}:\overline{AC}=\overline{GE}:\overline{FC}=2:3$이므로

$6:(6+y)=2:3$

$12+2y=18$, $2y=6$

$\therefore y=3$

$\therefore x-y=6-3=3$

4 △ABC에서 $\overline{BC}/\!/\overline{DE}$이므로

$\overline{AE}:\overline{EC}=\overline{AD}:\overline{DB}=30:15=2:1$

△ADC에서 $\overline{DC}/\!/\overline{FE}$이므로

$\overline{AF}:\overline{AD}=\overline{AE}:\overline{AC}$

즉 $\overline{AF}:30=2:(2+1)$이므로

$3\overline{AF}=60$　$\therefore \overline{AF}=20\,(cm)$

5 $\triangle ABC$에서 $\overline{AM}=\overline{BM}$, $\overline{AN}=\overline{CN}$이므로

$\overline{MN}=\dfrac{1}{2}\overline{BC}=\dfrac{1}{2}\times16=8$ (cm)

$\triangle DBC$에서 $\overline{DP}=\overline{BP}$, $\overline{DQ}=\overline{CQ}$이므로

$\overline{PQ}=\dfrac{1}{2}\overline{BC}=\dfrac{1}{2}\times16=8$ (cm)

$\therefore \overline{MN}+\overline{PQ}=8+8=16$ (cm)

6 $\triangle AFD$에서 $\overline{AE}=\overline{EF}$, $\overline{AG}=\overline{GD}$이므로

$\overline{EG} /\!/ \overline{FD}$이고, $\overline{FD}=2\overline{EG}=2\times7=14$ (cm)

$\triangle BCE$에서 $\overline{BF}=\overline{FE}$, $\overline{FD} /\!/ \overline{EC}$이므로

$\overline{EC}=2\overline{FD}=2\times14=28$ (cm)

$\therefore \overline{GC}=\overline{EC}-\overline{EG}=28-7=21$ (cm)

7 $\overline{AB} : \overline{AC}=\overline{BD} : \overline{CD}$이므로

$10 : 8=5 : \overline{CD}$

$10\overline{CD}=40$ $\therefore \overline{CD}=4$ (cm)

8 $\overline{AB} : \overline{AC}=\overline{BD} : \overline{CD}$이므로

$5 : 4=10 : \overline{CD}$

$5\overline{CD}=40$ $\therefore \overline{CD}=8$ (cm)

$\therefore \overline{BC}=\overline{BD}-\overline{CD}=10-8=2$ (cm)

2일 **평행선 사이의 선분의 길이의 비와 삼각형의 무게중심**

시험지 속 개념 문제 | 19쪽, 21쪽

1 (1) 15 (2) $\dfrac{14}{3}$ (3) 12 (4) $\dfrac{15}{4}$

2 (1) 5 cm (2) 3 cm (3) 5 cm (4) 8 cm

3 (1) 6 cm (2) 2 cm (3) 8 cm

4 (1) 3 cm (2) 7 cm (3) 18 cm²

5 (1) $x=6, y=10$ (2) $x=16, y=9$

6 은채

7 (1) 9 cm² (2) 6 cm² (3) 3 cm² (4) 6 cm²

---

1 (1) $9 : x=6 : 10$이므로 $6x=90$

$\therefore x=15$

(2) $3 : 4=2 : (x-2)$이므로 $3x-6=8$

$3x=14$ $\therefore x=\dfrac{14}{3}$

(3) $9 : 3=x : 4$이므로 $3x=36$ $\therefore x=12$

(4) $5 : 3=(10-x) : x$이므로 $5x=30-3x$

$8x=30$ $\therefore x=\dfrac{15}{4}$

2 (1) $\square AHCD$에서 $\overline{AD} /\!/ \overline{HC}$, $\overline{AH} /\!/ \overline{DC}$이므로

$\square AHCD$는 평행사변형이다.

따라서 $\overline{HC}=\overline{AD}=5$ cm이므로

$\overline{BH}=\overline{BC}-\overline{HC}=10-5=5$ (cm)

(2) $\triangle ABH$에서 $\overline{AE} : \overline{AB}=\overline{EG} : \overline{BH}$이므로

$3 : (3+2)=\overline{EG} : 5$

$5\overline{EG}=15$ $\therefore \overline{EG}=3$ (cm)

(3) $\square AGFD$에서 $\overline{AD} /\!/ \overline{GF}$, $\overline{AG} /\!/ \overline{DF}$이므로

$\square AGFD$는 평행사변형이다.

$\therefore \overline{GF}=\overline{AD}=5$ cm

(4) $\overline{EF}=\overline{EG}+\overline{GF}=3+5=8$ (cm)

3 (1) $\triangle ABC$에서 $\overline{AE} : \overline{AB}=\overline{EG} : \overline{BC}$이므로

$3 : (3+2)=\overline{EG} : 10$

$5\overline{EG}=30$ $\therefore \overline{EG}=6$ (cm)

(2) $\overline{CG} : \overline{CA}=\overline{EB} : \overline{AB}=2 : (3+2)=2 : 5$이고

$\triangle ACD$에서 $\overline{GF} : \overline{AD}=\overline{CG} : \overline{CA}$이므로

$\overline{GF} : 5=2 : 5$

$5\overline{GF}=10$ $\therefore \overline{GF}=2$ (cm)

(3) $\overline{EF}=\overline{EG}+\overline{GF}=6+2=8$ (cm)

4 (1) $\overline{DC}=\overline{BD}=3$ cm

(2) $\overline{BD}=\dfrac{1}{2}\overline{BC}=\dfrac{1}{2}\times14=7$ (cm)

(3) $\triangle ABC=2\triangle ABD=2\times9=18$ (cm²)

5 (1) $\overline{BD}=\dfrac{1}{2}\overline{BC}=\dfrac{1}{2}\times12=6\,(\text{cm})$ $\qquad \therefore x=6$

$\qquad$ $\overline{AG}:\overline{GD}=2:1$이므로

$\qquad$ $y:5=2:1$ $\qquad \therefore y=10$

$\quad$ (2) $\overline{BC}=2\overline{BD}=2\times8=16\,(\text{cm})$ $\qquad \therefore x=16$

$\qquad$ $\overline{AG}:\overline{AD}=2:3$이므로

$\qquad$ $6:y=2:3,\ 2y=18$ $\qquad \therefore y=9$

6 지은 : $\overline{CF}$가 $\triangle ABC$의 중선이므로 $\overline{AF}=\overline{BF}$

$\quad$ 우정 : 삼각형의 무게중심은 세 중선을 각 꼭짓점으로부터 각각 $2:1$로 나누므로 $\overline{AG}:\overline{GD}=2:1$

$\quad$ 희철 : $\triangle GBD=\triangle GCD=\dfrac{1}{6}\triangle ABC$

$\quad$ 정신 : $\triangle GAB=\triangle GCA=\dfrac{1}{3}\triangle ABC$

$\quad$ 은채 : $\overline{AG}:\overline{BG}=1:1$인지는 알 수 없다.

$\quad$ 따라서 옳지 않은 것을 들고 있는 학생은 은채이다.

7 (1) $\triangle ADC=\dfrac{1}{2}\triangle ABC=\dfrac{1}{2}\times18=9\,(\text{cm}^2)$

$\quad$ (2) $\triangle GAB=\dfrac{1}{3}\triangle ABC=\dfrac{1}{3}\times18=6\,(\text{cm}^2)$

$\quad$ (3) $\triangle GAE=\dfrac{1}{6}\triangle ABC=\dfrac{1}{6}\times18=3\,(\text{cm}^2)$

$\quad$ (4) $\square AFGE=\triangle GAF+\triangle GAE$

$\qquad\qquad\quad =\dfrac{1}{6}\triangle ABC+\dfrac{1}{6}\triangle ABC$

$\qquad\qquad\quad =\dfrac{1}{3}\triangle ABC=\dfrac{1}{3}\times18=6\,(\text{cm}^2)$

교과서 기출 베스트 ❶회 $\qquad\qquad$ | 22쪽~23쪽

| **1** 10 | **2** $\dfrac{9}{4}$ | **3** $\dfrac{2}{3}$ | **4** 11 cm |
| **5** 11 cm | **6** 13 | **7** 4 cm | **8** 16 cm² |

1 $2:x=4:6$이므로 $4x=12$ $\qquad \therefore x=3$

$\quad$ $y:5=4:6$이므로 $6y=20$ $\qquad \therefore y=\dfrac{10}{3}$

$\quad$ $\therefore xy=3\times\dfrac{10}{3}=10$

2 $l \mathbin{/\!/} m \mathbin{/\!/} n$이므로 $9:12=x:9$

$\quad$ $12x=81$ $\qquad \therefore x=\dfrac{27}{4}$

$\quad$ $m \mathbin{/\!/} n \mathbin{/\!/} p$이므로 $12:6=9:y$

$\quad$ $12y=54$ $\qquad \therefore y=\dfrac{9}{2}$

$\quad$ $\therefore x-y=\dfrac{27}{4}-\dfrac{9}{2}=\dfrac{27}{4}-\dfrac{18}{4}=\dfrac{9}{4}$

3 오른쪽 그림과 같이 꼭짓점 A를 지나고 $\overline{DC}$에 평행한 직선을 그어 $\overline{EF}$, $\overline{BC}$와 만나는 점을 각각 G, H라 하면

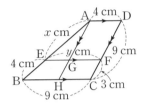

$\quad$ $\overline{GF}=\overline{HC}=\overline{AD}=4\,\text{cm}$

$\quad$ $\therefore \overline{BH}=\overline{BC}-\overline{HC}=9-4=5\,(\text{cm})$

$\quad$ $\overline{AH}=\overline{DC}=9\,\text{cm}$, $\overline{GH}=\overline{FC}=3\,\text{cm}$이고

$\quad$ $\triangle ABH$에서 $\overline{EG}:\overline{BH}=\overline{AG}:\overline{AH}$이므로

$\quad$ $\overline{EG}:5=(9-3):9$

$\quad$ $9\overline{EG}=30$ $\qquad \therefore \overline{EG}=\dfrac{10}{3}\,(\text{cm})$

$\quad$ $\therefore \overline{EF}=\overline{EG}+\overline{GF}=\dfrac{10}{3}+4=\dfrac{22}{3}\,(\text{cm})$

$\quad$ $\therefore y=\dfrac{22}{3}$

$\quad$ $\triangle ABH$에서 $\overline{AE}:\overline{EB}=\overline{AG}:\overline{GH}$이므로

$\quad$ $x:4=(9-3):3$

$\quad$ $3x=24$ $\qquad \therefore x=8$

$\quad$ $\therefore x-y=8-\dfrac{22}{3}=\dfrac{24}{3}-\dfrac{22}{3}=\dfrac{2}{3}$

다른 풀이

$\quad$ 오른쪽 그림과 같이 $\overline{AC}$를 그어 $\overline{EF}$와 만나는 점을 G라 하면 $\triangle ACD$에서

$\quad$ $\overline{GF}:\overline{AD}=\overline{CF}:\overline{CD}$이므로

$\quad$ $\overline{GF}:4=3:9$

$\quad$ $9\overline{GF}=12$ $\qquad \therefore \overline{GF}=\dfrac{4}{3}\,(\text{cm})$

$\quad$ $\overline{AG}:\overline{AC}=\overline{DF}:\overline{DC}=(9-3):9=2:3$이고

$\quad$ $\triangle ABC$에서 $\overline{EG}:\overline{BC}=\overline{AG}:\overline{AC}$이므로

$\overline{EG} : 9 = 2 : 3, 3\overline{EG} = 18$ $\therefore \overline{EG} = 6$ (cm)

$\therefore \overline{EF} = \overline{EG} + \overline{GF} = 6 + \dfrac{4}{3} = \dfrac{22}{3}$ (cm) $\therefore y = \dfrac{22}{3}$

또 $\overline{AE} : \overline{EB} = \overline{AG} : \overline{GC}$이므로

$x : 4 = 2 : (3-2)$ $\therefore x = 8$

$\therefore x - y = 8 - \dfrac{22}{3} = \dfrac{2}{3}$

---

4 $\overline{AM} = \overline{BM}, \overline{DN} = \overline{CN}$이므로

$\overline{AD} /\!\!/ \overline{MN} /\!\!/ \overline{BC}$

오른쪽 그림과 같이 $\overline{AC}$를 그어 $\overline{MN}$과 만나는 점을 P라 하면 $\triangle ABC$에서

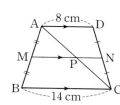

$\overline{MP} = \dfrac{1}{2}\overline{BC} = \dfrac{1}{2} \times 14 = 7$ (cm)

$\triangle ACD$에서

$\overline{PN} = \dfrac{1}{2}\overline{AD} = \dfrac{1}{2} \times 8 = 4$ (cm)

$\therefore \overline{MN} = \overline{MP} + \overline{PN} = 7 + 4 = 11$ (cm)

---

5 $\overline{BG} : \overline{GE} = 2 : 1$이므로 $\overline{BG} : 4 = 2 : 1$

$\therefore \overline{BG} = 8$ (cm)

$\overline{AD} : \overline{GD} = 3 : 1$이므로 $9 : \overline{GD} = 3 : 1$

$3\overline{GD} = 9$ $\therefore \overline{GD} = 3$ (cm)

$\therefore \overline{BG} + \overline{GD} = 8 + 3 = 11$ (cm)

---

6 $\overline{AD} : \overline{GD} = 3 : 1$이므로 $21 : x = 3 : 1$

$3x = 21$ $\therefore x = 7$

$\overline{DC} = \overline{BD} = 9$ cm이므로 $\triangle ADC$에서

$\overline{AG} : \overline{AD} = \overline{GF} : \overline{DC}$

즉 $2 : 3 = y : 9$이므로 $3y = 18$ $\therefore y = 6$

$\therefore x + y = 7 + 6 = 13$

---

7 점 G가 $\triangle ABC$의 무게중심이므로

$\overline{AD} : \overline{GD} = 3 : 1, 18 : \overline{GD} = 3 : 1$

$3\overline{GD} = 18$ $\therefore \overline{GD} = 6$ (cm)

점 G′이 $\triangle GBC$의 무게중심이므로

$\overline{GD} : \overline{GG'} = 3 : 2, 6 : \overline{GG'} = 3 : 2$

$3\overline{GG'} = 12$ $\therefore \overline{GG'} = 4$ (cm)

---

8 $\triangle ABC = \dfrac{1}{2} \times \overline{BC} \times \overline{AC}$

$= \dfrac{1}{2} \times 16 \times 12 = 96$ (cm²)

$\therefore \triangle GDC = \dfrac{1}{6}\triangle ABC = \dfrac{1}{6} \times 96 = 16$ (cm²)

교과서 기출 베스트 2회 | 24쪽~25쪽

1 ⑤	2 ③	3 ④	4 ③
5 ②	6 ③	7 ①	8 ②

1 $8 : 4 = (18-x) : x$이므로 $8x = 72 - 4x$

$12x = 72$ $\therefore x = 6$

$8 : 4 = (y-7) : 7$이므로 $56 = 4y - 28$

$4y = 84$ $\therefore y = 21$

$\therefore x + y = 6 + 21 = 27$

---

2 $l /\!\!/ m /\!\!/ n$이므로 $x : 4 = 3 : 6$

$6x = 12$ $\therefore x = 2$

$m /\!\!/ n /\!\!/ p$이므로 $4 : 8 = 6 : y$

$4y = 48$ $\therefore y = 12$

$\therefore x + y = 2 + 12 = 14$

---

3 오른쪽 그림과 같이 꼭짓점 A를 지나고 $\overline{DC}$에 평행한 직선을 그어 $\overline{EF}, \overline{BC}$와 만나는 점을 각각 G, H라 하면

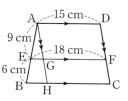

$\overline{GF} = \overline{HC} = \overline{AD} = 15$ cm

$\therefore \overline{EG} = \overline{EF} - \overline{GF} = 18 - 15 = 3$ (cm)

$\triangle$ABH에서 $\overline{\text{EG}}:\overline{\text{BH}}=\overline{\text{AE}}:\overline{\text{AB}}$이므로

$3:\overline{\text{BH}}=9:(9+6)$

$9\overline{\text{BH}}=45$ $\therefore \overline{\text{BH}}=5\,(\text{cm})$

$\therefore \overline{\text{BC}}=\overline{\text{BH}}+\overline{\text{HC}}=5+15=20\,(\text{cm})$

4 $\overline{\text{AM}}=\overline{\text{BM}}$, $\overline{\text{DN}}=\overline{\text{CN}}$이므로 $\overline{\text{AD}}/\!/\overline{\text{MN}}/\!/\overline{\text{BC}}$

$\triangle$ACD에서

$\overline{\text{AD}}=2\overline{\text{PN}}=2\times5=10\,(\text{cm})$ $\therefore x=10$

$\triangle$ABC에서

$\overline{\text{MP}}=\dfrac{1}{2}\overline{\text{BC}}=\dfrac{1}{2}\times20=10\,(\text{cm})$ $\therefore y=10$

$\therefore x+y=10+10=20$

5   점 M은 직각삼각형 ABC의 외심이므로

$\overline{\text{AM}}=\overline{\text{BM}}=\overline{\text{CM}}=\dfrac{1}{2}\overline{\text{BC}}=\dfrac{1}{2}\times12=6\,(\text{cm})$

이때 점 G는 $\triangle$ABC의 무게중심이므로

$\overline{\text{AG}}:\overline{\text{AM}}=2:3$, $\overline{\text{AG}}:6=2:3$

$3\overline{\text{AG}}=12$ $\therefore \overline{\text{AG}}=4\,(\text{cm})$

6   점 G′은 $\triangle$GBC의 무게중심이므로

$\overline{\text{GG}'}:\overline{\text{GD}}=2:3$, $8:\overline{\text{GD}}=2:3$

$2\overline{\text{GD}}=24$ $\therefore \overline{\text{GD}}=12\,(\text{cm})$

점 G는 $\triangle$ABC의 무게중심이므로

$\overline{\text{AD}}:\overline{\text{GD}}=3:1$, $\overline{\text{AD}}:12=3:1$

$\therefore \overline{\text{AD}}=36\,(\text{cm})$

7 $\triangle$CEB에서 $\overline{\text{BD}}=\overline{\text{CD}}$, $\overline{\text{DF}}/\!/\overline{\text{BE}}$이므로

$\overline{\text{BE}}=2\overline{\text{DF}}=2\times6=12\,(\text{cm})$

이때 점 G는 $\triangle$ABC의 무게중심이므로

$\overline{\text{BG}}:\overline{\text{BE}}=2:3$, $\overline{\text{BG}}:12=2:3$

$3\overline{\text{BG}}=24$ $\therefore \overline{\text{BG}}=8\,(\text{cm})$

8 $\triangle$ABC$=3\triangle$GBC

        $=3\times3\triangle$GBG′$=9\triangle$GBG′

        $=9\times5=45\,(\text{cm}^2)$

3일 피타고라스 정리

시험지 속 개념 문제 | 29쪽, 31쪽

1 (1) 5   (2) 12   **2** $x=8$, $y=15$

3 144   **4** 225 cm^2

5 (1) 5 cm   (2) 25 cm^2 **6** (1) ×   (2) ○   (3) ○   (4) ○

7 90°

8 (1) 둔각삼각형   (2) 예각삼각형   (3) 직각삼각형

     (4) 둔각삼각형

9 (1) 32 cm^2 (2) 12 cm^2

1 (1) $\overline{\text{AB}}^2+\overline{\text{BC}}^2=\overline{\text{AC}}^2$이므로

     $x^2=3^2+4^2=25$

     이때 $x>0$이므로 $x=5$

   (2) $\overline{\text{AB}}^2+\overline{\text{BC}}^2=\overline{\text{AC}}^2$이므로

     $5^2+x^2=13^2$, $x^2=144$

     이때 $x>0$이므로 $x=12$

2 $\triangle$ABD에서 $\overline{\text{BD}}^2+\overline{\text{AD}}^2=\overline{\text{AB}}^2$이므로

     $6^2+x^2=10^2$, $x^2=64$

     이때 $x>0$이므로 $x=8$

     $\triangle$ADC에서 $\overline{\text{AD}}^2+\overline{\text{DC}}^2=\overline{\text{AC}}^2$이므로

     $8^2+y^2=17^2$, $y^2=225$

     이때 $y>0$이므로 $y=15$

3 $\overline{\text{AB}}^2+\overline{\text{AC}}^2=\overline{\text{BC}}^2$이므로

     $x+25=169$ $\therefore x=144$

4 $\overline{\text{AB}}^2+\overline{\text{AC}}^2=\overline{\text{BC}}^2$이므로

     $\overline{\text{BC}}^2=9^2+12^2=225$

     이때 색칠한 부분은 $\overline{\text{BC}}$를 한 변으로 하는 정사각형이므로 그 넓이는 $\overline{\text{BC}}^2=225\,(\text{cm}^2)$

5 (1) △AEH에서 $\overline{AE}^2+\overline{AH}^2=\overline{EH}^2$이므로
$\overline{EH}^2=3^2+4^2=25$
이때 $\overline{EH}>0$이므로 $\overline{EH}=5$ (cm)

(2) △AEH≡△BFE≡△CGF
≡△DHG (SAS 합동)
이므로 $\overline{EH}=\overline{FE}=\overline{GF}=\overline{HG}$
또 ∠HEF=∠EFG=∠FGH=∠GHE=90°이므
로 □EFGH는 정사각형이다.
∴ □EFGH=$\overline{EH}^2=5^2=25$ (cm²)

6 (1) $2^2+3^2\neq4^2$이므로 직각삼각형이 아니다.
(2) $5^2+12^2=13^2$이므로 직각삼각형이다.
(3) $9^2+12^2=15^2$이므로 직각삼각형이다.
(4) $9^2+40^2=41^2$이므로 직각삼각형이다.

7 $12^2+16^2=20^2$, 즉 $\overline{BC}^2+\overline{AC}^2=\overline{AB}^2$이므로 △ABC
는 $\overline{AB}$가 빗변인 직각삼각형이다.
∴ ∠C=90°

8 (1) $6^2>2^2+5^2$이므로 둔각삼각형이다.
(2) $9^2<6^2+8^2$이므로 예각삼각형이다.
(3) $17^2=8^2+15^2$이므로 직각삼각형이다.
(4) $20^2>12^2+15^2$이므로 둔각삼각형이다.

9 (1) (색칠한 부분의 넓이)=12+20=32 (cm²)
(2) (색칠한 부분의 넓이)+18=30이므로
(색칠한 부분의 넓이)=12 (cm²)

교과서 **기출 베스트 1**회 | 32쪽~33쪽 |

| **1** 30 cm² | **2** 12 cm | **3** 20 cm | **4** 4 cm |
| **5** 49 cm² | **6** ③, ④ | **7** ③ | **8** 10π cm² |

---

1 △ABD에서 $\overline{AD}^2+\overline{BD}^2=\overline{AB}^2$이므로
$\overline{AD}^2+9^2=15^2$, $\overline{AD}^2=144$
이때 $\overline{AD}>0$이므로 $\overline{AD}=12$ (cm)
△ADC에서 $\overline{AD}^2+\overline{DC}^2=\overline{AC}^2$이므로
$12^2+\overline{DC}^2=13^2$, $\overline{DC}^2=25$
이때 $\overline{DC}>0$이므로 $\overline{DC}=5$ (cm)
따라서 △ADC의 넓이는
$\frac{1}{2}\times\overline{DC}\times\overline{AD}=\frac{1}{2}\times5\times12=30$ (cm²)

2 $\overline{AB}=\overline{DC}=15$ cm이므로 △ABD에서
$\overline{BD}^2=\overline{AB}^2+\overline{AD}^2=15^2+20^2=625$
이때 $\overline{BD}>0$이므로 $\overline{BD}=25$ (cm)
△ABD=$\frac{1}{2}\times\overline{AB}\times\overline{AD}=\frac{1}{2}\times\overline{BD}\times\overline{AH}$이므로
$\frac{1}{2}\times15\times20=\frac{1}{2}\times25\times\overline{AH}$
∴ $\overline{AH}=12$ (cm)

3 오른쪽 그림과 같이 꼭짓점
A에서 $\overline{BC}$에 내린 수선의 발
을 H라 하면
$\overline{HC}=\overline{AD}=11$ cm
∴ $\overline{BH}=\overline{BC}-\overline{HC}$
$=16-11=5$ (cm)
△ABH에서 $\overline{AH}^2+\overline{BH}^2=\overline{AB}^2$이므로
$\overline{AH}^2+5^2=13^2$, $\overline{AH}^2=144$
이때 $\overline{AH}>0$이므로 $\overline{AH}=12$ (cm)
∴ $\overline{CD}=\overline{AH}=12$ (cm)
△BCD에서 $\overline{BD}^2=\overline{BC}^2+\overline{CD}^2=16^2+12^2=400$
이때 $\overline{BD}>0$이므로 $\overline{BD}=20$ (cm)

4 □BFGC+□ACHI=□ADEB이므로
$49+$□ACHI=65
∴ □ACHI=16 (cm²)
즉 $\overline{AC}^2=16$이고 $\overline{AC}>0$이므로
$\overline{AC}=4$ (cm)

5 □EFGH는 정사각형이고 그 넓이가 25 cm²이므로
$\overline{EH}^2=25$
이때 $\overline{EH}>0$이므로 $\overline{EH}=5$ (cm)
△AEH에서 $\overline{AE}^2+\overline{AH}^2=\overline{EH}^2$이므로
$4^2+\overline{AH}^2=5^2$, $\overline{AH}^2=9$
이때 $\overline{AH}>0$이므로 $\overline{AH}=3$ (cm)
따라서 $\overline{AD}=\overline{AH}+\overline{HD}=3+4=7$ (cm)이므로
□ABCD$=\overline{AD}^2=7^2=49$ (cm²)

6 ① $3^2+4^2\neq6^2$이므로 직각삼각형이 아니다.
② $5^2+9^2\neq10^2$이므로 직각삼각형이 아니다.
③ $7^2+24^2=25^2$이므로 직각삼각형이다.
④ $8^2+15^2=17^2$이므로 직각삼각형이다.
⑤ $10^2+13^2\neq15^2$이므로 직각삼각형이 아니다.
따라서 직각삼각형인 것은 ③, ④이다.

7 $10^2>6^2+7^2$이므로 △ABC는 ∠A>90°인 둔각삼각형이다.

8 $\overline{AC}$를 지름으로 하는 반원의 반지름의 길이는
$\frac{1}{2}\overline{AC}=\frac{1}{2}\times4=2$ (cm)이므로 그 넓이는
$\frac{1}{2}\times\pi\times2^2=2\pi$ (cm²)
이때
($\overline{AB}$를 지름으로 하는 반원의 넓이)
$+$($\overline{AC}$를 지름으로 하는 반원의 넓이)
$=$($\overline{BC}$를 지름으로 하는 반원의 넓이)
이므로
(색칠한 부분의 넓이)
$=$($\overline{AB}$를 지름으로 하는 반원의 넓이)
$=12\pi-2\pi=10\pi$ (cm²)

---

1 ②	2 ⑤	3 ④	4 ①
5 ③	6 ④	7 태범, 세영	8 ②

1 △ABC에서 $\overline{AB}^2+\overline{BC}^2=\overline{AC}^2$이므로
$x^2+(6+9)^2=17^2$, $x^2=64$
이때 $x>0$이므로 $x=8$
△ABD에서 $\overline{AB}^2+\overline{BD}^2=\overline{AD}^2$이므로
$y^2=8^2+6^2=100$
이때 $y>0$이므로 $y=10$
$\therefore y-x=10-8=2$

2 넓이가 16 cm²인 정사각형의 한 변의 길이는 4 cm이고,
넓이가 144 cm²인 정사각형의 한 변의 길이는 12 cm이므로
$x^2=(4+12)^2+12^2=400$
이때 $x>0$이므로 $x=20$

3 오른쪽 그림과 같이 꼭짓점 D에서 $\overline{BC}$에 내린 수선의 발을 H라 하면 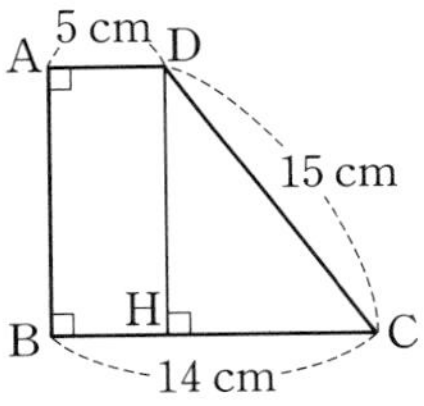
$\overline{BH}=\overline{AD}=5$ cm
$\therefore \overline{HC}=\overline{BC}-\overline{BH}$
$=14-5=9$ (cm)
△DHC에서 $\overline{DH}^2+\overline{HC}^2=\overline{DC}^2$이므로
$\overline{DH}^2+9^2=15^2$, $\overline{DH}^2=144$
이때 $\overline{DH}>0$이므로 $\overline{DH}=12$ (cm)
$\therefore \overline{AB}=\overline{DH}=12$ (cm)

4 □BFGC$=100$ cm²이므로 $\overline{BC}^2=100$
이때 $\overline{BC}>0$이므로 $\overline{BC}=10$ (cm)
□ACHI$=64$ cm²이므로 $\overline{AC}^2=64$
이때 $\overline{AC}>0$이므로 $\overline{AC}=8$ (cm)
△ABC에서 $\overline{AB}^2+\overline{AC}^2=\overline{BC}^2$이므로
$\overline{AB}^2+8^2=10^2$, $\overline{AB}^2=36$
이때 $\overline{AB}>0$이므로 $\overline{AB}=6$ (cm)
$\therefore △ABC=\frac{1}{2}\times\overline{AB}\times\overline{AC}=\frac{1}{2}\times6\times8=24$ (cm²)

5 $\overline{AH}=\overline{AD}-\overline{HD}=\overline{AB}-\overline{AE}=\overline{EB}=4\ (cm)$
$\triangle AEH$에서 $\overline{AE}^2+\overline{AH}^2=\overline{EH}^2$이므로
$\overline{EH}^2=8^2+4^2=80$
이때 $\square EFGH$는 정사각형이므로
$\square EFGH=\overline{EH}^2=80\ (cm^2)$

6 $x>16$에서 가장 긴 변의 길이가 x cm이므로
$x^2=12^2+16^2=400$
이때 $x>0$이므로 $x=20$

7 ㉠ $5^2>2^2+4^2$이므로 둔각삼각형이다.
㉡ $8^2>4^2+6^2$이므로 둔각삼각형이다.
㉢ $10^2=6^2+8^2$이므로 직각삼각형이다.
㉣ $11^2<7^2+9^2$이므로 예각삼각형이다.
㉤ $15^2=9^2+12^2$이므로 직각삼각형이다.
태범 : 둔각삼각형은 ㉠, ㉡이다.
연아 : 직각삼각형은 ㉢, ㉤의 2개이다.
세영 : $8^2>4^2+6^2$이므로 둔각삼각형이다.
따라서 옳지 않은 설명을 한 학생은 태범, 세영이다.

8 $\overline{BC}$를 지름으로 하는 반원의 반지름의 길이는
$\dfrac{1}{2}\overline{BC}=\dfrac{1}{2}\times12=6$
$\therefore S_1+S_2=(\overline{BC}$를 지름으로 하는 반원의 넓이$)$
$\qquad\qquad\ =\dfrac{1}{2}\times\pi\times6^2=18\pi$

4일 경우의 수

시험지 속 개념 문제 | 39쪽, 41쪽

1 (1) 3 (2) 3 (3) 4 **2** (1) 6 (2) 4
3 (1) 4 (2) 2 (3) 6 **4** 15
5 8 **6** (1) 12 (2) 4
7 (1) 120 (2) 20 (3) 60 **8** 12
9 (1) 12 (2) 24 **10** (1) 9 (2) 18
11 (1) 12 (2) 6

1 (1) 짝수의 눈이 나오는 경우는 2, 4, 6이므로 구하는 경우의 수는 3이다.
(2) 소수의 눈이 나오는 경우는 2, 3, 5이므로 구하는 경우의 수는 3이다.
(3) 6의 약수의 눈이 나오는 경우는 1, 2, 3, 6이므로 구하는 경우의 수는 4이다.

2 서로 다른 두 개의 주사위를 동시에 던질 때 나오는 눈의 수를 순서쌍으로 나타내면
(1) 두 눈의 수가 같은 경우는 (1, 1), (2, 2), (3, 3), (4, 4), (5, 5), (6, 6)이므로 구하는 경우의 수는 6이다.
(2) 두 눈의 수의 합이 5인 경우는 (1, 4), (2, 3), (3, 2), (4, 1)이므로 구하는 경우의 수는 4이다.

3 (1) 소수가 적힌 카드가 나오는 경우는 2, 3, 5, 7이므로 구하는 경우의 수는 4이다.
(2) 4의 배수가 적힌 카드가 나오는 경우는 4, 8이므로 구하는 경우의 수는 2이다.
(3) $4+2=6$

4 도우를 선택하는 경우의 수는 3이고, 그 각각에 대하여 토핑을 선택하는 경우의 수는 5이므로 구하는 경우의 수는 $3\times5=15$

5 은하네 집에서 학교까지 가는 경우의 수는 2이고, 그 각각에 대하여 학교에서 도서관까지 가는 경우의 수는 4이므로 구하는 경우의 수는
$2\times4=8$

6 (1) 동전 한 개를 던질 때, 나오는 모든 경우는 앞면, 뒷면의 2가지
주사위 한 개를 던질 때, 나오는 모든 경우는 1, 2, 3, 4, 5, 6의 6가지
따라서 구하는 경우의 수는
$2\times6=12$

(2) 동전에서 앞면이 나오는 경우의 수는 1
주사위에서 4 이하의 눈이 나오는 경우는 1, 2, 3, 4의
4가지
따라서 구하는 경우의 수는
$1 \times 4 = 4$

7 (1) $5 \times 4 \times 3 \times 2 \times 1 = 120$
(2) $5 \times 4 = 20$
(3) $5 \times 4 \times 3 = 60$

8 A, B를 1명으로 생각하여 3명을 한 줄로 세우는 경우의
수는 $3 \times 2 \times 1 = 6$
이때 A, B가 서로 자리를 바꾸는 경우의 수는 $2 \times 1 = 2$
따라서 구하는 경우의 수는
$6 \times 2 = 12$

9 (1) 십의 자리에 올 수 있는 숫자는 1, 2, 3, 4의 4가지
일의 자리에 올 수 있는 숫자는 십의 자리에 온 숫자
를 제외한 3가지
따라서 만들 수 있는 두 자리 자연수의 개수는
$4 \times 3 = 12$
(2) 백의 자리에 올 수 있는 숫자는 1, 2, 3, 4의 4가지
십의 자리에 올 수 있는 숫자는 백의 자리에 온 숫자
를 제외한 3가지
일의 자리에 올 수 있는 숫자는 백의 자리와 십의 자
리에 온 숫자를 제외한 2가지
따라서 만들 수 있는 세 자리 자연수의 개수는
$4 \times 3 \times 2 = 24$

10 (1) 십의 자리에 올 수 있는 숫자는 0을 제외한 1, 2, 3의
3가지
일의 자리에 올 수 있는 숫자는 십의 자리에 온 숫자
를 제외한 3가지
따라서 만들 수 있는 두 자리 자연수의 개수는
$3 \times 3 = 9$

(2) 백의 자리에 올 수 있는 숫자는 0을 제외한 1, 2, 3의
3가지
십의 자리에 올 수 있는 숫자는 백의 자리에 온 숫자
를 제외한 3가지
일의 자리에 올 수 있는 숫자는 백의 자리와 십의 자
리에 온 숫자를 제외한 2가지
따라서 만들 수 있는 세 자리 자연수의 개수는
$3 \times 3 \times 2 = 18$

11 (1) $4 \times 3 = 12$
(2) $\dfrac{4 \times 3}{2} = 6$

교과서 기출 베스트 ❶회 | 42쪽~43쪽 |

| **1** ② | **2** ④ | **3** 30 | **4** ③ |
| **5** ④ | **6** ⑤ | **7** 10 | **8** ⑤ |

1 한 개의 동전만 뒷면이 나오는 경우는
(뒷면, 앞면, 앞면), (앞면, 뒷면, 앞면),
(앞면, 앞면, 뒷면)
이므로 구하는 경우의 수는 3이다.

2 두 눈의 수의 합이 4인 경우는
(1, 3), (2, 2), (3, 1)의 3가지
두 눈의 수의 합이 6인 경우는
(1, 5), (2, 4), (3, 3), (4, 2), (5, 1)의 5가지
따라서 구하는 경우의 수는
$3 + 5 = 8$

3 티셔츠를 고르는 경우의 수는 6
바지를 고르는 경우의 수는 5
따라서 구하는 경우의 수는 $6 \times 5 = 30$

4 (i) A 지점에서 B 지점을 거쳐 C 지점까지 가는 경우의
수는 $2 \times 2 = 4$
(ii) A 지점에서 C 지점까지 바로 가는 경우의 수는 1
(i), (ii)에 의하여 구하는 경우의 수는 $4 + 1 = 5$

5 구하는 경우의 수는 6명 중에서 3명을 뽑아 한 줄로 세우는 경우의 수와 같으므로 $6 \times 5 \times 4 = 120$

6 A, B를 1명으로 생각하여 4명을 한 줄로 세우는 경우의 수는 $4 \times 3 \times 2 \times 1 = 24$
이때 A, B가 서로 자리를 바꾸는 경우의 수는 $2 \times 1 = 2$
따라서 구하는 경우의 수는
$24 \times 2 = 48$

7 짝수가 되어야 하므로 일의 자리에 올 수 있는 숫자는 0 또는 2 또는 4이다.
(i) □0인 경우 : 10, 20, 30, 40의 4개
(ii) □2인 경우 : 12, 32, 42의 3개
(iii) □4인 경우 : 14, 24, 34의 3개
(i), (ii), (iii)에 의하여 구하는 짝수의 개수는
$4 + 3 + 3 = 10$

8 회장 1명, 부회장 1명을 뽑는 경우의 수는
$6 \times 5 = 30$ ∴ $a = 30$
총무 2명을 뽑는 경우의 수는 $\dfrac{6 \times 5}{2} = 15$ ∴ $b = 15$
∴ $a + b = 30 + 15 = 45$

교과서 기출 베스트 2회 | 44쪽~45쪽

1 ②	2 ③	3 7	4 ④
5 9	6 24	7 240	8 20
9 (1) 10 (2) 8		10 ②	

1 ① 짝수가 적힌 공이 나오는 경우는 2, 4, 6, 8이므로 그 경우의 수는 4이다.
② 홀수가 적힌 공이 나오는 경우는 1, 3, 5, 7, 9이므로 그 경우의 수는 5이다.
③ 6 이상의 수가 적힌 공이 나오는 경우는 6, 7, 8, 9이므로 그 경우의 수는 4이다.
④ 3의 배수가 적힌 공이 나오는 경우는 3, 6, 9이므로 그 경우의 수는 3이다.
⑤ 15의 약수가 적힌 공이 나오는 경우는 1, 3, 5이므로 그 경우의 수는 3이다.
따라서 경우의 수가 가장 큰 사건은 ②이다.

2 600원짜리 사탕 1개의 값을 지불하는 경우를 표로 나타내면 다음과 같다.

| 100원(개) | 6 | 5 | 4 | 3 |
| 50원(개) | 0 | 2 | 4 | 6 |

따라서 구하는 경우의 수는 4이다.

3 버스를 타고 가는 경우의 수는 4
기차를 타고 가는 경우의 수는 3
따라서 구하는 경우의 수는 $4 + 3 = 7$

4 음료를 고르는 경우의 수는 7
쿠키를 고르는 경우의 수는 4
따라서 구하는 경우의 수는 $7 \times 4 = 28$

5 (i) 승희네 집에서 공원을 거쳐 박물관까지 가는 경우의 수는 $4 \times 2 = 8$
(ii) 승희네 집에서 박물관까지 바로 가는 경우의 수는 1
(i), (ii)에 의하여 구하는 경우의 수는 $8 + 1 = 9$

6 구하는 경우의 수는 4명을 한 줄로 세우는 경우의 수와 같으므로 $4 \times 3 \times 2 \times 1 = 24$

7 남학생 2명을 1명으로 생각하여 5명을 한 줄로 앉히는 경우의 수는 $5 \times 4 \times 3 \times 2 \times 1 = 120$
이때 남학생 2명이 서로 자리를 바꾸는 경우의 수는 $2 \times 1 = 2$
따라서 구하는 경우의 수는 $120 \times 2 = 240$

8 십의 자리에 올 수 있는 숫자는 1, 2, 3, 4, 5의 5가지
일의 자리에 올 수 있는 숫자는 십의 자리에 온 숫자를 제외한 4가지
따라서 만들 수 있는 두 자리 자연수의 개수는 $5 \times 4 = 20$

9 (1) 짝수가 되어야 하므로 일의 자리에 올 수 있는 숫자는
0 또는 2이다.

(ⅰ) □□0인 경우

백의 자리에 올 수 있는 숫자는 1, 2, 3의 3가지

십의 자리에 올 수 있는 숫자는 백의 자리에 온 숫자와 0을 제외한 2가지

∴ 3×2=6

(ⅱ) □□2인 경우

백의 자리에 올 수 있는 숫자는 1, 3의 2가지

십의 자리에 올 수 있는 숫자는 백의 자리에 온 숫자와 2를 제외한 2가지

∴ 2×2=4

(ⅰ), (ⅱ)에 의하여 구하는 짝수의 개수는

6+4=10

(2) 홀수가 되어야 하므로 일의 자리에 올 수 있는 숫자는 1 또는 3이다.

(ⅰ) □□1인 경우

백의 자리에 올 수 있는 숫자는 2, 3의 2가지

십의 자리에 올 수 있는 숫자는 백의 자리에 온 숫자와 1을 제외한 2가지

∴ 2×2=4

(ⅱ) 일의 자리의 숫자가 3인 경우

백의 자리에 올 수 있는 숫자는 1, 2의 2가지

십의 자리에 올 수 있는 숫자는 백의 자리에 온 숫자와 3을 제외한 2가지

∴ 2×2=4

(ⅰ), (ⅱ)에 의하여 구하는 홀수의 개수는

4+4=8

10 민영이를 회장으로 뽑으므로 구하는 경우의 수는 6명 중에서 자격이 같은 대표 2명을 뽑는 경우의 수와 같다.

따라서 구하는 경우의 수는

$\dfrac{6\times5}{2}=15$

5일 확률

시험지 속 개념 문제　　　　　| 49쪽, 51쪽

1 (1) $\dfrac{1}{2}$ (2) $\dfrac{1}{2}$　　　　**2** $\dfrac{1}{6}$

3 (1) $\dfrac{2}{9}$ (2) 1 (3) 0　　　**4** ㉠, ㉢

5 (1) $\dfrac{2}{7}$ (2) $\dfrac{1}{5}$ (3) $\dfrac{5}{6}$ (4) $\dfrac{3}{4}$

6 (1) $\dfrac{1}{4}$ (2) $\dfrac{5}{12}$ (3) $\dfrac{2}{3}$　　**7** $\dfrac{2}{9}$

8 20 %　　　　　　　**9** $\dfrac{1}{4}$

10 (1) $\dfrac{1}{8}$ (2) $\dfrac{1}{2}$

1 (1) 모든 경우의 수는 6

소수의 눈이 나오는 경우는 2, 3, 5의 3가지

따라서 구하는 확률은 $\dfrac{3}{6}=\dfrac{1}{2}$

(2) 모든 경우의 수는 2×2=4

앞면이 한 개만 나오는 경우는

(앞면, 뒷면), (뒷면, 앞면)의 2가지

따라서 구하는 확률은 $\dfrac{2}{4}=\dfrac{1}{2}$

2 모든 경우의 수는 6×6=36

두 눈의 수의 합이 7인 경우는

(1, 6), (2, 5), (3, 4), (4, 3), (5, 2), (6, 1)의 6가지

따라서 구하는 확률은 $\dfrac{6}{36}=\dfrac{1}{6}$

3 모든 경우의 수는 9

(1) 4의 배수가 적힌 카드가 나오는 경우는 4, 8의 2가지

이므로 구하는 확률은 $\dfrac{2}{9}$

(2) 9 이하의 자연수가 적힌 카드가 나오는 경우는 모든 경우이므로 구하는 확률은 1이다.

(3) 10 이상의 자연수가 적힌 카드가 나오는 경우는 없으므로 구하는 확률은 0이다.

4 ㉡ 사건 A가 일어나지 않을 확률은 $1-p$이다.
따라서 옳은 것은 ㉠, ㉢이다.

5 (1) (A 문제를 맞히지 못할 확률)
$=1-$(A 문제를 맞힐 확률)
$=1-\dfrac{5}{7}=\dfrac{2}{7}$

(2) (내일 비가 오지 않을 확률)
$=1-$(내일 비가 올 확률)
$=1-\dfrac{4}{5}=\dfrac{1}{5}$

(3) 모든 경우의 수는 $6\times6=36$
두 눈의 수가 서로 같은 경우는
$(1,1),(2,2),(3,3),(4,4),(5,5),(6,6)$의 6가지
이므로 그 확률은 $\dfrac{6}{36}=\dfrac{1}{6}$
$\therefore$ (두 눈의 수가 서로 다를 확률)
$=1-$(두 눈의 수가 서로 같을 확률)
$=1-\dfrac{1}{6}=\dfrac{5}{6}$

(4) 모든 경우의 수는 $2\times2=4$
2개 모두 앞면이 나오는 경우는 (앞면, 앞면)의 1가지이므로 그 확률은 $\dfrac{1}{4}$
$\therefore$ (적어도 한 개는 뒷면이 나올 확률)
$=1-$(2개 모두 앞면이 나올 확률)
$=1-\dfrac{1}{4}=\dfrac{3}{4}$

6 전체 공의 개수는 $3+4+5=12$

(1) 흰 공이 나오는 경우의 수는 3이므로
구하는 확률은 $\dfrac{3}{12}=\dfrac{1}{4}$

(2) 빨간 공이 나오는 경우의 수는 5이므로
구하는 확률은 $\dfrac{5}{12}$

(3) (흰 공 또는 빨간 공이 나올 확률)
$=$(흰 공이 나올 확률)$+$(빨간 공이 나올 확률)
$=\dfrac{1}{4}+\dfrac{5}{12}=\dfrac{8}{12}=\dfrac{2}{3}$

7 모든 경우의 수는 $6\times6=36$
두 눈의 수의 합이 3인 경우는
$(1,2),(2,1)$의 2가지
이므로 그 확률은 $\dfrac{2}{36}=\dfrac{1}{18}$
두 눈의 수의 합이 7인 경우는
$(1,6),(2,5),(3,4),(4,3),(5,2),(6,1)$의 6가지
이므로 그 확률은 $\dfrac{6}{36}=\dfrac{1}{6}$
따라서 구하는 확률은
$\dfrac{1}{18}+\dfrac{1}{6}=\dfrac{4}{18}=\dfrac{2}{9}$

8 이번 주 토요일에 비가 올 확률은 $40\%=\dfrac{2}{5}$
이번 주 일요일에 비가 올 확률은 $50\%=\dfrac{1}{2}$
따라서 이번 주 토요일, 일요일에 모두 비가 올 확률은
$\dfrac{2}{5}\times\dfrac{1}{2}=\dfrac{1}{5}$
이므로 이를 백분율로 나타내면
$\dfrac{1}{5}\times100=20\,(\%)$

9 (동전은 앞면이 나오고 주사위는 홀수의 눈이 나올 확률)
$=$(동전에서 앞면이 나올 확률)
$\times$(주사위에서 홀수의 눈이 나올 확률)
$=\dfrac{1}{2}\times\dfrac{1}{2}=\dfrac{1}{4}$

10 (1) (A 주머니에서 검은 공이 나오고 B 주머니에서 흰 공이 나올 확률)
$=$(A 주머니에서 검은 공이 나올 확률)
$\times$(B 주머니에서 흰 공이 나올 확률)
$=\dfrac{5}{8}\times\dfrac{2}{10}=\dfrac{1}{8}$

(2) (두 주머니에서 모두 검은 공이 나올 확률)
$=$(A 주머니에서 검은 공이 나올 확률)
$\times$(B 주머니에서 검은 공이 나올 확률)
$=\dfrac{5}{8}\times\dfrac{8}{10}=\dfrac{1}{2}$

1 ③	**2** ④, ⑤	**3** $\frac{4}{5}$	**4** ④
5 ⑤	**6** $\frac{6}{25}$	**7** ⑤	**8** $\frac{16}{81}$

1 모든 경우의 수는 $4 \times 4 = 16$

홀수가 되어야 하므로 일의 자리에 올 수 있는 숫자는 1 또는 3이다.

(i) □1인 경우 : 21, 31, 41의 3개

(ii) □3인 경우 : 13, 23, 43의 3개

(i), (ii)에 의하여 홀수의 개수는

$3 + 3 = 6$

따라서 구하는 확률은 $\frac{6}{16} = \frac{3}{8}$

2 ① 1 이하의 눈이 나오는 경우는 1의 1가지이므로

그 확률은 $\frac{1}{6}$

② 짝수의 눈이 나오는 경우는 2, 4, 6의 3가지이므로

그 확률은 $\frac{3}{6} = \frac{1}{2}$

③ 5 미만의 눈이 나오는 경우는 1, 2, 3, 4의 4가지이므

로 그 확률은 $\frac{4}{6} = \frac{2}{3}$

④ 6 이하의 눈이 나오는 경우는 모든 경우이므로 그 확

률은 1이다.

⑤ 7 이상의 눈이 나오는 경우는 없으므로 그 확률은 0

이다.

따라서 옳은 것은 ④, ⑤이다.

3 (겨자가 들어 있지 않은 찹쌀떡을 고를 확률)

$= 1 - ($겨자가 들어 있는 찹쌀떡을 고를 확률$)$

$= 1 - \frac{6}{30} = \frac{24}{30} = \frac{4}{5}$

4 모든 경우의 수는 $2 \times 2 \times 2 = 8$

3개 모두 뒷면이 나오는 경우는 (뒷면, 뒷면, 뒷면)의

1가지이므로 그 확률은 $\frac{1}{8}$

$\therefore$ (적어도 한 개는 앞면이 나올 확률)

$= 1 - ($3개 모두 뒷면이 나올 확률$)$

$= 1 - \frac{1}{8} = \frac{7}{8}$

5 모든 경우의 수는 $6 \times 6 = 36$

두 눈의 수의 차가 3인 경우는 $(1, 4), (2, 5), (3, 6),$

$(4, 1), (5, 2), (6, 3)$의 6가지이므로 그 확률은 $\frac{6}{36} = \frac{1}{6}$

두 눈의 수의 차가 5인 경우는 $(1, 6), (6, 1)$의 2가지

이므로 그 확률은 $\frac{2}{36} = \frac{1}{18}$

따라서 구하는 확률은

$\frac{1}{6} + \frac{1}{18} = \frac{4}{18} = \frac{2}{9}$

6 (두 주머니 A, B에서 모두 빨간 공이 나올 확률)

$= ($주머니 A에서 빨간 공이 나올 확률$)$

$\times ($주머니 B에서 빨간 공이 나올 확률$)$

$= \frac{3}{5} \times \frac{2}{5} = \frac{6}{25}$

7 자유투를 성공하지 못할 확률은

$1 - \frac{2}{3} = \frac{1}{3}$

$\therefore$ (적어도 한 번은 자유투를 성공할 확률)

$= 1 - ($세 번 모두 자유투를 성공하지 못할 확률$)$

$= 1 - \frac{1}{3} \times \frac{1}{3} \times \frac{1}{3} = 1 - \frac{1}{27} = \frac{26}{27}$

8 모든 경우의 수는 9

첫 번째에 짝수가 나오는 경우는 2, 4, 6, 8의 4가지

이므로 그 확률은 $\frac{4}{9}$

두 번째에 6의 약수가 나오는 경우는 1, 2, 3, 6의 4가지

이므로 그 확률은 $\frac{4}{9}$

따라서 구하는 확률은

$\frac{4}{9} \times \frac{4}{9} = \frac{16}{81}$

1 ②	2 ③	3 ③	4 ⑤
5 $\frac{1}{2}$	6 ③	7 $\frac{9}{25}$	8 ④
9 ②			

1 모든 경우의 수는 $6 \times 6 = 36$

두 눈의 수의 차가 2인 경우는

$(1, 3), (2, 4), (3, 1), (3, 5), (4, 2), (4, 6), (5, 3),$
$(6, 4)$의 8가지

따라서 구하는 확률은 $\frac{8}{36} = \frac{2}{9}$

2 모든 경우의 수는 $4 \times 3 \times 2 \times 1 = 24$

아빠와 엄마를 1명으로 생각하여 3명이 한 줄로 서는 경우의 수는

$3 \times 2 \times 1 = 6$

이때 아빠와 엄마가 서로 자리를 바꾸는 경우의 수는

$2 \times 1 = 2$

이므로 아빠와 엄마가 이웃하여 서는 경우의 수는

$6 \times 2 = 12$

따라서 구하는 확률은

$\frac{12}{24} = \frac{1}{2}$

3 ③ $0 \leq p \leq 1$

따라서 옳지 않은 것은 ③이다.

4 모든 경우의 수는 $4 \times 3 = 12$

D가 회장으로 뽑히는 경우의 수는 A, B, C 3명의 후보 중에서 부회장 1명을 뽑는 경우의 수와 같으므로 3

즉 D가 회장으로 뽑힐 확률은 $\frac{3}{12} = \frac{1}{4}$

∴ (D가 회장으로 뽑히지 않을 확률)

= 1 − (D가 회장으로 뽑힐 확률)

= $1 - \frac{1}{4} = \frac{3}{4}$

5 전체 학생 수는 $10 + 8 + 7 + 5 = 30$

혈액형이 B형인 학생 수는 8이므로 그 확률은 $\frac{8}{30} = \frac{4}{15}$

혈액형이 O형인 학생 수는 7이므로 그 확률은 $\frac{7}{30}$

따라서 구하는 확률은

$\frac{4}{15} + \frac{7}{30} = \frac{15}{30} = \frac{1}{2}$

6 A 주사위에서 홀수의 눈이 나오는 경우는

1, 3, 5의 3가지이므로 그 확률은 $\frac{3}{6} = \frac{1}{2}$

B 주사위에서 6의 약수의 눈이 나오는 경우는

1, 2, 3, 6의 4가지이므로 그 확률은 $\frac{4}{6} = \frac{2}{3}$

따라서 구하는 확률은

$\frac{1}{2} \times \frac{2}{3} = \frac{1}{3}$

7 (지우는 성공하고 재영이는 실패할 확률)

= (지우가 성공할 확률) × (재영이가 실패할 확률)

= $\frac{9}{10} \times \left(1 - \frac{3}{5}\right)$

= $\frac{9}{10} \times \frac{2}{5} = \frac{9}{25}$

8 (적어도 한 개는 흰 공이 나올 확률)

= 1 − (2개 모두 검은 공이 나올 확률)

= $1 - \frac{2}{6} \times \frac{4}{8}$

= $1 - \frac{1}{6} = \frac{5}{6}$

9 첫 번째에 불량품을 꺼낼 확률은 $\frac{4}{10} = \frac{2}{5}$

두 번째에 불량품을 꺼낼 확률은 $\frac{3}{9} = \frac{1}{3}$

따라서 구하는 확률은

$\frac{2}{5} \times \frac{1}{3} = \frac{2}{15}$

6일

누구나 100점 테스트 ①회 | 56쪽~57쪽

1 8	**2** 60 m	**3** 7 cm	**4** 200
5 16	**6** 14	**7** 8 cm	**8** 5 cm²
9 296	**10** 직각삼각형이다.		

1 $\overline{AD} : \overline{AB} = \overline{DE} : \overline{BC}$이므로
$x : (x+4) = 14 : 21$
$21x = 14x + 56$
$7x = 56$ $\therefore x = 8$

2 $\overline{AC} : \overline{EC} = \overline{AB} : \overline{ED}$이므로
$50 : 10 = \overline{AB} : 12$
$10\overline{AB} = 600$ $\therefore \overline{AB} = 60 \, (\text{m})$

3 $\overline{AD} = \overline{DB}, \overline{AE} = \overline{EC}$이므로
$\overline{DE} = \dfrac{1}{2}\overline{BC} = \dfrac{1}{2} \times 14 = 7 \, (\text{cm})$

4 도서관에서 민수네 집까지의 거리를 x m라 하면
$x : 500 = 120 : 300$
$300x = 60000$ $\therefore x = 200$
따라서 도서관에서 민수네 집까지의 거리는 200 m이다.

5 $5 : 15 = 4 : (x-4)$이므로 $5x - 20 = 60$
$5x = 80$ $\therefore x = 16$

6 $\overline{BG} : \overline{GE} = 2 : 1$이므로 $10 : x = 2 : 1$
$2x = 10$ $\therefore x = 5$
$\overline{CD} = \dfrac{1}{2}\overline{BC} = \dfrac{1}{2} \times 18 = 9 \, (\text{cm})$이므로 $y = 9$
$\therefore x + y = 5 + 9 = 14$

7 점 G는 △ABC의 무게중심이므로
$\overline{AG} : \overline{GD} = 2 : 1, \, 24 : \overline{GD} = 2 : 1$
$2\overline{GD} = 24$ $\therefore \overline{GD} = 12 \, (\text{cm})$

점 G′은 △GBC의 무게중심이므로
$\overline{GD} : \overline{GG'} = 3 : 2, \, 12 : \overline{GG'} = 3 : 2$
$3\overline{GG'} = 24$ $\therefore \overline{GG'} = 8 \, (\text{cm})$

8 $\triangle GBD = \dfrac{1}{6}\triangle ABC = \dfrac{1}{6} \times 30 = 5 \, (\text{cm}^2)$

9 $\overline{AB}^2 + \overline{AC}^2 = \overline{BC}^2$이므로
$x^2 = 10^2 + 14^2 = 296$

10 $26^2 = 10^2 + 24^2$이므로 직각삼각형이다.

누구나 100점 테스트 ②회 | 58쪽~59쪽

1 ②	**2** ③	**3** 6	**4** ①
5 ③	**6** 찬미, 기범	**7** $\dfrac{7}{20}$	**8** $\dfrac{1}{3}$
9 ⑤	**10** $\dfrac{1}{2}$		

1 10의 약수가 적힌 공이 나오는 경우는 1, 2, 5, 10이므로 구하는 경우의 수는 4이다.

2 만두를 고르는 경우의 수는 3
김밥을 고르는 경우의 수는 4
따라서 구하는 경우의 수는 $3 + 4 = 7$

3 학교에서 집까지 가는 경우의 수는 3
집에서 학원까지 가는 경우의 수는 2
따라서 구하는 경우의 수는 $3 \times 2 = 6$

4 백의 자리에 올 수 있는 숫자는 1, 2, 3, 4, 5의 5가지
십의 자리에 올 수 있는 숫자는 백의 자리에 온 숫자를 제외한 5가지
일의 자리에 올 수 있는 숫자는 백의 자리와 십의 자리에 온 숫자를 제외한 4가지
따라서 구하는 경우의 수는 $5 \times 5 \times 4 = 100$

5 $a=10\times9=90$

$b=\dfrac{10\times9}{2}=45$

$\therefore a+b=90+45=135$

6 정세 : 1 미만의 수가 나오는 경우는 없으므로 그 확률은 0이다.

찬미 : (안경을 쓴 학생이 뽑힐 확률)$=\dfrac{13}{32}$

$\therefore$ (안경을 쓰지 않은 학생이 뽑힐 확률)

$=1-$(안경을 쓴 학생이 뽑힐 확률)

$=1-\dfrac{13}{32}=\dfrac{19}{32}$

기범 : 2의 배수가 나오는 경우는 모든 경우이므로 그 확률은 1이다.

따라서 바르게 말한 학생은 찬미, 기범이다.

7 4의 배수가 적힌 카드가 나오는 경우는 4, 8, 12, 16, 20 의 5가지이므로 그 확률은 $\dfrac{5}{20}=\dfrac{1}{4}$

7의 배수가 적힌 카드가 나오는 경우는 7, 14의 2가지이 므로 그 확률은 $\dfrac{2}{20}=\dfrac{1}{10}$

따라서 구하는 확률은 $\dfrac{1}{4}+\dfrac{1}{10}=\dfrac{7}{20}$

8 A 주사위에서 짝수의 눈이 나오는 경우는 2, 4, 6의 3가 지이므로 그 확률은 $\dfrac{3}{6}=\dfrac{1}{2}$

B 주사위에서 4 이하의 눈이 나오는 경우는 1, 2, 3, 4의 4가지이므로 그 확률은 $\dfrac{4}{6}=\dfrac{2}{3}$

따라서 구하는 확률은 $\dfrac{1}{2}\times\dfrac{2}{3}=\dfrac{1}{3}$

9 모든 경우의 수는 $\dfrac{7\times6}{2}=21$

2명 모두 여학생이 뽑히는 경우의 수는

$\dfrac{3\times2}{2}=3$이므로 그 확률은 $\dfrac{3}{21}=\dfrac{1}{7}$

$\therefore$ (적어도 1명은 남학생이 뽑힐 확률)

$=1-$(2명 모두 여학생이 뽑힐 확률)

$=1-\dfrac{1}{7}=\dfrac{6}{7}$

10 홍길동이 과녁을 맞힐 확률은 $\dfrac{3}{4}$

전우치가 과녁을 맞히지 못할 확률은 $1-\dfrac{1}{3}=\dfrac{2}{3}$

따라서 구하는 확률은 $\dfrac{3}{4}\times\dfrac{2}{3}=\dfrac{1}{2}$

서술형·사고력 테스트 | 60쪽~61쪽

1 (1) 10 cm (2) 6 cm (3) 4 cm
2 (1) 9 cm (2) △AGG′ ∽ △AEF (SAS 닮음) (3) 6 cm
3 (1) 15 cm (2) 320π cm³
4 (1) 9 (2) 2 (3) 11
5 $\dfrac{3}{5}$

1 (1) △ABC에서 $\overline{AE}:\overline{AB}=\overline{EH}:\overline{BC}$이므로

$6:(6+12)=\overline{EH}:30$

$18\overline{EH}=180$ $\therefore \overline{EH}=10$ (cm) ······ (가)

(2) △ABD에서 $\overline{BE}:\overline{BA}=\overline{EG}:\overline{AD}$이므로

$12:(6+12)=\overline{EG}:9$

$18\overline{EG}=108$ $\therefore \overline{EG}=6$ (cm) ······ (나)

(3) $\overline{GH}=\overline{EH}-\overline{EG}$

$=10-6=4$ (cm) ······ (다)

채점 기준	비율
(가) $\overline{EH}$의 길이 구하기	40 %
(나) $\overline{EG}$의 길이 구하기	40 %
(다) $\overline{GH}$의 길이 구하기	20 %

2 (1) $\overline{BE}=\overline{CE}$, $\overline{CF}=\overline{DF}$이므로

$\overline{EF}=\dfrac{1}{2}\overline{BD}=\dfrac{1}{2}\times18=9$ (cm) ······ (가)

(2) △AGG′과 △AEF에서

∠GAG′은 공통,

$\overline{AG}:\overline{AE}=2:3$,

$\overline{AG'}:\overline{AF}=2:3$

이므로 △AGG′∽△AEF (SAS 닮음) ····· (나)

(3) $\overline{GG'}:\overline{EF}=\overline{AG}:\overline{AE}$이므로

$\overline{GG'}:9=2:3$

$3\overline{GG'}=18$　∴$\overline{GG'}=6$ (cm) ····· (다)

채점 기준	비율
(가) $\overline{EF}$의 길이 구하기	30 %
(나) △AGG′과 닮은 삼각형을 찾아 기호 ∽를 사용하여 나타내고, 닮음 조건 쓰기	40 %
(다) $\overline{GG'}$의 길이 구하기	30 %

3 (1) △AOB에서 $\overline{OA}^2+\overline{OB}^2=\overline{AB}^2$이므로

$\overline{OA}^2+8^2=17^2$, $\overline{OA}^2=225$

이때 $\overline{OA}>0$이므로 $\overline{OA}=15$ (cm)

따라서 구하는 원뿔의 높이는 15 cm이다. ····· (가)

(2) $\frac{1}{3}\times(\pi\times8^2)\times15=320\pi$ (cm³) ····· (나)

채점 기준	비율
(가) 원뿔의 높이 구하기	60 %
(나) 원뿔의 부피 구하기	40 %

4 (1) A 지점에서 B 지점까지 가는 경우의 수는 3

B 지점에서 D 지점까지 가는 경우의 수는 3

따라서 구하는 경우의 수는 3×3=9 ····· (가)

(2) A 지점에서 C 지점까지 가는 경우의 수는 1

C 지점에서 D 지점까지 가는 경우의 수는 2

따라서 구하는 경우의 수는 1×2=2 ····· (나)

(3) (A 지점에서 D 지점까지 가는 경우의 수)

= (A 지점에서 B 지점을 거쳐 D 지점까지 가는 경우의 수) + (A 지점에서 C 지점을 거쳐 D 지점까지 가는 경우의 수)

= 9+2=11 ····· (다)

채점 기준	비율
(가) A 지점에서 B 지점을 거쳐 D 지점까지 가는 경우의 수 구하기	40 %
(나) A 지점에서 C 지점을 거쳐 D 지점까지 가는 경우의 수 구하기	40 %
(다) A 지점에서 D 지점까지 가는 경우의 수 구하기	20 %

5 두 사람이 만날 확률은 두 사람이 모두 약속을 지킬 확률과 같으므로

$\frac{2}{3}\times\frac{3}{5}=\frac{2}{5}$ ····· (가)

∴ (두 사람이 만나지 못할 확률)

= 1 - (두 사람이 만날 확률)

= $1-\frac{2}{5}=\frac{3}{5}$ ····· (나)

채점 기준	비율
(가) 두 사람이 만날 확률 구하기	50 %
(나) 두 사람이 만나지 못할 확률 구하기	50 %

창의·융합·코딩 테스트　　|62쪽~63쪽|

1 $\frac{21}{2}$ m　　**2** $\frac{1}{6}$, 10, 2 / 5 cm²　　**3** $\frac{10}{3}$

4 (1) $\frac{5}{12}$　(2) $\frac{7}{12}$　(3) 공정하지 않다.

1 $\overline{DE}/\!/\overline{BC}$이므로 $\overline{AE}:\overline{AC}=\overline{DE}:\overline{BC}$

$2:(2+12)=1.5:\overline{BC}$

$2\overline{BC}=21$　∴$\overline{BC}=\frac{21}{2}$ (m)

즉 이 탑의 높이는 $\frac{21}{2}$ m이다.

2 $\triangle FBG = \dfrac{1}{6}\triangle ABC = \dfrac{1}{6}\times 60 = 10 \ (cm^2)$

$\triangle FBE$에서

$\triangle FBG : \triangle FGE = \overline{BG} : \overline{GE} = 2 : 1$이므로

$10 : \triangle FGE = 2 : 1$

$2\triangle FGE = 10$　　$\therefore \triangle FGE = 5 \ (cm^2)$

3 $\triangle ABC$에서 $\overline{AB}^2 + \overline{AC}^2 = \overline{BC}^2$이므로

$\overline{BC}^2 = 16^2 + 12^2 = 400$

이때 $\overline{BC} > 0$이므로 $\overline{BC} = 20 \ (cm)$

이때 점 D는 빗변 BC의 중점이므로 점 D는 직각삼각형 ABC의 외심이다.

$\therefore \overline{AD} = \overline{BD} = \overline{CD} = \dfrac{1}{2}\overline{BC} = \dfrac{1}{2}\times 20 = 10 \ (cm)$

점 G는 $\triangle ABC$의 무게중심이므로

$\overline{AD} : \overline{GD} = 3 : 1$

$10 : x = 3 : 1, \ 3x = 10$　　$\therefore x = \dfrac{10}{3}$

4 (1) 모든 경우의 수는 $6 \times 6 = 36$

두 눈의 수의 합이 소수인 경우는 2, 3, 5, 7, 11인 경우이다.

(i) 두 눈의 수의 합이 2인 경우

$(1, 1)$의 1가지이므로 그 확률은 $\dfrac{1}{36}$

(ii) 두 눈의 수의 합이 3인 경우

$(1, 2), (2, 1)$의 2가지이므로 그 확률은

$\dfrac{2}{36} = \dfrac{1}{18}$

(iii) 두 눈의 수의 합이 5인 경우

$(1, 4), (2, 3), (3, 2), (4, 1)$의 4가지이므로

그 확률은 $\dfrac{4}{36} = \dfrac{1}{9}$

(iv) 두 눈의 수의 합이 7인 경우

$(1, 6), (2, 5), (3, 4), (4, 3), (5, 2), (6, 1)$의

6가지이므로 그 확률은 $\dfrac{6}{36} = \dfrac{1}{6}$

(v) 두 눈의 수의 합이 11인 경우

$(5, 6), (6, 5)$의 2가지이므로 그 확률은

$\dfrac{2}{36} = \dfrac{1}{18}$

(i)~(v)에 의하여 구하는 확률은

$\dfrac{1}{36} + \dfrac{1}{18} + \dfrac{1}{9} + \dfrac{1}{6} + \dfrac{1}{18} = \dfrac{15}{36} = \dfrac{5}{12}$

(2) (수연이가 사탕을 먹을 확률)

$= 1 -$ (진서가 사탕을 먹을 확률)

$= 1 - \dfrac{5}{12} = \dfrac{7}{12}$

(3) 수연이가 사탕을 먹을 확률이 진서가 사탕을 먹을 확률보다 더 크므로 이 게임은 공정하지 않다.

1 ③	**2** ③	**3** ⑤	**4** ⑤
5 ①	**6** ②	**7** ④	**8** ③
9 ①	**10** ③	**11** ④	**12** ⑤
13 ④	**14** ②	**15** 석진	**16** ①
17 ④	**18** 3	**19** 16 cm	
20 (1) 3, 2, 1, 24 / 24 (2) 6			

1 $\overline{AB} : \overline{AE} = \overline{BC} : \overline{ED}$이므로

$\overline{AB} : 5 = 12 : 8$

$8\overline{AB} = 60$　　$\therefore \overline{AB} = \dfrac{15}{2} \ (cm)$

2 ① $\overline{AD} : \overline{AB} = 10 : 22 = 5 : 11$,

$\overline{AE} : \overline{AC} = 6 : (6+9) = 2 : 5$

즉 $\overline{AD} : \overline{AB} \neq \overline{AE} : \overline{AC}$이므로 $\overline{BC}$와 $\overline{DE}$는 평행하지 않다.

② $\overline{AD} : \overline{DB} = 18 : 4 = 9 : 2$, $\overline{AE} : \overline{EC} = 10 : 3$

즉 $\overline{AD} : \overline{DB} \neq \overline{AE} : \overline{EC}$이므로 $\overline{BC}$와 $\overline{DE}$는 평행하지 않다.

③ $\overline{AB} : \overline{AE} = 10 : 5 = 2 : 1$,

$\overline{AC} : \overline{AD} = 8 : 4 = 2 : 1$

즉 $\overline{AB} : \overline{AE} = \overline{AC} : \overline{AD}$이므로 $\overline{BC} /\!/ \overline{DE}$

④ $\overline{AD} : \overline{DB} = 7 : 3$, $\overline{AE} : \overline{EC} = 9 : 4$

즉 $\overline{AD} : \overline{DB} \neq \overline{AE} : \overline{EC}$이므로 $\overline{BC}$와 $\overline{DE}$는 평행하지 않다.

⑤ $\overline{AB} : \overline{BE} = 9 : 14$,

$\overline{AC} : \overline{CD} = (17-5) : 17 = 12 : 17$

즉 $\overline{AB} : \overline{BE} \neq \overline{AC} : \overline{CD}$이므로 $\overline{BC}$와 $\overline{DE}$는 평행하지 않다.

따라서 $\overline{BC} /\!/ \overline{DE}$인 것은 ③이다.

3 $\overline{AD} = \overline{BD}$, $\overline{DE} /\!/ \overline{BC}$이므로 $\overline{AE} = \overline{CE}$

$\therefore \overline{DE} = \dfrac{1}{2}\overline{BC} = \dfrac{1}{2} \times 6 = 3$ (cm)

4 $\overline{AB} : \overline{AC} = \overline{BD} : \overline{CD}$이므로

$10 : 8 = 6 : \overline{CD}$

$10\overline{CD} = 48$ $\quad \therefore \overline{CD} = \dfrac{24}{5}$ (cm)

5 $4 : 2 = 10 : (x-10)$이므로 $4x - 40 = 20$

$4x = 60$ $\quad \therefore x = 15$

$4 : 2 = 9 : y$이므로 $4y = 18$

$\therefore y = \dfrac{9}{2}$

6 점 G가 △ABC의 무게중심이므로

$\overline{CD} = \overline{BD} = 5$ cm $\quad \therefore x = 5$

또 $\overline{BG} : \overline{GE} = 2 : 1$이므로 $4 : y = 2 : 1$

$2y = 4$ $\quad \therefore y = 2$

$\therefore x + y = 5 + 2 = 7$

7 점 G′이 △GBC의 무게중심이므로

$\overline{GG'} : \overline{GM} = 2 : 3$

$6 : \overline{GM} = 2 : 3$, $2\overline{GM} = 18$

$\therefore \overline{GM} = 9$ (cm)

또 점 G가 △ABC의 무게중심이므로

$\overline{AM} : \overline{GM} = 3 : 1$

$\overline{AM} : 9 = 3 : 1$ $\quad \therefore \overline{AM} = 27$ (cm)

8 △AGF : △GDF $= \overline{AG} : \overline{GD} = 2 : 1$이므로

△AGF $: 6 = 2 : 1$ $\quad \therefore$ △AGF $= 12$ (cm²)

$\therefore$ △ADF $=$ △AGF $+$ △GDF $= 12 + 6 = 18$ (cm²)

이때 $\overline{GF} /\!/ \overline{DC}$이므로 $\overline{AF} : \overline{FC} = \overline{AG} : \overline{GD} = 2 : 1$

△ADF : △FDC $= \overline{AF} : \overline{FC} = 2 : 1$이므로

$18 :$ △FDC $= 2 : 1$

2△FDC $= 18$ $\quad \therefore$ △FDC $= 9$ (cm²)

9 $\overline{AB} = x$ cm라 하면 $\overline{BC} = \overline{AB} = x$ cm

$\overline{AB}^2 + \overline{BC}^2 = \overline{AC}^2$이므로 $x^2 + x^2 = 8^2$

$2x^2 = 64$ $\quad \therefore x^2 = 32$

$\therefore$ △ABC $= \dfrac{1}{2} \times x \times x = \dfrac{1}{2} \times x^2$

$\qquad\qquad = \dfrac{1}{2} \times 32 = 16$ (cm²)

10 △ABD에서 $\overline{AB}^2 + \overline{BD}^2 = \overline{AD}^2$이므로

$x^2 + 6^2 = 10^2$, $x^2 = 64$

이때 $x > 0$이므로 $x = 8$

△ABC에서 $\overline{AB}^2 + \overline{BC}^2 = \overline{AC}^2$이므로

$y^2 = 8^2 + (6+9)^2 = 289$

이때 $y > 0$이므로 $y = 17$

$\therefore x + y = 8 + 17 = 25$

11 $S_2 + S_3 = S_1$이므로

$S_1 + S_2 + S_3 = S_1 + S_1 = 2S_1$

$\qquad\qquad\quad = 2\overline{AB}^2 = 2 \times 10^2 = 200$

12 ① $3^2 + 4^2 = 5^2$이므로 직각삼각형이다.

② $5^2 + 12^2 = 13^2$이므로 직각삼각형이다.

③ $6^2 + 8^2 = 10^2$이므로 직각삼각형이다.

④ $9^2 + 12^2 = 15^2$이므로 직각삼각형이다.

⑤ $10^2 + 12^2 \neq 14^2$이므로 직각삼각형이 아니다.

따라서 직각삼각형의 세 변의 길이가 될 수 없는 것은 ⑤이다.

13 4의 배수가 적힌 공이 나오는 경우는
4, 8, 12, 16, 20, 24, 28의 7가지
9의 배수가 적힌 공이 나오는 경우는
9, 18, 27의 3가지
따라서 구하는 경우의 수는 $7+3=10$

14 짝수가 되어야 하므로 일의 자리에 올 수 있는 숫자는 0 또는 2 또는 4이다.
  (ⅰ) □□0인 경우
    백의 자리에 올 수 있는 숫자는 0을 제외한 4가지
    십의 자리에 올 수 있는 숫자는 백의 자리에 온 숫자 와 0을 제외한 3가지
    ∴ $4 \times 3 = 12$
  (ⅱ) □□2인 경우
    백의 자리에 올 수 있는 숫자는 0, 2를 제외한 3가지
    십의 자리에 올 수 있는 숫자는 백의 자리에 온 숫자 와 2를 제외한 3가지
    ∴ $3 \times 3 = 9$
  (ⅲ) □□4인 경우
    백의 자리에 올 수 있는 숫자는 0, 4를 제외한 3가지
    십의 자리에 올 수 있는 숫자는 백의 자리에 온 숫자 와 4를 제외한 3가지
    ∴ $3 \times 3 = 9$
  (ⅰ), (ⅱ), (ⅲ)에 의하여 구하는 짝수의 개수는
  $12+9+9=30$

15 희서 : 눈이 올 확률이 $20\% = \frac{1}{5}$이므로 눈이 오지 않을
    확률은 $1 - \frac{1}{5} = \frac{4}{5}$
  연진 : 해가 서쪽에서 뜨는 경우는 없으므로 그 확률은 0 이다.
  석진 : 6 이하의 눈이 나오는 경우는 모든 경우이므로 그 확률은 1이다.
  지훈 : 모든 경우의 수는 2이고 앞면이 나오는 경우의 수 는 1이므로 그 확률은 $\frac{1}{2}$이다.
  따라서 확률이 가장 큰 사건을 말한 사람은 석진이다.

16 두 주머니 A, B에서 모두 흰 공이 나올 확률은
  $\frac{6}{10} \times \frac{4}{6} = \frac{2}{5}$
  두 주머니 A, B에서 모두 검은 공이 나올 확률은
  $\frac{4}{10} \times \frac{2}{6} = \frac{2}{15}$
  따라서 구하는 확률은 $\frac{2}{5} + \frac{2}{15} = \frac{8}{15}$

17 (적어도 한 선수는 명중시킬 확률)
  $= 1 - $ (두 선수 모두 명중시키지 못할 확률)
  $= 1 - \left(1 - \frac{2}{5}\right) \times \left(1 - \frac{1}{4}\right) = 1 - \frac{3}{5} \times \frac{3}{4}$
  $= 1 - \frac{9}{20} = \frac{11}{20}$

18 $\overline{BC} /\!/ \overline{DE}$이므로 $\overline{AB} : \overline{AE} = \overline{BC} : \overline{ED}$
  $x : 6 = (4+16) : 8$, $8x = 120$
  ∴ $x = 15$ ⋯⋯ (가)
  $\overline{AB} /\!/ \overline{GF}$이므로 $\overline{CF} : \overline{CB} = \overline{GF} : \overline{AB}$
  $16 : (16+4) = y : 15$, $20y = 240$
  ∴ $y = 12$ ⋯⋯ (나)
  ∴ $x - y = 15 - 12 = 3$ ⋯⋯ (다)

채점 기준	비율
(가) x의 값 구하기	40 %
(나) y의 값 구하기	40 %
(다) $x-y$의 값 구하기	20 %

19 △ABD에서 $\overline{EG} : \overline{AD} = \overline{BE} : \overline{BA}$이므로
  $\overline{EG} : 9 = 12 : (12+6)$
  $18\overline{EG} = 108$ ∴ $\overline{EG} = 6$ (cm) ⋯⋯ (가)
  △DBC에서 $\overline{GF} : \overline{BC} = \overline{DG} : \overline{DB} = \overline{AE} : \overline{AB}$이므로
  $\overline{GF} : 30 = 6 : (6+12)$
  $18\overline{GF} = 180$ ∴ $\overline{GF} = 10$ (cm) ⋯⋯ (나)
  ∴ $\overline{EF} = \overline{EG} + \overline{GF} = 6 + 10 = 16$ (cm) ⋯⋯ (다)

채점 기준	비율
㈎ $\overline{EG}$의 길이 구하기	40 %
㈏ $\overline{GF}$의 길이 구하기	40 %
㈐ $\overline{EF}$의 길이 구하기	20 %

20 (1) 구하는 경우의 수는 성진이를 제외한 나머지 4명을 한 줄로 세우는 경우의 수와 같으므로

$4 \times 3 \times 2 \times 1 = 24$ ······ ㈎

(2) 구하는 경우의 수는 연조와 신희를 제외한 나머지 3명을 한 줄로 세우는 경우의 수와 같으므로

$3 \times 2 \times 1 = 6$ ······ ㈏

채점 기준	비율
㈎ 성진이를 한가운데 세우는 경우의 수 구하기	50 %
㈏ 연조를 맨 앞에, 신희를 맨 뒤에 세우는 경우의 수 구하기	50 %

기말고사 기본 테스트 ❷회 | 68쪽~71쪽

1 ⑤	**2** ②	**3** ④	**4** ②
5 ③	**6** ④	**7** ⑤	**8** 희철
9 ④	**10** ④	**11** ⑤	**12** ⑤
13 ④	**14** 24개	**15** ④	**16** ①
17 ①	**18** 2 cm		
19 $\overline{DG}=6$ cm, $\overline{GF}=6$ cm		**20** $\dfrac{1}{25}$	

1 $\overline{AD} : \overline{AB} = \overline{DE} : \overline{BC}$이므로

$10 : (10+20) = x : 24$

$30x = 240$ ∴ $x = 8$

$\overline{AD} : \overline{AB} = \overline{AE} : \overline{AC}$이므로

$10 : (10+20) = y : 21$

$30y = 210$ ∴ $y = 7$

∴ $x + y = 8 + 7 = 15$

2 $\triangle ABQ$에서 $\overline{DP} \parallel \overline{BQ}$이므로

$\overline{AD} : \overline{AB} = \overline{DP} : \overline{BQ}$

$8 : (8+x) = 4 : 5$, $32+4x = 40$

$4x = 8$ ∴ $x = 2$

$\overline{AP} : \overline{AQ} = \overline{AD} : \overline{AB} = 8 : (8+2) = 4 : 5$

$\triangle AQC$에서 $\overline{AP} : \overline{AQ} = \overline{PE} : \overline{QC}$이므로

$4 : 5 = 6 : y$, $4y = 30$

∴ $y = \dfrac{15}{2}$

∴ $x + 2y = 2 + 2 \times \dfrac{15}{2} = 17$

3 $\overline{BP} = \overline{PA}$, $\overline{BQ} = \overline{QC}$이므로

$\overline{PQ} = \dfrac{1}{2}\overline{AC} = \dfrac{1}{2} \times 12 = 6 \text{ (cm)}$

$\overline{CR} = \overline{RA}$, $\overline{CQ} = \overline{QB}$이므로

$\overline{QR} = \dfrac{1}{2}\overline{AB} = \dfrac{1}{2} \times 10 = 5 \text{ (cm)}$

$\overline{AP} = \overline{PB}$, $\overline{AR} = \overline{RC}$이므로

$\overline{PR} = \dfrac{1}{2}\overline{BC} = \dfrac{1}{2} \times 16 = 8 \text{ (cm)}$

따라서 $\triangle PQR$의 둘레의 길이는

$\overline{PQ} + \overline{QR} + \overline{PR} = 6 + 5 + 8 = 19 \text{ (cm)}$

4 $5 : 6 = 4 : x$이므로 $5x = 24$ ∴ $x = \dfrac{24}{5}$

$5 : 6 = 3 : y$이므로 $5y = 18$ ∴ $y = \dfrac{18}{5}$

∴ $5(x-y) = 5 \times \left(\dfrac{24}{5} - \dfrac{18}{5} \right) = 5 \times \dfrac{6}{5} = 6$

5 오른쪽 그림과 같이 꼭짓점 A를 지나고 $\overline{DC}$에 평행한 직선을 그어 $\overline{EF}$, $\overline{BC}$와 만나는 점을 각각 G, H라 하면

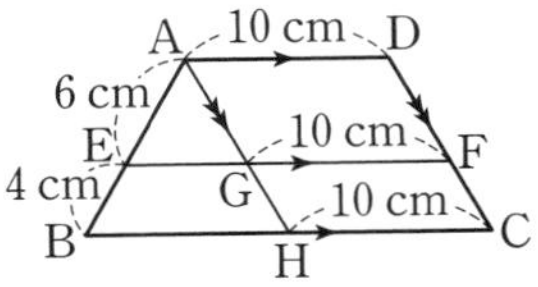

$\overline{GF} = \overline{HC} = \overline{AD} = 10$ cm

∴ $\overline{EG} = \overline{EF} - \overline{GF} = 16 - 10 = 6 \text{ (cm)}$

△ABH에서 $\overline{AE}:\overline{AB}=\overline{EG}:\overline{BH}$이므로

$6:(6+4)=6:\overline{BH}$

$6\overline{BH}=60$ ∴ $\overline{BH}=10$ (cm)

∴ $\overline{BC}=\overline{BH}+\overline{HC}=10+10=20$ (cm)

6 점 D는 빗변 AB의 중점이므로 점 D는 직각삼각형 ABC의 외심이다.

∴ $\overline{AD}=\overline{BD}=\overline{CD}=\dfrac{1}{2}\overline{AB}=\dfrac{1}{2}\times30=15$ (cm)

이때 점 G가 △ABC의 무게중심이므로

$\overline{CG}:\overline{CD}=2:3, \overline{CG}:15=2:3$

$3\overline{CG}=30$ ∴ $\overline{CG}=10$ (cm)

7 $\overline{AG}:\overline{GD}=2:1$이므로 $8:x=2:1$

$2x=8$ ∴ $x=4$

△BFE에서 $\overline{GD}/\!/\overline{EF}$이므로

$\overline{GD}:\overline{EF}=\overline{BG}:\overline{BE}$

$4:y=2:(2+1), 2y=12$ ∴ $y=6$

∴ $x+y=4+6=10$

8 점 G′이 △GBC의 무게중심이므로

△GBC$=6\triangle$G′BD$=6\times7=42$ (cm²)

또 점 G가 △ABC의 무게중심이므로

△AGC$=\triangle$GBC$=42$ cm²

9 △ABD에서 $\overline{AD}^2+\overline{BD}^2=\overline{AB}^2$이므로

$x^2+5^2=13^2, x^2=144$

이때 $x>0$이므로 $x=12$

△ADC에서 $\overline{AD}^2+\overline{DC}^2=\overline{AC}^2$이므로

$12^2+y^2=20^2, y^2=256$

이때 $y>0$이므로 $y=16$

∴ $x+y=12+16=28$

10 빗변의 길이가 9인 직각삼각형이므로

$x^2+7^2=9^2$ ∴ $x^2=32$

11 □EFGH가 정사각형이고 □EFGH의 넓이가 289 cm² 이므로 $\overline{EF}^2=289$

이때 $\overline{EF}>0$이므로 $\overline{EF}=17$ (cm)

△AFE에서 $\overline{AF}^2+\overline{AE}^2=\overline{EF}^2$이므로

$\overline{AF}^2+15^2=17^2, \overline{AF}^2=64$

이때 $\overline{AF}>0$이므로 $\overline{AF}=8$ (cm)

따라서 $\overline{AB}=\overline{AF}+\overline{BF}=8+15=23$ (cm)이므로

□ABCD$=\overline{AB}^2=23^2=529$ (cm²)

12 (색칠한 부분의 넓이)

$=(\overline{BC}$를 지름으로 하는 반원의 넓이)

$=\dfrac{1}{2}\times\pi\times\left(\dfrac{10}{2}\right)^2=\dfrac{25}{2}\pi$ (cm²)

13 ㉠ 구하는 경우의 수는 4명 중에서 자격이 같은 대표 2 명을 뽑는 경우의 수와 같으므로 $\dfrac{4\times3}{2}=6$

㉡ 첫 번째에 홀수가 나오는 경우는 1, 3, 5의 3가지이 고, 두 번째에 홀수가 나오는 경우도 1, 3, 5의 3가지 이므로 구하는 경우의 수는 $3\times3=9$

㉢ 소수가 적힌 카드가 나오는 경우는 2, 3, 5의 3가지 이고, 4가 적힌 카드가 나오는 경우는 4의 1가지이므 로 구하는 경우의 수는 $3+1=4$

따라서 경우의 수가 작은 것부터 순서대로 나열하면 ㉢, ㉠, ㉡이다.

14 자음을 고르는 경우의 수는 6

모음을 고르는 경우의 수는 4

따라서 만들 수 있는 글자는 모두 $6\times4=24$(개)이다.

15 (i) 연수네 집에서 문구점을 거쳐 도서관까지 가는 경우 의 수는 $3\times5=15$

(ii) 연수네 집에서 도서관까지 바로 가는 경우의 수는 2

(i), (ii)에 의하여 구하는 경우의 수는 $15+2=17$

16 모든 경우의 수는 $7 \times 6 = 42$

여학생 4명 중에서 회장 1명, 부회장 1명을 뽑는 경우의 수는 $4 \times 3 = 12$

따라서 구하는 확률은 $\dfrac{12}{42} = \dfrac{2}{7}$

17 모든 경우의 수는 $4 \times 4 = 16$

홀수가 되어야 하므로 일의 자리에 올 수 있는 숫자는 3 또는 9이다.

(ⅰ) □3인 경우 : 23, 63, 93의 3개

(ⅱ) □9인 경우 : 29, 39, 69의 3개

(ⅰ), (ⅱ)에 의하여 홀수의 개수는 $3 + 3 = 6$

따라서 구하는 확률은 $\dfrac{6}{16} = \dfrac{3}{8}$

18 $\overline{AD} \, /\!/ \, \overline{BC}$인 사다리꼴 ABCD에서 두 점 M, N이 각각 $\overline{AB}$, $\overline{DC}$의 중점이므로

$\overline{AD} \, /\!/ \, \overline{MN} \, /\!/ \, \overline{BC}$ ······ (가)

△ABC에서 $\overline{AM} = \overline{MB}$, $\overline{MQ} \, /\!/ \, \overline{BC}$이므로

$\overline{MQ} = \dfrac{1}{2}\overline{BC} = \dfrac{1}{2} \times 22 = 11 \, (\text{cm})$ ······ (나)

△ABD에서 $\overline{AM} = \overline{MB}$, $\overline{MP} \, /\!/ \, \overline{AD}$이므로

$\overline{MP} = \dfrac{1}{2}\overline{AD} = \dfrac{1}{2} \times 18 = 9 \, (\text{cm})$ ······ (다)

$\therefore \overline{PQ} = \overline{MQ} - \overline{MP} = 11 - 9 = 2 \, (\text{cm})$ ······ (라)

채점 기준	비율
(가) $\overline{AB} \, /\!/ \, \overline{MN} \, /\!/ \, \overline{BC}$임을 알기	20 %
(나) $\overline{MQ}$의 길이 구하기	30 %
(다) $\overline{MP}$의 길이 구하기	30 %
(라) $\overline{PQ}$의 길이 구하기	20 %

19 점 G가 △ABC의 무게중심이므로

$\overline{BF} = \overline{CF} = 9 \, \text{cm}$ ······ (가)

$\overline{DG} : \overline{BF} = \overline{AG} : \overline{AF}$이므로

$\overline{DG} : 9 = 2 : 3$, $3\overline{DG} = 18$

$\therefore \overline{DG} = 6 \, (\text{cm})$ ······ (나)

점 G가 △ABC의 무게중심이므로

$\overline{AG} : \overline{GF} = 2 : 1$, $12 : \overline{GF} = 2 : 1$

$2\overline{GF} = 12$ $\therefore \overline{GF} = 6 \, (\text{cm})$ ······ (다)

채점 기준	비율
(가) $\overline{BF}$의 길이 구하기	20 %
(나) $\overline{DG}$의 길이 구하기	40 %
(다) $\overline{GF}$의 길이 구하기	40 %

20 첫 번째에 당첨 제비가 나올 확률은

$\dfrac{4}{20} = \dfrac{1}{5}$ ······ (가)

뽑은 제비는 다시 넣으므로 두 번째에 당첨 제비가 나올 확률은 $\dfrac{4}{20} = \dfrac{1}{5}$ ······ (나)

따라서 구하는 확률은 $\dfrac{1}{5} \times \dfrac{1}{5} = \dfrac{1}{25}$ ······ (다)

채점 기준	비율
(가) 첫 번째에 당첨 제비가 나올 확률 구하기	30 %
(나) 두 번째에 당첨 제비가 나올 확률 구하기	40 %
(다) 2개 모두 당첨 제비일 확률 구하기	30 %